GW00858452

German for the Junior Certificate
Viel Spaß! 2

Niamh O'Rourke

Published by
CJ Fallon
Ground Floor – Block B
Liffey Valley Office Campus
Dublin 22

ISBN 978-0-7144-1697-7

First Edition May 2009
This Reprint May 2017

Introduction

Welcome to *Viel Spaß! 2*. This is the second and final part in the Viel Spaß! Junior Certificate German programme. As with *Viel Spaß! 1*, the textbook and the workbook are integrated, allowing you to test your work as you progress.

Accompanying the Student's Book is a CD with a listening exercise from each chapter. The Teacher's Book contains five CDs, with all the listening tracks arranged in sequence. Each listening passage is marked in the book indicating its location on the Teacher's CDs and, where relevant, on the Student CD.

Viel Spaß! 2 is thematically divided into 17 chapters. Following the format of *Viel Spaß! 1*, green vocabulary boxes (labelled *Wortschatz*), blue grammar boxes (labelled *Schwerpunkt Grammatik*) and yellow cultural information boxes (labelled *Landeskunde*) are provided to guide you through the chapter.

The four skills – speaking, listening, reading and writing – are central elements in each chapter. Reading material is provided in the form of short and long dialogues, picture stories, authentic advertising material, recipes, letters, postcards and longer reading passages. Some reading passages have a glossary at the end to assist you in understanding the text, while others endeavour to test your comprehension skills unaided.

In order that your experience of learning German continues to be fun (as well as practical), exercises in each chapter vary from the conventional 'fill in the blanks' and translation sentences, to writing letters and postcards, to the more enjoyable word puzzles, picture descriptions, 'what happens next?' questions, crosswords and *Wie intelligent bist du?* cultural quizzes.

When you have finished *Viel Spaß! 2*, you should feel confident not only that you are well-prepared for your Junior Certificate exam, but that you have also gained valuable insights into life in German-speaking countries.

Acknowledgements

Herzlichen Dank! to Martina David for always being there to help and advise, even at the last minute. I am also grateful to Anna Maria Newell, Siobhan McCarthy and Emer Burke for hints and suggestions.

For their valuable contributions, I wish to thank Lisa Duffy, Teresa Hogan, Roger Maul, Lauren O'Rourke, Moritz Deschamps and Filippo Bonamici.

I wish to thank the German speakers who participated in the studio recordings of the CDs: Meike Sommer, Barbara Sudrow, Daniel Steinbach, Stefan Alders, Ina Doyle and Roger Maul.

Thanks too to Gar Duffy at Westland Studios and Paul Waldron at All Write Media, for whom nothing is a problem.

I would like to record my gratitude to Fintan Lane at CJ Fallon for his patience and careful editing.

I also wish to acknowledge the many insightful comments made by my students and the support given to me by my collegues.

Finally, a sincere thank you to friends and family who have encouraged me along the way.

Niamh O'Rourke

	Content	Structure	Grammar

Kapitel 1   Was hätten Sie gern?   Page 1

Content	Structure	Grammar
■ Fastfood Restaurant ■ Restaurant ■ Ice-Cream Parlour ■ Café ■ Letter	■ Einmal Currywurst mit Pommes, bitte. ■ Ich hätte gern… ■ Ich nehme eine Kugel Vanilleeis. ■ Ein Stück Sachertorte, bitte.	■ Verbs: nehmen, kosten ■ Verbs in the Conditional Tense: haben, mögen

Kapitel 2   Was darf es sein?   Page 23

Content	Structure	Grammar
■ Shops ■ At the supermarket ■ At the fruit and veg shop ■ At the butcher ■ At the bakery ■ Markets in Germany and Austria ■ Shopping Lists	■ Ein Liter Milch, bitte. ■ Was kostet ein Kilo Trauben, bitte? ■ Haben Sie Pfirsche? ■ Geben Sie mir bitte 500g Salami, bitte. ■ Ich nehme zwölf Brötchen, bitte.	■ Verbs: einkaufen, einkaufen gehen ■ Compound Nouns ■ zu + dative ■ um…zu ■ Quantities: ein Liter Milch, 500g Salami.

Kapitel 3   Kannst du kochen?   Page 49

Content	Structure	Grammar
■ Reading Comprehension: Alex kocht zum ersten Mal! ■ Ingredients ■ Recipes ■ Typical German / Austrian / Swiss Recipes ■ Kitchenware and Household Appliances ■ Delf and cutlery ■ Letter	■ Was sind die Zutaten? ■ Mein Lieblingsrezept ist Himmel und Erde. ■ Ich brauche eine Gabel, bittte.	■ Verbs: schneiden, tun, kochen, schälen, rühren, lassen. ■ Quantities: ein Teelöffel Zimt ■ Wiederholung: Akkusativ

	Content	Structure	Grammar

Kapitel 4 Wie komme ich am besten zur Post? Page 71

Content	Structure	Grammar
▪ Directions ▪ The Town ▪ Tourist Office ▪ Street names ▪ Sightseeing	▪ Wie komme ich am besten zur Post? ▪ Gehen Sie geradeaus! ▪ Haben Sie einen Stadtplan, bitte? ▪ Ich suche die Cimbernstraße. ▪ Dresden	▪ Prepositions: zu, um, vor, neben, hinter, in, über, nach, an, bis. ▪ Genitive Case

Kapitel 5 Wo treffen wir uns Page 91

Content	Structure	Grammar
▪ Arranging to meet up ▪ Invitations ▪ Accepting an Invitation ▪ Declining an Invitation ▪ Organising a Party ▪ Short notes	▪ Treffen wir uns an acht vor dem Kino? ▪ Ich kann zur Party kommen. ▪ Es tut mir leid, aber ich kann nicht zur Party kommen.	▪ Verb: treffen ▪ Modal Verbs ▪ Negative Statements

Kapitel 6 Was hast du am Wochenende gemacht Page 111

Content	Structure	Grammar
▪ Last Weekend ▪ Describing a Birthday Party ▪ Reading Comprehension: Claudia hat eine Geburtstagsparty für ihren Freund Marcel organisiert. ▪ Letter	▪ Was hast du am Wochenende gemacht? ▪ Ich habe Fußball gespielt. ▪ Wie war die Party?	▪ Perfect Tense

	Content	Structure	Grammar

Kapitel 7 — Wie ist das Wetter? — Page 133

Content	Structure	Grammar
◾ Talking about the Weather ◾ Weather Forecast ◾ Summer Activities / Winter Activities ◾ Reading Comprehension: Marko fährt ans Meer ◾ Postcards	◾ Wie ist das Wetter? Es ist sonnig und warm. ◾ Es regnet ◾ Die Aussichten für Morgen sind…	◾ Es ist + adjective ◾ Es + verb ◾ Use of *wenn, wann* and *als* ◾ Coordinating Conjunctions Subordinating Conjunctions: *weil*

Kapitel 8 — Wie waren deine Ferien — Page 153

Content	Structure	Grammar
◾ Talking about Holidays ◾ Holiday Homes ◾ Reading Comprehension: Heino macht Urlaub am Meer ◾ Letter	◾ Ich war in Spanien. ◾ Ferienhaus zu vermieten	◾ Imperfect tense ◾ Verbs in the imperfect: haben, sein, machen, arbeiten, bringen, gehen

Kapitel 9 — Wann fährt der Zug nach Berlin ab — Page 173

Content	Structure	Grammar
◾ At the Train Station ◾ Making Enquiries ◾ Buying Train Tickets ◾ Signs ◾ Lost and found office ◾ Modes of Transport ◾ Reading Comprehension: Eine ungewöhnliche Reise im Zug.	◾ Wann fährt der Zug ab? Er fährt um siebzehn Uhr ab. ◾ Muss ich umsteigen? ◾ Einmal nach Köln, bitte. ◾ Gleis 1 ◾ Ich habe meinen Rucksack im Zug liegenlassen. ◾ Ich fahre mit der U-Bahn.	◾ Verbs: einsteigen, aussteigen, umsteigen. ◾ Imperfect Tense: Modal Verbs

Content	Structure	Grammar

Kapitel 10   Haben Sie ein Zimmer frei?   Page 197

Content	Structure	Grammar
▦ Hotel Reservations ▦ Complaints ▦ Items left behind ▦ Youth Hostel ▦ Checking in ▦ Membership Form ▦ Rules and Regulations ▦ Notes for Notice Board ▦ Campsite ▦ Camping Equipment ▦ Formal Notes/Letters	▦ Haben Sie ein Zimmer frei? ▦ Die Dusche ist kalt. ▦ Ich habe meinen Reisepass im Zimmer gelassen. ▦ Haben Sie noch Betten frei? ▦ Hier ist Ihr Zimmerschlüssel. ▦ Die Nachtruhe beginnt um 22 Uhr. ▦ Fahrrad zu verkaufen! ▦ Wir brauchen einen Platz für ein Zelt. ▦ Sehr geehrte Damen und Herren, ▦ Liebe Herbergseltern	▦ Ich möchte + infinitive ▦ Könnten Sie + infinitive

Kapitel 11   Interessierst du dich für Mode?   Page 225

Content	Structure	Grammar
▦ Department Store ▦ Clothes ▦ Fabrics and Patterns ▦ Returning an item ▦ Describing your own clothes ▦ Traditional costumes ▦ Letter	▦ Das ist im Erdgeschoss. ▦ Ich suche ein neues Kleid. ▦ Ich möchte diese Jacke zurückbringen. ▦ Meine Klamotten	▦ Definite and Indefinite Articles Adjective Endings ▦ Revision of Nominative, Accusative and Dative cases.

Content	Structure	Grammar

Kapitel 12   **Wie lernt man am besten eine Sprache?**   Page 257

Content	Structure	Grammar
■ Ways to learn German ■ German Class ■ Language Exchange ■ Exchange School ■ Language Assistant ■ School Tour to Germany ■ Reading Comprehension: Ciara erfährt von einer Klassenfahrt ■ Postcards	■ Wie lernt man am besten Deutsch? ■ Was machst du in der Deutschstunde? ■ Ich mache einen Austausch. ■ Hier ist ein Foto von unserer Partnerschule in Deutschland. ■ Unsere Sprachassistentin heißt Martina.	■ Revision of Modal Verb *man kann* ■ Future Tense

Kapitel 13   **Was feiert man in Deutschland?**   Page 285

Content	Structure	Grammar
■ Christmas in Europe ■ Important Dates in the Christmas Calendar ■ Recipes ■ Poem: When the snow falls wunderbar ■ New Year ■ Fasching ■ Easter ■ Oktoberfest ■ St Patrick's Day and Halloween ■ Quiz	■ Ich feiere Weihnachten bei meiner Familie. ■ Ein Rezept zum Martinstag ■ Einen guten Rutsch ins Neue Jahr!	■ Verbs: feiern, sich wünschen, ■ wünschen + dative pronouns ■ schenken, schmücken, bringen, genießen

ix

	Content	Structure	Grammar

Kapitel 14   Was fehlt dir?   Page 315

Content	Structure	Grammar
■ Parts of the Body ■ Illness ■ Remedies ■ Pharmacy ■ At the doctor ■ Accidents ■ Get Well Soon Card ■ Healthy Lifestyle	■ Ich habe Kopfschmerzen. ■ Was nehme ich gegen Kopfschmerzen? ■ Haben Sie etwas gegen Heuschnupfen? ■ Was fehlt Ihnen? ■ Ich hatte einen Unfall. ■ Gute Besserung! ■ Man soll mehr Obst und Gemüse essen.	■ Verb: weh tun ■ Dative personal pronouns ■ Use of *es geht mir / ihm / ihr gut.*

Kapitel 15   Gehen wir aufs Land?   Page 345

Content	Structure	Grammar

■ On the Farm
■ Farm Animals
■ Farm Chores
■ Postcards
■ Zoo animals
■ Poem: Irgendwo in der Welt
■ Letter
■ Environment
  – Problems
  – Solutions
■ Quiz
	■ Ich wohne auf einem Bauernhof.
	■ Ich füttere die Tiere.
	■ Interessierst du dich für die Umwelt?
		■ Verbs: helfen
		■ helfen + dative

Content	Structure	Grammar

Kapitel 16 Wie hilfst du zu Hause? Page 365

Content	Structure	Grammar
■ Household Duties ■ In the Garden ■ Garden Tools ■ Birds and Flowers ■ Rules at Home ■ Relationships with Parents	■ Hilfst du zu Hause? Ja, ich helfe zu Hause. Ich mache mein Bett. ■ Hilfst du im Garten? Ja, ich helfe im Garten. ■ Was für Regeln gibt es bei dir zu Hause? ■ Ich darf nicht rauchen. ■ Wie kommst du mit deinen Eltern aus? Ich komme gut mit meinen Eltern aus.	■ Adverbs of time: oft, nicht oft, etc. ■ Verb: aufräumen ■ Revision of Perfect Tense

Kapitel 17 Hast du Pläne für die Zukunft? Page 389

Content	Structure	Grammar
■ Future Plans ■ Qualities ■ Job Advertisements ■ Job Application ■ Curriculum Vitae ■ Star Signs ■ Profiles of Famous People: Daniel Brühl ■ Letter	■ Ich möchte Medizin studieren. ■ Ich bin fleißig ■ Ich möchte in einem Büro arbeiten. ■ Ich bin Stier.	■ Use of *werden* ■ Conjunctions: *weil* ■ Introduction to the Conditional. ■ würde + infinitive ■ Subjunctive: haben, sein

Reference Section Page 411

■ Vocabulary
■ Letter Writing
■ Expressions
■ Useful Verbs
■ Verb Tables
■ Grammar

Kapitel 1

Was hätten Sie gern?

Frage	Antwort
Was hätten Sie gern?	Ich hätte gern...
	Ich möchte...

Im Schnellimbiss

Teacher's CD1 Track 2

Zum Lesen

Vera:	Sag mal, Katja. Ich habe Hunger.
Katja:	Ja, ich auch. Essen wir eine Kleinigkeit?
Vera:	Ja. Da drüben ist ein kleiner Schnellimbiss.
Katja:	Ok. Dann gehen wir hin.

Verkäufer:	Guten Tag! Was darf es sein?
Vera:	Guten Tag! Ich hätte gern eine Currywurst mit Pommes, bitte.
Katja:	Und ich möchte eine Bratwurst mit Sauerkraut, bitte.

Verkäufer:	Wollen Sie was trinken?
Vera:	Ja, ich möchte eine Cola, bitte.
Katja:	Und ich möchte einen Apfelsaft, bitte.

Verkäufer:	So, bitte schön. Einmal Currywurst mit Pommes und eine Cola, und einmal Bratwurst mit Sauerkraut und einen Apfelsaft. Zusammen oder getrennt?
Katja:	Zusammen, bitte.

Verkäufer: Das macht 12,50 €.
Katja: Hier sind 13 €. Stimmt so.

Verkäufer: Danke schön. Guten Appetit!
Katja: Danke. Auf Wiedersehen!

Zu essen gibt es…

eine Bratwurst mit Brot	*grilled sausage and bread*
eine Bratwurst mit Pommes	*grilled sausage and chips*
eine Currywurst	*grilled sausage with currysauce*
eine Weißwurst	*veal and pork sausage*
ein Paar Wiener mit Brot	*Frankfurter/Wiener sausages*
Frikadellen mit Brot	*meatballs with bread*
Schaschlik mit Brot	*kebabs with bread*
einen Hamburger	*a hamburger*
einen kleinen gemischten Salat	*a small mixed salad*
einen großen grünen Salat	*a large green salad*
Kartoffelsalat	*potato salad*
Sauerkraut	*pickled white cabbage*
einen Döner(kebab)	*a doner kebab*
ein Stück Pizza	*a slice of pizza*
mit Senf/Ketchup	*with mustard/ketchup*
ohne Senf/Ketchup	*without mustard/ketchup*

Zu trinken gibt es…

eine kleine Cola	*a small cola*
eine große Cola	*a large cola*
eine Sprite	*a Sprite®*
eine Fanta	*a Fanta®*
ein Mineralwasser	*a mineral water*
einen Apfelsaft	*an apple juice*
eine Apfelschorle	*combination of apple juice and sparkling mineral water*
einen Orangensaft	*orange juice*
ein Spezi	*combination of cola and orange soda*
eine Dose Cola	*a can of cola*
eine Flasche Mineralwasser	*a bottle of mineral water*

Hörverständnis 1

Teacher's CD1 Track 3

Hör gut zu! Kreuze die richtige Antwort an! Tick whether true or false.

		True	False
Conversation 1	The man orders a hamburger and a small portion of chips.		
Conversation 2	The girl orders curry sausage and bread.		
Conversation 3	The couple order two doner kebabs.		
Conversation 4	The lady orders a small salad and a mineral water.		
Conversation 5	The boy orders a kebab and a cola.		

Übung 1

Was gehört zusammen? Complete the phrase by matching a number on the left with a letter on the right.

1. Was darf	**a.** oder getrennt?
2. Das macht	**b.** oder eine kleine Portion?
3. Ich hätte gern	**c.** es sein?
4. Eine große	**d.** ein Stück Pizza mit Pommes.
5. Zusammen	**e.** 5 €.

1.	**2.**	**3.**	**4.**	**5.**

Übung 2

Ordne die Sätze! Arrange the following dialogue in the correct order.

- Eine kleine, bitte.
- Und 25 Cent zurück.
- Danke schon. Auf Wiedersehen!
- Das macht 4,75 €.
- (1) Guten Tag!
- Eine große oder eine kleine Portion Pommes?
- Auf Wiedersehen!
- Hier sind 5 €.
- Einmal Currywurst mit Pommes, bitte.
- Guten Tag! Was darf es sein?

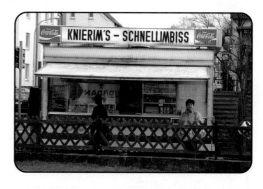

1. Guten Tag!

2. _____

3. _____

4. _____

5. _____

6. _____

7. _____

8. _____

9. _____

10. _____

Landeskunde

When ordering in German, you can use *ich hätte gern* (I would like), *ich möchte* (I would like) or *ich nehme* (I'll have/take). *Nehmen* is an irregular verb.

nehmen	(to have/to take)
ich nehme	*I'll have/take*
du nimmst	*you'll have/take*
er/sie/es/man nimmt	*he/she/it/one will have/take*
wir nehmen	*we'll have/take*
ihr nehmt	*you'll have/take*
Sie nehmen	*you'll have/take*
sie nehmen	*they'll have/take*

Übung 3

Ergänze! Complete the following using the verb **nehmen**.
Fill in the missing letters.

1. Du n__mm__ __

2. Wir n__ __ m __ __

3. Ich n __ __ m __

4. Die Frau n __ __ __ t

5. Dieter und Aziz n __ hm __ __

6. N__ __ __ st du die Tomatensuppe?

7. N__ __mt ihr Zucker?

8. Herr Braun, n__ __m __ __ Sie Milch?

Leseverständnis

Look at the following drinks menu and answer in German the questions that follow.

Getränke

Alkoholfreie Getränke

Coca Cola	0,33 L	Fl.	1,60 €
Coca Cola Light	0,33 L	Fl.	1,60 €
Fanta	0,33 L	Fl.	1,60 €
Sprite	0,33 L	Fl.	1,60 €
Lift Apfelschorle	0,33 L	Fl.	1,60 €
Mineralwasser	0,25 L	Fl.	1,30 €
Beck´s alkoholfrei	0,33 L	Fl.	1,80 €
Franziskaner alkoholfrei	0,50 L	Fl.	2,50 €
div. Säfte	0,20 L		1,60 €
div. Säfte	0,40 L		1,80 €
Sekt alkoholfrei	0,10 L		1,60 €

Alkoholische Getränke

Beck´s	0,33 L	Fl.	1,80 €
Franziskaner hell	0,50 L	Fl.	2,50 €
Franziskaner dunkel	0,50 L	Fl.	2,50 €
Sekt	0,50 L	Fl.	1,60 €

Warme Getränke

Tasse Kaffee	1,20 €
Kännchen Kaffee	3,10 €
Tasse Tee versch. Sorten	1,10 €
Milchkaffee	1,40 €
Latte Macchiato "original"	1,50 €
Cappuccino "original"	1,30 €
Espresso	1,60 €
Schokolade (gr. Tasse)	1,70 €
Schokolade mit Sahne (gr. Tasse)	1,90 €

Übung 6

Beantworte die folgenden Fragen auf Deutsch! Answer the following questions in German.

Beispiel: Was kostet eine große Tasse Schokolade mit Sahne?
Eine große Tasse Schokolade mit Sahne kostet 1,90 €.

1. Was kostet eine Tasse Kaffee?

   _____

2. Was kostet eine Apfelschorle?

   _____

3. Was kostet ein Espresso?

   _____

4. Was kostet ein Mineralwasser?

   _____

5. Was kostet eine Cola Light?

   _____

6. Was kostet ein Glas Sekt?

   _____

Übung 7

Ein Rollenspiel. In this role-play activity one pupil acts out the role of the waiter (*Kellner*) or waitress (*Kellnerin*) and the other is the client (*Kunde/Kundin*). Act out the following conversation in German. You may prepare your sentences in advance in your copy. Below are some phrases to help you.

Kunde:

You are in Germany and, after shopping all morning, you decide to go to a nice restaurant and have lunch. You enter the restaurant and the following conversation takes place:

1. Say 'hello' and ask for a table for one person.
2. Reply to the waiter/waitress as to where you would like to sit.
3. Once you are seated, ask for the menu.
4. When the waiter/waitress asks you what you'd like to drink, say you'd like a cola… (a large cola).
5. When asked by the waiter/waitress, say that you would like the spaghetti bolognese. Say that you would like to pay immediately.
6. When the waiter/waitress tells you the amount, round up the amount and tell them to keep the change.

Kellner/Kellnerin:

You are working in a restaurant in Germany. At lunchtime, a client enters the restaurant and the following conversation takes place:

1. Say 'hello' and ask the client whether he/she would like to sit in the smoking or non-smoking section.
2. Show him/her to the table.
3. When the client asks to see the menu, reply "Of course" and then ask him/her what he/she would like to drink…ask if he or she would like a small or a large cola.
4. Ask the client what he/she would like to eat.
5. Say "Of course" when the client says he/she would like to pay immediately. Tell the client how much the bill comes to.
6. Thank the client when he/she pays and tips you and wish him/her a nice afternoon.

Guten Tag! / Mahlzeit!
In der Raucher- oder Nichtraucherecke?
Bitte schön.
die Speisekarte
Selbstverständlich.
Ich hätte gern…
Ich möchte gleich zahlen.
Ich wünsche Ihnen einen schönen Nachmittag.

Hörverständnis 3

Student's CD Tracks 2–3   Teacher's CD1 Tracks 9–10

Hör gut zu! Listen carefully and answer the following questions in English. Write the answers in your copybook.

Conversation 1

1. Tick which of the following the man orders as a starter.

Chicken soup with bread	
Tuna salad with brown bread	
Melon and Parma ham	
Egg salad	

2. What does he order for his main course?
3. What does he order to drink?
4. How much does the meal cost him?

Conversation 2

1. What does this lady order to drink?
2. What does the waiter recommend to eat?
3. What does the lady choose as a dessert?
4. How much does the meal cost?

Wortschatz
Hast du Hunger?

Ja, ich habe Hunger!	*Yes, I'm hungry.*
Ja, ich habe großen Hunger!	*Yes, I'm very hungry.*
Ja, mir knurrt der Magen!	*Yes, my stomach is rumbling.*
Ja, ich bin hungrig wie ein Wolf!	*I'm as hungry as a wolf.*
Ja, ich sterbe vor Hunger.	*I'm dying of hunger.*
Ja, ich habe einen Bärenhunger!	*I'm starving.*
	Lit: I'm as hungry as a bear.
Ich könnte ein halbes Schwein verschlingen.	*I'm starving.*
	Lit: I could eat half a pig.
Ich könnte ein ganzes Pferd essen.	*I could eat a horse.*
Nein, ich habe keinen Hunger.	*No, I'm not hungry.*
Nein, ich habe schon gegessen.	*No, I've already eaten.*
Nein, ich bin satt.	*No, I'm full.*

In der Eisdiele

Teacher's CD1 Track 11

Zum Lesen
Bettina und Johann gehen in die Eisdiele.

Johann: Bettina, mir ist heiß!

Bettina: Ja, mir auch. Komm, lass uns in diese Eisdiele gehen!

Johann: Ja, gute Idee!

Verkäuferin: Guten Tag! Was möchten Sie?

Johann: Welche Eissorten haben Sie?

Verkäuferin: Wir haben Erdbeere, Himbeere, Schokolade, Banane, Zitrone, Vanille, Ananas, Kokos und Mocca.

Johann: Was kostet eine Kugel?

Verkäuferin: Eine Kugel kostet achtzig Cent.

Johann: Okay, ich nehme zwei Kugeln. Eine Kugel Kokos und eine Kugel Schokolade, bitte.

Verkäuferin: Im Becher oder in einer Waffel?

Johann:	Im Becher, bitte.
Verkäuferin:	Mit Sahne oder Schokosoße?
Johann:	Mit Sahne, bitte.
Verkäuferin:	Und Sie?
Bettina:	Ich möchte eine Kugel Himbeereis und eine Kugel Joghurt, bitte. Ich möchte es aber in einer Waffel.
Verkäuferin:	Mit Sahne oder Schokosoße?
Bettina:	Mit Schokosoße, bitte.
Verkäuferin:	Das macht 3,20 €, bitte.
Bettina:	Danke. Auf Wiedersehen!
Verkäuferin:	Auf Wiedersehen!

Ich esse auch gern ein gemischtes Eis mit Sahne!

Welche Eissorten haben Sie?

Ich liebe Spaghettieis!

Wortschatz

Erdbeere	*strawberry*
Himbeere	*raspberry*
Schokolade	*chocolate*
Haselnuss	*hazelnut*
Banane	*banana*
Zitrone	*lemon*
Vanille	*vanilla*
Ananas	*pineapple*
Mocca	*mocca*
Pistazie	*pistachio*
Aprikose	*apricot*
Kaffee	*coffee*
Kokos	*coconut*
Schoko-Mint	*mint chip*
Pfirsich	*peach*
Joghurt	*yoghurt*

Übung 8

Mein Lieblingseis ist…

Zitrone

Kokos

Pfirsich

Aprikose

Mocca

Ananas

Vanille

Kaffee

Banane

S	B	G	A	B	T	E	A	P	F
A	U	C	H	K	N	K	P	S	L
N	V	L	E	O	K	M	R	U	E
A	A	S	R	K	D	E	I	D	E
N	N	T	D	O	S	E	K	M	F
A	I	L	G	S	T	T	O	H	F
Z	L	J	O	L	N	C	S	I	A
G	L	U	E	S	C	U	E	S	K
I	E	O	B	A	N	A	N	E	C
M	B	H	C	I	S	R	I	F	P

Hörverständnis 4

Teacher's CD1 Tracks 12–16

Hör gut zu! Listen carefully and answer in English the questions that follow.

	What ice cream flavour(s) does this person buy?	Do they want any extras? Give details	How much does he/she pay for the ice cream?
1.			
2.			
3.			
4.			
5.			

Leseverständnis

Teacher's CD1 Tracks 17–18

Read what each of the following say about eating out. Answer in English the questions that follow.

Nadia

Tag! Ich heiße Nadia. Ich wohne in Berlin. Ich gehe gern ins Restaurant. Ich esse gern indisch und chinesisch. Am liebsten esse ich Frühlingsröllchen als Vorspeise und Schweinefleisch mit Süß-Sauer-Sauce als Hauptgericht. Ich esse nicht gern Fast Food. Hamburger und Pommes finde ich ekelhaft. Meine Lieblingsnachspeise ist Eis! Ich esse gern alle Eissorten. Meistens esse ich Haselnusseis. Das schmeckt mir am besten.

Übung 9a

1. What types of cooking does Nadia like to eat?

2. What is her favourite starter?

3. Her favourite main course is with:
   a) chicken   b) beef   c) pork   d) duck

4. What does she say about fast food?

5. What is her favourite type of ice cream?

Sebastian

Grüezi! Ich bin der Sebastian. Ich wohne in Luzern, in der Schweiz. Ich gehe nicht so oft ins Restaurant, aber neulich, zu meinem Geburtstag, bin ich mit meinen Eltern ins neue schicke Restaurant in der Stadtmitte gegangen. Das Essen hat mir sehr gut geschmeckt. Als Vorspeise hatte ich einen gemischten Salat. Dann als Hauptgericht hatte ich Hähnchen mit Bratkartoffeln und Sauerkraut. Was mir am besten gefallen hat, war die Nachspeise. Bananenpfannkuchen mit Zucker und Zimt. Mmm…die waren sooo lecker! Ich hätte einen ganzen Berg davon essen können!

Übung 9b

1. When did he last eat in a restaurant?

2. Give one detail about the restaurant.

3. What did he order as a starter?

4. What did he eat for the main course?

5. Describe his dessert (two details).

Im Café

Café Simon, Passau

Landeskunde

In Germany, there is a great tradition of 'Kaffee und Kuchen'. Friends and family
meet at around 4 pm, either in one another's house or in one of the many cafés in
every German town. On entering the café, you generally choose which cake you
would like a slice of and you are given a docket. You then sit at a table and, when the
waiter/waitress comes to take your order, you hand him/her the docket for the cake.
Your beverage and your cake are brought to your table and, when you have finished,
you call the waiter/waitress to pay for both.

gemischte Obsttorte

Himbeertorte

Herrentorte

Schwarzwälder Kirschtorte

Käsekuchen

Marmorkuchen

Leseverständnis

Teacher's CD1 Track 19

Frau Hering und Herr Köelzer treffen sich in der Stadt.

Herr Köelzer: Guten Tag, Frau Hering!

Frau Hering: Guten Tag, Herr Köelzer! Wie geht es Ihnen?

Herr Köelzer: Mir geht es prima. Danke. Und Ihnen?

Frau Hering: Danke. Mir geht es auch gut.

Herr Köelzer: Ich habe Sie lange nicht mehr gesehen.

Frau Hering: Ja, ich war zwei Wochen bei meiner Nichte in Schottland. Das war herrlich!

Herr Köelzer: O! Wie schön. Wissen Sie, ich bin auf dem Weg ins Café Schöller. Dürfte ich Sie zu einem Kaffee und einem Stück Kuchen einladen?

Frau Hering: Ach, das ist sehr nett von Ihnen. Ich würde gern einen Kaffee mit Ihnen trinken.

Im Café

Kellner: Was wünschen die Herrschaften?

Frau Hering: Ich hätte gern ein Kännchen Kaffee und ein Stück Himbeertorte, bitte.

Kellner: Möchten Sie die Torte mit oder ohne Sahne?

Frau Hering: Mit Sahne, bitte.

Herr Köelzer: Und ich hätte gerne einen Milchkaffee und ein Stück Herrentorte mit Sahne, bitte.

Kellner: Ich komme sofort.

Herr Köelzer: Wir möchten zahlen, bitte.

Kellner: Kein Problem. Zusammen oder getrennt?

Herr Köelzer: Zusammen, bitte.

Kellner: Das macht 14,30 €, bitte.

Herr Köelzer: Hier sind 15 €. Stimmt so.

Kellner: Danke schön. Einen schönen Nachmittag noch.

Herr Köelzer: Danke. Gleichfalls.

Übung 10

Beantworte die folgenden Fragen auf Englisch! Answer the following questions in English.

1. Why has Frau Hering not seen Herr Köelzer for a while?

2. What does Herr Köelzer order to drink and to eat in the café?

3. What does Frau Hering order to drink and to eat?

4. How much does their bill come to?

5. What does the waitress wish them, as they are leaving?

Hörverständnis 5

Teacher's CD1 Track 20

Hör gut zu! Listen carefully and tick whether the following statements are true or false.

		True	False
Dialogue 1	The woman orders hot chocolate with cream.		
Dialogue 2	The man orders a slice of cheesecake and a cup of coffee.		
Dialogue 3	The girl orders a tea and a slice of chocolate swirl cake.		
Dialogue 4	The man orders an espresso and a slice of Black Forest gateau.		

Übung 11

Übersetze ins Deutsche! Translate the following sentences into German.

1. I would like a hamburger and chips.

   _____

2. I'll have the vegetable soup.

   _____

3. A can of cola, please.

   _____

4. A bottle of mineral water, please.

   _____

5. What does a bottle of water cost?

   _____

6. How much is a scoop of ice cream?

   _____

7. What ice cream flavours do you have?

   _____

8. I'd like two scoops of chocolate ice cream and one scoop of pineapple ice cream.

   _____

9. I'd like to pay.

   _____

10. I'd like a slice of marble cake, please.

    _____

11. A pot of tea, please.

   _____

12. A cup of hot chocolate with cream, please.

   _____

13. I haven't seen you in a while.

   _____

14. My favourite starter is a mixed salad.

   _____

15. For the main course, I'll have veal filet and fried potatoes.

   _____

16. Have a nice afternoon.

   _____

Übung 12

Wiederholungsübung
Ein Brief

Schreibe einen Brief! Write a letter to your German pen pal, giving information he/she has asked for. Answer the ten questions in the course of your letter, writing **at least ten** sentences. Write the answers in your copybook. **The address and the opening lines are given to you.**

A.	Wie alt bist du?	*(What age are you?)*
B.	Hast du Geschwister?	*(Do you have brothers and sisters?)*
C.	Wann stehst du jeden Tag auf?	*(At what time do you get up every day?)*
D.	Was machst du in der Pause?	*(What do you do at break time?)*
E.	Was isst du zu Mittag?	*(What do you eat for lunch?)*
F.	Hast du einen Nebenjob?	*(Do you have a part-time job?)*
G.	Was machst du mit deinem Geld?	*(What do you do with your money?)*
H.	Was machst du in deiner Freizeit?	*(What do you do in your free time?)*
I.	Was ist deine Lieblingssendung?	*(What is your favourite TV programme?)*
J.	Hast du einen Lieblingsroman?	*(Do you have a favourite novel?)*

> Bandon, den 14. April
>
> Liebe Saskia!
>
> Danke für deinen Brief. Ich freue mich immer, wenn du schreibst.
>
> _____
> _____
> _____
> _____

Guidelines for answering the letter are in the Letter Writing Section at the back of the book.

Suggested marking scheme

Content (22 marks)
Sentences answering the questions: 10 x 2 (i.e. 2 marks for every question you answer)
Closing sentence 1 x 2 marks
When signing off the letter you must put _Dein/Deine_ in front of your name.

Expression (18 marks)
Pay attention to the following when writing your reply:
- Avoid English
- Spellings
- Word order: **Time** + **Manner** + **Place**
  (Check that the verb is the second idea in the sentence.)
- Verb endings (e.g. _Ich wohne_)

Teacher's CD1 Track 21

EIN ZUNGENBRECHER

Kapitel 2
Was darf es sein?

Zum Lesen

Teacher's CD1 Tracks 22–23

Monika geht einkaufen.

Lukas:	Tag, Monika! Wo gehst du hin?
Monika:	Tag, Lukas! Ich gehe zum Supermarkt. Ich muss Milch kaufen. Kommst du mit?
Lukas:	Tja, warum nicht?!

Frau David trifft Frau Krüger an der Bushaltestelle.

Frau David:	Guten Morgen, Frau Krüger! Gehen Sie in die Stadt?
Frau Krüger:	Guten Morgen, Frau David! Ja, ich gehe zum Kaufhaus am Marktplatz. Ich möchte eine neue Jacke kaufen.
Frau David:	Schön. Viel Spaß beim Einkaufen!

Die Geschäfte

die Apotheke   die Bäckerei   der Blumenladen   die Buchhandlung

der Feinkostladen

die Fleischerei/Metzgerei

die Konditorei

der Musikladen

der Obst- und Gemüseladen

der Schreibwarenladen

der Souvenirladen

der Spielwarenladen

das Sportgeschäft

Wortschatz

das Geschäft (-e)	*shop*
der Laden (¨)	*shop*
die Handlung (-en)	*shop*
der Supermarkt (¨e)	*supermarket*
die Kaufhalle (-n)	*department store*
das Kaufhaus (¨er)	*department store*
das Modehaus (¨er)	*fashion boutique*
das Warenhaus (¨er)	*department store*
der Tante-Emma-Laden (¨)	*corner shop*
der Laden an der Ecke	*corner shop*

Hörverständnis 1

Teacher's CD1 Tracks 24–28

Gehst du einkaufen? Hör gut zu! Listen carefully and fill in the following grid in English.

	What shop is he/she going to?	What does he/she need to buy?
1. Dorothea		
2. Wolfgang		
3. Beate		
4. Thomas		
5. Annette		

Übung 1

Ergänze! Complete the following using the verb **einkaufen**.

einkaufen	to shop
ich kaufe ein	I shop
du kaufst ein	you shop
er/sie/man kauft ein	he/she/one shops
wir kaufen ein	we shop
ihr kauft ein	you shop
Sie kaufen ein	you shop
sie kaufen ein	they shop

1. Er _____ ein.
2. Wir _____ ein.
3. Meine Tante _____ bei Lidl ein.
4. Jutta und Erika_____ ein.
5. Frau Beck _____ ein.
6. Ich _____ein.

Die Plastiktüte

Germany, like Ireland, has a levy on plastic bags in supermarkets. It was introduced in Germany before being made law here.

Übung 3

Was ist das?

1. Das ist eine _____.

2. Das ist ein _____.

3. Das ist eine _____.

4. Das ist ein _____.

Schwerpunkt Grammatik   zu + Dativ   Wiederholung!

In *Viel Spaß! 1*, you were introduced to the idea of going places. When going to a particular shop in German, you use the preposition **zu**. The rules for the different genders are as follows:

Masculine Nouns:	zu + der = **zum**
Feminine Nouns:	zu + die = **zur**
Neuter Nouns:	zu + das = **zum**
Plural Nouns:	zu + die = **zu den**

Übung 4

Wo gehst du hin? Ergänze! Complete the following sentences with either zum, zur or zu den.

1. Ich gehe _____ Fleischerei.

2. Hans geht _____ Buchhandlung.

3. Andrea geht _____ Bäckerei.

4. Franz und Markus gehen _____ Konditorei.

5. Gehst du _____ Spielwarenladen?

6. Ulrich und Cornelia gehen _____ Obst- und Gemüseladen.

7. Klaus geht _____ Sportgeschäft.

8. Horst geht _____ Apotheke.

Schwerpunkt Grammatik   um…zu (1)

The **um…zu + infintive** construction is the German equivalent of **to/in order to**.
When using the **um...zu** construction, there are a few things to note.
1) A **comma** always comes directly **before** the **um**.
2) The **zu** and the **infinitive of the verb** go to the **end** of the sentence.

English: *I'm going to the bookshop to buy a dictionary.*
German: Ich gehe zur Buchhandlung, **um** ein Wörterbuch **zu kaufen**.

Übung 5

Was brauchst du? You are in Germany and are preparing a birthday party for your exchange partner, Karl/Karla. Make a list of what you need and where you need to go. The first one is done for you.

1. Schreibwarenladen/eine Grußkarte (*f*):

   Ich gehe zum Schreibwarenladen, um eine Grußkarte zu kaufen.

2. Musikladen/CDs (*pl*)

   _____

3. Konditorei/einen Schokoladenkuchen (*m*)

_____

4. Fleischerei/Würstchen (*pl*)

_____

5. Bäckerei/frische Brötchen (*pl*)

_____

6. Blumenladen/einen Rosenstrauß (*m*)

_____

Sag es durch die Blume!

Schwerpunkt Grammatik   um…zu (2)

Um…zu can either come **after** the main clause, as in the previous Übung, or it can come **before** the main clause.

English: *I'm going to the bookshop to buy a dictionary.*
German: Ich gehe zur Buchhandlung, **um** ein Wörterbuch **zu kaufen**.

Um ein Wörterbuch **zu kaufen**, *gehe* ich zur Buchhandlung.

If the **um…zu** construction comes before the main clause, you must ensure that the *word order* of the sentence is correct. The comma now comes **after** the **zu** + **infinitive** and is directly followed by the verb of the adjoining sentence.

Übung 6

Schreibe die Sätze anders herum! Now rewrite the previous exercise, this time **beginning** with **um…zu + infinitive**. The first one is done for you.

1. eine Grußkarte (*f*)/Schreibwarenladen:

   Um eine Grußkarte zu kaufen, gehe ich zum Schreibwarenladen.

2. CDs (*pl*)/Musikladen

   _____

3. einen Schokoladenkuchen (*m*)/Konditorei

   _____

4. Würstchen (*pl*)/Fleischerei

   _____

5. frische Brötchen (*pl*)/Bäckerei

   _____

6. einen Rosenstrauß (*m*)/Blumenladen

   _____

Schwerpunkt Grammatik   um…zu (3)

The **um…zu + infinitive** construction is one possible way of answering a **warum** (why) question.

Frage: **Warum** gehst du zur Buchhandlung?
Antwort: Ich gehe zur Buchhandlung, **um** ein Wörterbuch **zu kaufen**.

Übung 7

Warum gehst du dahin? Write out a reason why you are going to each of these places.

1. Warum gehst du zum Supermarkt?

   Ich gehe zum Supermarkt, um _____

2. Warum gehst du zur Bäckerei?

   _____

3. Warum gehst du zum Souvenirladen?

   _____

4. Warum gehst du in die Stadt?

   _____

5. Warum gehst du zum Schreibwarenladen?

   _____

6. Warum gehst du nach Hause?

   _____

Hörverständnis 2

Teacher's CD1 Tracks 29–31

Antworte auf Deutsch! Hör gut zu! Listen carefully and fill in what is missing on each person's shopping list.

1. Inge

Meine Einkaufsliste

250g _____

5 _____

eine Packung Kaffee

einen Becher _____

2. Herr Krasney

Meine Einkaufsliste

150g _____

ein halbes Hähnchen

4 _____

200g _____

3. Bärbel

Meine Einkaufsliste

1 Schreibblock

3 _____

1 _____

1 Mäppchen

Im Supermarkt

Teacher's CD1 Track 32

Leseverständnis

Mann: Entschuldigung, können Sie mir bitte helfen?

Verkäuferin: Ja, was kann ich für Sie tun?

Mann: Ich suche Olivenöl.

Verkäuferin: Olivenöl finden Sie im zweitnächsten Gang, auf der linken Seite.

Mann: Vielen Dank.

Verkäuferin: Bitte schön.

Übung 8

1. What was the customer looking for?

2. Where is this item to be found in the supermarket?

Wortschatz
Im Supermarkt

der Eingang	*entrance*	das Lebensmittel (-)	*groceries*
der Ausgang	*exit*	das Reinigungsmittel (-)	*cleaning product(s)*
der Gang	*aisle*	das Waschmittel (-)	*detergent(s)*
der Informationsschalter	*information desk*	die Toilettenartikel (pl)	*toiletries*
die Kasse	*till*	Obst und Gemüse	*fruit and vegetables*
der Kassenzettel	*till receipt*		
der Kassenbon	*till receipt*	das Backpulver (-)	*baking powder*
der Verkäufer	*sales assistant (m)*	das Salz	*salt*
die Verkäuferin	*sales assistant (f)*	der Pfeffer	*pepper*
der Kunde	*customer (m)*	das Mehl (-e)	*flour*
die Kundin	*customer (f)*	der Essig (-e)	*vinegar*
die Kunden	*customers*	das Öl (-e)	*oil*
eine Schlange	*a queue*	der Senf (-e)	*mustard*
Bitte stellen Sie sich an!	*Please get in line.*	der Ketchup	*ketchup*
der Preis	*cost/price*	der Zimt	*cinnamon*
das Pfand	*deposit*	die Rosinen (pl)	*raisins*
gültig	*valid*	die Nuss (¨e)	*nut*
ungültig	*invalid*	die Chips (pl)	*crisps*

das Kleingeld	*change (coins)*	die Seife (-n)	*soap*
das Wechselgeld	*change (coins)*	das Shampoo (-s)	*shampoo*
das Rückgeld	*change*	die Pflegespülung (-en)	*conditioner*
das Bargeld	*cash*	das Gel (-e)	*hair gel*
die Kreditkarte	*credit card*	das Duschgel (-e)	*shower gel*
die Summe	*total*	die Zahnpasta (-en)	*toothpaste*
eine große Auswahl haben		der Kamm (¨e)	*comb*
	to have a large selection	die Haarbürste (-n)	*hairbrush*
geschlossen	*closed*	das Toilettenpapier	*toilet paper*
geöffnet	*open*	das Klopapier	*toilet paper*
der Ruhetag	*closed day*	das Spülmittel (-)	*washing-up liquid*
aufmachen	*to open*	das Waschpulver (-)	*washing powder*
zumachen	*to close*	der Weichspüler (-)	*fabric softener*
ausverkauft/alle	*sold out*	die Streichhölzer (pl)	*matches*
		die Birne (-n)	*light bulb*
der Becher (-)	*tub*		
die Packung (-en)	*packet*	die Flasche (-n)	*bottle*
die Schale (-n)	*box (e.g. of fruit)*	die Dose (-n)	*can/tin*
die Schachtel (-n)	*box (e.g. of matches)*	die Tüte (-n)(Milch)	*carton (of milk)*

Übung 9

Was brauchst du? You are going shopping and need the following items. Unjumble the letters to find the items that you need.

1. sieges: _____
2. amposho: _____
3. slugched: _____
4. fesie: _____
5. zals: _____
6. rupvakbcle: _____
7. mizt: _____
8. herchlötrizes: _____
9. lispümtlet: _____
10. inreb: _____

Landeskunde

This is the symbol in Germany for all deposit bottles and cans. When you buy a canned/bottled drink you pay a deposit. (It was 25 cent in July 2007). This deposit, called **Pfand**, is visible on your till receipt and is returned to you when you return the can or bottle in any shop.

Übung 10

Ergänze! Fill in the blanks using the words provided.

1.

Kasse	geschlossen	Verkäuferin	um
seit	Fuß	Kunden	auf

Vera Grünberg arbeitet als (1) _____ in einem großen Supermarkt in der Stadtmitte. Jeden Tag steht sie (2)_____ sieben Uhr auf und geht zu (3)_____ zur Arbeit. Der Supermarkt macht um acht Uhr (4)_____. Sie arbeitet sechs Tage in der Woche, außer Sonntag, denn am Sonntag ist der Supermarkt (5)_____. Die (6)_____ sind meistens sehr freundlich. Vera arbeitet an der (7)_____. Vera arbeitet (8)_____ zehn Jahren dort, und es gefällt ihr gut.

2. Vorsicht! Be careful! This time there are extra words given in the box.

Musikladen	Metzgerei	Konditorei	Backpulver
Bäckerei	Seife	Schreibwarenladen	zu
einkaufen			

Es ist Samstagmorgen und Frau Hartmann geht (1)_____. Sie braucht frische Brötchen von der (2) _____. Danach muss sie zur (3)_____gehen, um Wurst (4)_____ kaufen. Nach der Metzgerei geht sie in den Supermarkt, denn sie braucht (5)_____ und Zimt, um einen Kuchen zu backen. Ihr Mann, Wilhelm, braucht einen neuen Kuli, also muss sie auch in den (6)_____ gehen. Zum Schluss muss sie zum (7)_____ gehen, um die neue CD von Kelly Clarkson zu kaufen, denn ihre Tochter hat nächste Woche Geburtstag.

Hörverständnis 3 Teacher's CD1 Track 33

Hör gut zu! Listen carefully to what each person has to get in the supermarket. Write the items in English in the grid provided. The first one is done for you.

1.	Barbara	Honey and pepper
2.	Dirk	
3.	Sabine	
4.	Matthias	
5.	Katrin	
6.	Lars	

Im Obst- und Gemüseladen Teacher's CD1 Tracks 34–35

Zum Lesen

(1)

Verkäuferin:	Guten Tag! Was darf es sein?
Kundin:	Ich hätte gern zwei Kilo Zwetschgen, bitte.
Verkäuferin:	Sonst noch einen Wunsch?
Kundin:	Nein, danke. Das ist alles.
Verkäuferin:	Das macht 3,38 €, bitte.
Kundin:	Hier sind vier Euro, bitte schön.
Verkäuferin:	Und 0,62 € zurück.
Kundin:	Auf Wiedersehen!
Verkäuferin:	Auf Wiedersehen!

(2)

Verkäuferin:	Der Nächste, bitte. Guten Tag! Was bekommen Sie?
Kunde:	Haben Sie Pfirsiche?
Verkäuferin:	Ja, sie sind diese Woche im Sonderangebot. Sie kosten jetzt nur neunundneunzig Cent pro Schale.
Kunde:	Dann nehme ich zwei Schalen, bitte.
Verkäuferin:	Sonst noch etwas?
Kunde:	Ja, was kosten die Tomaten?

Verkäuferin:	Sie kosten neunundfünfzig Cent pro Schale.
Kunde:	Ich nehme eine Schale davon, bitte.
Verkäuferin:	Kommt noch etwas dazu?
Kunde:	Nein, das ist alles.
Verkäuferin:	Also, zweimal 0,99 € und einmal 0,59 €.
	Das macht 2,57 €, bitte.
Kunde:	Hier sind 3,00 €.
Verkäuferin:	Und 0,43 € zurück.
Kunde:	Danke schön. Auf Wiedersehen!
Verkäuferin:	Auf Wiedersehen!

Übung 11

Schreibe einen Dialog! Write a dialogue in your copybook. You're next in the queue and you would like to buy six kiwis (€0.19 each). Ask how much a box of nectarines is and when the sales assistant says €2.99, say that they are too dear. Ask for a box of peaches instead. Complete the dialogue by paying for the items. Say thank you and goodbye.

Teacher's CD1 Tracks 36–39

Hörverständnis 4

Hör gut zu! Listen carefully and write the correct option into the box.

First Conversation

1. This conversation takes places in:

    a) a library.

    b) a sports shop.

    c) a bakery.

    d) a fruit and veg shop.

Second Conversation

2. The customer buys:

    a) 150 gr of tomatoes.

    b) 500 gr of onions.

    c) 510 gr of tomatoes.

    d) 150 gr of onions.

3. The customer pays:

   a) €3.50

   b) €5.50

   c) €5.30

   d) €3.35

Third Conversation

4. The customer buys:

   a) pears and apples.

   b) oranges and apples.

   c) pears and oranges.

   d) grapes and pears.

5. How much **change** does she get?

   a) €0.45

   b) €0.60

   c) €0.85

   d) €0.75

Fourth Conversation

6. The customer buys:

   a) soap.

   b) washing powder.

   c) matches.

   d) shower gel.

Beim Metzger

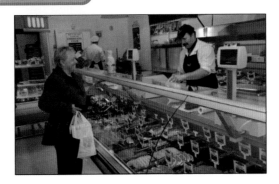

Leseverständnis

Teacher's CD1 Track 40

Herr und Frau Kraft machen eine Grillparty. Sie gehen zur Metzgerei, um Fleisch zu kaufen.

Metzger:	Guten Morgen! Was wünschen die Herrschaften?
Herr Kraft:	Guten Morgen! Wir grillen heute Abend. Was empfehlen Sie?
Metzger:	Wie viele Leute werden das ungefähr?
Frau Kraft:	Wir haben zwölf Leute eingeladen, und wir sind fünf. Also, siebzehn insgesamt.
Metzger:	Also, im Sommer haben Sie die Qual der Wahl! Erstmal würde ich unsere hausgemachten Würstchen empfehlen. Die sind sehr beliebt. Für siebzehn Personen brauchen Sie dreieinhalb Kilo.
Herr Kraft:	Und was kostet ein Kilo?
Metzger:	Ein Kilo kostet 4,80 €.
Herr Kraft:	Ja, das ist in Ordnung. Was sonst noch?
Metzger:	Ja, auf den Grill gehören natürlich Rindersteaks. Im Moment haben wir diese zarten Steaks im Sonderangebot. Statt 16,99 € pro Kilo sind sie jetzt auf 14, 99 € reduziert.
Frau Kraft:	Ich glaube, wir kaufen die Steaks nur für die Erwachsenen. Die Kinder essen lieber Hähnchen. Wir sind neun Erwachsene. Wie viele Kilo brauchen wir?
Metzger:	Drei Kilo.
Frau Kraft:	Gut, dann nehmen wir auch drei Kilo Hähnchenbrust und 750g Knoblauchsalami.
Metzger:	Drei Kilo Hähnchenbrust. Das macht 13,77 €. Und 750g Knoblauchsalami. Die Salami kostet 1,50 € pro 100g. Das ist alles?
Herr Kraft:	Ja, das reicht für heute!
Metzger:	Das macht 86,79 € insgesamt. Sie können an der Kasse bezahlen.
Herr Kraft:	Danke schön. Auf Wiedersehen!
Metzger:	Auf Wiedersehen und viel Spaß heute Abend!

Übung 12

1. When is the barbecue taking place?

2. How many people in total will be at the barbecue?

3. What quantity of the homemade sausages do they buy?

4. What meat is on special offer?

5. What meat do their children prefer to eat?

billig	*cheap*	teuer	*expensive*
spottbillig	*dirt cheap*	sauteuer	*really expensive*
preiswert	*inexpensive*	unbezahlbar	*unaffordable*
bezahlbar	*affordable*	kostspielig	*costly*
kostenlos	*free*	überteuert	*excessive*
gratis	*free*	gesalzene Preise	*over the top prices*
umsonst	*free*	ausverkauft	*sold out*
geschenkt	*free*	Das ist doch Wucher!	*That's daylight robbery!*
im Sonderangebot	*on special offer*	Das ist ja Nepp!	*That's daylight robbery/a rip-off!*
reduziert	*reduced*		
herabgesetzt	*reduced*		
günstig	*good value*		
für ein Butterbrot	*for a song (idiom)*		
für einen Pappenstiel	*for next to nothing (idiom)*		

Beim Bäcker

Leseverständnis

Teacher's CD1 Track 41

Verkäuferin:	Guten Morgen! Was darf es sein?
Kunde:	Guten Morgen! Ich hätte gern sechs Vollkornbrötchen, bitte.
Verkäuferin:	Sonst noch einen Wunsch?
Kunde:	Ja, geben Sie mir auch ein Walnussbrot.
Verkäuferin:	Es tut mir leid, aber das Walnussbrot ist alle.
Kunde:	Also, dann nehme ich ein Kürbiskernbrot. Das wäre es.
Verkäuferin:	Das macht 4,85 €, bitte.
Kunde:	Hier sind 5,00 €. Stimmt so.
Verkäuferin:	Danke. Schönen Tag noch!
Kunde:	Gleichfalls.

Übung 13

1. What does the customer first order?
2. What is the problem with the walnut bread?

Hörverständnis 5

Teacher's CD1 Tracks 42–45

In der Bäckerei

Hör gut zu! All the following dialogues take place in a bakery. Listen carefully and write in for each customer which bread he/she buys and how much the bread costs. You may use the German name of the bread.

Wortschatz

das Roggenbrot (-e)	*rye bread*
das Vollkornbrot (-e)	*whole grain bread*
das Mehrkornbrot (-e)	*multi-grain bread*
die Brezel (-n)	*pretzel*
die Kürbiskörner	*pumpkin seeds*

Hörverständnis 6

Teacher's CD1 Track 46

Durchsage im Supermarkt. Listen to the following announcements. Write down in English what the message is about. The first one is done for you.

1.	Eggs are reduced to €1.50.
2.	
3.	
4.	
5.	
6.	
7.	

Landeskunde

Auf dem Markt

In fast allen Städten Deutschlands und Österreichs findet ein Wochenmarkt statt. Auf dem Markt kauft man hauptsächlich Obst, Gemüse, Bio-Lebensmitel, Blumen, Käse, Brot, Kekse, Kuchen, Fleisch, Fisch, Kerzen und kleine Geschenkartikel. Diese Märkte sind sehr populär, denn oft kauft man vom Bauern oder Hersteller selbst. Sie sind auch sehr umweltfreundlich, weil die Lebensmittel meistens unverpackt sind. Ein sehr berühmter Markt in München ist der Viktualienmarkt. Dieser Markt findet jeden Tag (außer Sonntag) statt.

Übung 15

Ordne die Sachen ein! Write out under each shop heading the items that you need to buy in that shop.

Seife	3 Kugelschreiber	100g Hackfleisch	eine Schale Pflaumen
Buntstifte	Pilze	100g Weintrauben	zwei Hefte
250g Leberwurst	ein Lineal	Essig	Joghurt
150g Erbsen	250g Hähnchenbrust	Waschpulver	150g Schinken

Obst- und Gemüseladen	Metzgerei	Schreibwarenladen	Supermarkt
_____	_____	_____	_____
_____	_____	_____	_____
_____	_____	_____	_____
_____			

Hörverständnis 7

Student's CD Tracks 4–7   Teacher's CD1 Tracks 47–50

Hör gut zu! Listen carefully and write the correct option in the box.

1. Frau Löschner must go to the stationery shop to get:

   a) pencils.

   b) a copybook.

   c) a folder.

2. Jutta is going to the fruit and veg shop to get:

   a) onions.

   b) cabbage.

   c) tomatoes.

3. Herr Pätz is going to the sports shop to buy:

   a) sports socks.

   b) a jersey.

   c) a football.

4. Christian must go to the supermarket to buy:

   a) a bulb.

   b) matches.

   c) toilet paper.

Leseverständnis

Look at the following till receipts *(Kassenbons)* and answer the questions that follow.

Petra

Kauf gut Supermarkt
Mühlenweg 12
86163 Augsburg

Shampoo	1,85
Seife	0,45
Spülmittel	0,98
SUMME	3,28
Bar	5,00
Rück	1,72

13.06.09   11:43

Vielen Dank für Ihren Einkauf!

Herr König

Kauf gut Supermarkt
Mühlenweg 12
86163 Augsburg

Katzenfutter	3,65
Duschgel	1,17
Salz	1,19
SUMME	6,01
Bar	10,01
Rück	4,00

13.06.09   11:56

Vielen Dank für Ihren Einkauf!

Frau Lang

Kauf gut Supermarkt
Mühlenweg 12
86163 Augsburg

Tafel Schokolade	0,35
Mayonnaise	0,99
Waschpulver	4,75
SUMME	6,09
Bar	6,10
Rück	0,01

13.06.09   12.08

Vielen Dank für Ihren Einkauf!

Jens

Kauf gut Supermarkt
Mühlenweg 12
86163 Augsburg

Energy Drink	0,33
Pfand	0,25
Chips Paprika	1,44
SUMME	2,02
Bar	10,00
Rück	7,98
13.06.09 12:16	
Vielen Dank für Ihren Einkauf!	

Birgitta

Kauf gut Supermarkt
Mühlenweg 12
86163 Augsburg

Spaghetti 1kg	1,49
Knoblauch St	0,35
Käse Baguette	4,50
SUMME	6,34
Bar	7,00
Rück	0,66
13.06.09 12:25	
Vielen Dank für Ihren Einkauf!	

Frau Kunath

Kauf gut Supermarkt
Mühlenweg 12
86163 Augsburg

Erdbeerjoghurt	0,28
Trauben weiß	1,92
Kartoffeln	2,10
SUMME	4,30
Bar	5,00
Rück	0,70
13.06.09 12:31	
Vielen Dank für Ihren Einkauf!	

Übung 16

1.	Herr König bought salt. True or false?	
2.	How much cash did Frau Lang give to the shop assistant?	
3.	Who bought garlic?	
4.	What did Jens pay 25 cent for?	
5.	Who bought soap?	
6.	What type of yoghurt did Frau Kunath buy?	
7.	Who bought washing powder, Petra or Frau Lang?	
8.	Frau Kunath bought red grapes. True or false?	
9.	Who bought cat food?	
10.	What item did Jens buy for €1.44?	

Kapitel 3
Kannst du kochen?

Leseverständnis

Teacher's CD1 Track 51

Alex kocht zum ersten Mal!

Seit einem Monat wohnt Alex in einer Wohngemeinschaft in der Stadtmitte. Er ist zwanzig Jahre alt und beginnt sein Studium in Marburg. Er studiert Pharmazie. Sein Vater ist Apotheker von Beruf, und Alex will in seine Fußstapfen treten. Er hat jetzt viele neue Freunde an der Uni. Er hat Freunde aus seinem Kurs, aus der Wohngemeinschaft, aus seinem Judo-Verein und von seinem Teilzeitjob in einem Restaurant, wo er als Bedienung arbeitet. Er beschließt, alle seine Freunde zu sich einzuladen und etwas Leckeres für sie zu kochen. Es gibt aber ein kleines Problem: Alex kann nicht kochen. Er isst jeden Tag in der Mensa an der Uni oder im Restaurant, wo er arbeitet. Aber das Kochen hat er nie gelernt. Er denkt darüber nach, wer ihm vielleicht helfen könnte. Von allen Bekannten und Verwandten kocht seine Oma am besten. Er geht zum Telefon und wählt ihre Nummer. Seine Oma antwortet sofort.

„Wegner. Guten Tag!"

„Hallo, Omi! Ich bin's, der Alex."

„Ach, wie schön! Na, wie geht's dir, mein Junge? "

„Mir geht's prima. Und dir?"

„Ach, du weißt ja. Ich werde langsam alt!"

„Quatsch! Wenn ich in deinem Alter alles machen kann, was du noch kannst, wäre ich zufrieden!"

„So, rufst du nur an, um mir zu schmeicheln, oder kann ich dir irgendwie helfen?"

„Ja, ich brauche deine Hilfe. Ich lade ein paar Freunde zum Essen ein, und ich möchte für sie kochen."

„Du willst *kochen*! Das gibt's nicht!"

„Ja, ja, ich weiß. Ich bin ja kein Jamie Oliver, aber es wird Zeit zu lernen."

„Na klar helfe ich dir. Am besten kochst du ein Pastagericht, und du kannst auch einen Gemüseauflauf machen. Das ist alles ganz einfach. Es kann ja nichts schief gehen."

„Omi, du bist die Beste. Mir läuft schon das Wasser im Mund zusammen! Welche Zutaten brauche ich?"

„Ich glaube, am besten schreibe ich dir alles auf. Wann findet deine Party statt?"

„Morgen in einer Woche."

„Wenn ich dir heute die Rezepte schicke, dann hast du sie morgen. Reicht das?"

„Ja, das wäre prima! Vielen, vielen Dank, Omi!"

„Gern geschehen, mein Lieber. Und viel Glück damit!"

„Danke. Ich melde mich nachher."

„Ja, tu das! Auf Wiederhören, Alex!"

„Auf Wiederhören, Omi!"

Übung 1

Beantworte die folgenden Fragen auf Englisch! Answer the following questions in English.

1. Where is Alex living now?

2. How long has he been living there?

3. What is he studying?

4. Alex has a lot of new friends. Where did he meet them all?

5. Alex has decided to invite his friends to dinner at his place but there is a problem. What is the problem?

6. Who does he decide to ring for help?

7. How do we know from the text that Alex is not talented at cooking? (Choose one sentence from the text that indicates this.)

8. What is his grandmother's suggestion for the evening?

9. When is the dinner party?

10. How is Alex going to get the recipes?

Wortschatz

seit einem Monat	*for the last month*
eine Wohngemeinschaft	*a shared flat*
in seine Fußstapfen treten	*to follow in his footsteps*
der Kurs	*the course*
der Verein	*club*
der Teilzeitjob	*part-time job*
die Bedienung	*the service (as a waiter/waitress)*
beschließen	*to decide*
einladen	*to invite*
etwas Leckeres	*something delicious*
die Mensa	*the college canteen*
nachdenken	*to have a think about*
wer	*who*
die Bekannten	*friends/acquaintances*
die Verwandten	*relations*
wählen	*to dial/to choose*
langsam	*slowly*
alt werden	*to get old*
Quatsch	*nonsense*
das Alter	*age*
wäre (sein)	*would be*
zufrieden	*happy*
anrufen	*to ring*
schmeicheln	*to flatter someone*
irgendwie	*somehow*
brauchen	*to need*
Das gibt's nicht!	*I don't believe it!*
Es wird Zeit zu lernen.	*It's about time I learned.*
das Pastagericht	*pasta dish*
der Gemüseauflauf	*vegetable bake*
schiefgehen	*to go wrong*
Mir läuft das Wasser im Mund zusammen.	*You're making my mouth water!*
die Zutaten	*the ingredients*
aufschreiben	*to write out*
stattfinden	*to take place*
das Rezept	*the recipe*
reichen	*to be enough/sufficient/OK*
Gern geschehen.	*You're welcome.*
Viel Glück!	*Good luck!*
sich melden	*to be in touch/to call*
Tu das!	*Do that!*

Die Zutaten

Salz und Peffer

Mehl

Zucker

Butter

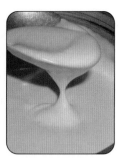
Sahne

Käse

Eier

Milch

Buttermilch

Öl

Hörverständnis 1

Teacher's CD1 Tracks 52–55

Hör gut zu! Listen carefully and circle the ingredient each person is looking for.

1. Maria is looking for

   flour   milk   eggs   cream

2. Gustav can't find the

   cheese   sugar   buttermilk   salt

3. Gabi needs

   cream   olive oil   chocolate   pepper

4. Gerd asks his mother for

   yoghurt   potatoes   mushrooms   cheese

Die Mengenangaben

kg	=	Kilogramm	*a kilogram*
g	=	Gramm	*a gram*
l	=	Liter	*a litre*
0,5 l	=	null Komma fünf Liter	*half a litre*
ml	=	Milliliter	*a millilitre*
EL	=	Esslöffel	*a tablespoon*
			(ein gestrichener EL = *a level tablespoon*)
TL	=	Teelöffel	*a teaspoon*
eine Prise			*a pinch*
eine Packung			*a packet*
eine Dose			*a can/tin*
ein Becher			*a carton/a pot*

Übung 2

Was gehört zusammen? Match the quantity on the left with the relevant ingredient on the right.

1.	ein Liter	**a.**	Salz
2.	eine Packung	**b.**	Mehl
3.	ein Becher	**c.**	Milch
4.	eine Prise	**d.**	Backpulver
5.	250 g	**e.**	Sahne

1.	2.	3.	4.	5.

Hörverständnis 2

Teacher's CD1 Tracks 56–59

Hör gut zu! Listen carefully and write out the quantites that are needed for each recipe.

Wortschatz

das Sonnenblumenöl	*sunflower oil*
der Vanillezucker	*vanilla sugar*
die Möhre (-n)	*carrot*
die Stange (-n)	*stick*
das Stück	*piece/stick*
die Gemüsebrühe	*vegetable stock*

Recipe 1

_____ flour

_____ milk

_____ eggs

_____ salt

sunflower oil

Recipe 2

_____ eggs

_____ milk

_____ sugar

_____ vanilla sugar

_____ flour

Recipe 3

_____ carrots

_____ leek

_____ celery

_____ potatoes

_____ vegetable stock

Recipe 4

_____ cooked potatoes

_____ cooked carrots

_____ green peas

_____ fresh mushrooms

_____ ham

_____ mayonnaise

salt and pepper

Zum Lesen

Frau Schaefer lädt Frau Mutsch zum Kaffeeklatsch ein.

Teacher's CD1 Track 60

Frau Schaefer:	Guten Morgen, Frau Mutsch! Kommen Sie doch bitte herein!
Frau Mutsch:	Guten Morgen, Frau Schaefer! Nett, dass Sie mich eingeladen haben.
Frau Schaefer:	Ach, was! Sie sind neu hier im Dorf, und das kann ja nicht einfach sein. Es ist doch viel besser, wenn man seine Nachbarn kennt.
Frau Mutsch:	Da haben Sie Recht.
Frau Schaefer:	So, ich habe uns Kaffee gekocht, oder möchten Sie lieber Tee?
Frau Mutsch:	Nein, Kaffee ist perfekt, danke.
Frau Schaefer:	Und was hätten Sie lieber; ein Stück Käsekuchen oder ein Stück Schokoladenkuchen?
Frau Mutsch:	Also, der Schokoladenkuchen sieht besonders verführerisch aus. Ich glaube, ich nehme ein Stück von dem, bitte.
Frau Schaefer:	Ich habe das Rezept in einem neuen Kochbuch gefunden. Ein Schokoladenkuchen kommt immer gut an. Ich hoffe, er schmeckt Ihnen.
Frau Mutsch:	Mmm…der ist einfach köstlich!
Frau Schaefer:	Und das beste ist, das Rezept ist kinderleicht. Man braucht nur Butter, Zucker, Eier, Weizenmehl und Schokolade. Ich gebe Ihnen das Rezept nachher, wenn Sie wollen.
Frau Mutsch:	Das ist wirklich sehr nett von Ihnen.
Frau Schaefer:	Keine Ursache. Darf ich Ihnen noch etwas Kaffee nachschenken?
Frau Mutsch:	Ja, bitte.

Übung 3

Below are lists of ingredients for some typical German/Austrian dishes. Answer the questions in English.

Salzburger Nockerln

6 Eier
¼ ml Milch
50 g Butter
2 gestrichene EL
Vanillezucker
140 g Zucker
6 gestrichene EL Mehl
2 gestrichene EL
Puderzucker

Palatschinken

140 g Mehl
gut ¼ l Milch
2 Eier
1 Eigelb
Salz
Butter zum Braten
Aprikosenmarmelade
Puderzucker

Himmel und Erde

500 g Kartoffeln, mehlig
kochend
¼ Liter Milch
Muskat
Salz
750 g Äpfel
1 TL Zitronensaft
1 TL Zucker
6 EL Wasser, kalt
90 g Speck, durchwachsen
30 g Butter
200 g Zwiebeln
250 g Blutwurst

1. Which recipe does not use eggs? _____

2. What quantity of flour is used in the recipe for Palatschinken? _____

3. How much sugar is needed for the Salzburger Nockerl? _____

4. How much lemon juice is needed for making Himmel und Erde? _____

5. Which recipe has bacon in it? _____

6. What type of jam is needed in the Palatschinken recipe? _____

7. Which recipe does not require salt? _____

Hörverständnis 3

Was müssen sie alles kaufen? Write down in English what each person needs to buy for the recipes they are about to cook.

1.

Valerie

_____
_____
_____
_____

2.

Frank

_____
_____
_____

3.

Yusra

_____
_____
_____
_____

4.

David

_____
_____
_____
_____
_____

5.

Sophie

_____
_____
_____
_____

6.

Berndt

_____
_____
_____
_____

Wichtige Verben

abgießen	*to strain*
abkühlen lassen	*to leave to cool*
backen	*to bake*
bestreuen mit	*to sprinkle with*
binden	*to bind*
braten	*to roast/fry*
erhitzen	*to heat up*
erkalten lassen	*to leave to go cold*
grillen	*to grill/barbecue*
hacken (grob hacken)	*to chop/mince (to cut in chunks)*
in Scheiben schneiden	*to slice*
kochen	*to cook/boil*
reiben	*to grate*
rösten	*to roast*
rühren	*to stir*
schälen	*to peel*
schlagen	*to beat*
schneiden	*to cut*
servieren	*to serve*
sieben	*to sieve*
toasten	*to toast*
verquirlen	*to whisk*
verrühren	*to mix/stir*
vorbereiten	*to prepare*
vorheizen	*to pre-heat*
waschen	*to wash*
würzen	*to season*
zerkleinern	*to chop*
zugeben	*to add*
zum Kochen bringen	*to bring to the boil*

Übung 4

Was mache ich? Choose the correct verb to go with each image.

 1.

    a) Ich schäle den Apfel.

    b) Ich schneide den Apfel.

    c) Ich wasche den Apfel.

    ☐

 2.

    a) Ich schneide den Käse.

    b) Ich backe den Käse.

    c) Ich reibe den Käse.

    ☐

3.

    a) Ich schneide die Gurke in Scheiben.

    b) Ich reibe die Gurke.

    c) Ich zerkleinere die Gurke.

    ☐

4.

    a) Ich binde die Soße.

    b) Ich würze die Soße.

    c) Ich rühre die Soße.

    ☐

Übung 5

Was gehört zusammen? Match the German recipe instructions on the left with the English equivalent on the right.

1.	Das Lammfleisch in große Stücke schneiden.	a)	Whisk the eggs and cream.
2.	Die Fleischbrühe erhitzen.	b)	Bring the milk slowly to the boil.
3.	Die Eier mit der Sahne verquirlen.	c)	Heat up the meat stock.
4.	Die Kartoffeln schälen.	d)	Season with salt and pepper.
5.	Mit Salz und Pfeffer würzen.	e)	Pre-heat the oven.
6.	Den Backofen vorheizen.	f)	Chop the lamb into large chunks.
7.	Milch bei kleiner Hitze zum Kochen bringen.	g)	Peel the potatoes.

1.	2.	3.	4.	5.	6.	7.

Das Rezept

Leseverständnis

Brokkoliauflauf

Du brauchst
300 g Brokkoli (tiefgefroren oder frisch)
1–2 Eier
100 ml Sahne *cream* (1/2 Becher)
50 g Reibekäse
Salz, Pfeffer

Brokkoli in wenig kochendes, gesalzenes Wasser geben und ca. 5 Minuten kochen, d.h. ab dem Zeitpunkt, wo das Wasser wieder kocht.

Backofen auf 180°C vorheizen. Wasser abgießen, Brokkoli in die Auflaufform geben. Eier mit einer Prise Salz und etwas Pfeffer und der Sahne mit einer Gabel oder einem Schneebesen gut verquirlen und über den Brokkoli geben. Mit Käse bestreuen und ca. 15 Minuten im Backofen (mittlere Höhe) backen.
Reicht für 2 Portionen als Beilage oder Vorspeise.

Als Hauptgericht kann man noch ca. 100g gewürfelten, gekochten Schinken und/oder 1–2 gekochte, in Scheiben geschnittene Kartoffeln zugeben.

Übung 6

Beantworte die folgenden Fragen auf Englisch! Answer the following questions in English.

1. Apart from broccoli, give any **three** other ingredients.
2. How is the broccoli to be cooked?
3. How is the mixture to be prepared before it is poured over the cooked broccoli?
4. For how many people is this dish suitable?
5. If you want to make this into a main dish, give **one** of the ingredients that the recipe says you could add.

Leseverständnis

Das Pastagericht

Pasta mit Pesto und Hähnchen

Zutaten: (4 Personen)
250g Fusili oder Penne, 1 kleines Grillhähnchen, 120g Walnüsse, 4 Scheiben
Frühstücksspeck, 250g Kirschtomaten, 60g Oliven, Pestosauce, 30g frisches Basilikum,
gehobelter Parmesan zum Garnieren

Die Pasta in einem großen Topf mit sprudelndem Wasser al dente kochen, abgießen und abtropfen lassen.

1. In der Zwischenzeit das Hähnchen von der Haut befreien und entbeinen. Das Fleisch in mundgerechte Stücke zerteilen und beiseite stellen.
2. Die Walnüsse in einer Bratpfanne ohne Fett 2–3 Minuten bräunen, abkühlen lassen und grob hacken.
3. Den Speck von der Schwarte befreien und 3–4 Minuten in einer Bratpfanne kross braten. Dann abkühlen lassen und zerkleinern. Die Nüsse, den Speck, die halbierten Kirschtomaten und die in Scheiben geschnittenen Oliven zum Fleisch geben.
4. Die Pasta zusammen mit der Pestosauce und dem frischen Basilikum sorgfältig unter die Sauce mischen. Mit gehobeltem Parmesan garniert servieren.

Übung 8

Was ist das? Unjumble the letters to find the electrical appliance.

1. erstato: _____

2. chrsoasewker: _____

3. chispalmsnüe: _____

4. lomiwekler: _____

5. sklünkharch: _____

Schwerpunkt Grammatik
Wiederholung: der Akkusativ

unbestimmter Artikel

m	f	n	pl
einen	eine	ein	-

bestimmter Artikel

m	f	n	pl
den	die	das	die

Übung 9

Maskulinum, Femininum oder Neutrum? Write in each electrical appliance from the previous page under the relevant gender. The first one is done for you.

Maskulinum	Femininum	Neutrum
der Elektroherd		

Übung 10

Ergänze! Complete the following sentences using the indefinite article in the accusative. Follow the example.

Beispiel: Meine Tante kauft **einen** neuen Elektroherd.

1. Ich möchte _____ Toaster kaufen. Der alte ist kaputt.

2. Für die neue Wohnung kauft Horst _____ Mikrowelle.

3. In der Küche gibt es _____ Spülmaschine, _____ Kühlschrank und _____ Waschmaschine.

4. Marietta bekommt _____ Wasserkocher als Weihnachtsgeschenk.

5. Frank hat _____ guten Wäschetrockner.

6. Hast du _____ Gefrierschrank in der Küche?

Geschirr, Besteck und Küchenzubehör

das Besteck	eine Gabel	ein Messer *(n)*	ein Löffel *(m)*
ein Teelöffel *(m)*	das Geschirr	ein Teller *(m)*	eine Schale
eine Tasse und eine Untertasse	eine Schüssel	eine Teekanne	eine Kaffeekanne

ein Milchkännchen (n)	ein Glas (n)	ein Weinglas (n)	eine (Brat)pfanne
ein Kochtopf (m)	ein Dosenöffner (m)	ein Geschirrtuch (n)	eine Schürze

Übung 11

Maskulinum, Femininum oder Neutrum? Write in each household item from above and the previous page under the relevant gender. The first one is done for you.

Maskulinum	Femininum	Neutrum
		das Besteck

Hörverständnis 5

Teacher's CD1 Track 69

Was brauchst du? Listen carefully and write down what each person asks for.

1.	Jamilia	
2.	Jürgen	
3.	Hilda	
4.	Christian	
5.	Rosvita	

Übung 12

a) Bestimmter Artikel

Ergänze! Complete the following sentences using the **definite article** in the accusative. Follow the example.

Beispiel: Ich suche **das** Besteck.

1. „Gerd, reichst du mir bitte _____ Dosenöffner?"
2. „Ich finde _____ gute Teekanne nicht."
3. „Jutta, hol bitte _____ Milchkännchen aus der Küche!"
4. „Frau Stille, ich suche _____ Geschirr."
5. Fred kauft _____ schöne rote Schüssel für seine Mutter.

b) Unbestimmter Artikel

Ergänze! Complete the following sentences using the **indefinite article** in the accusative. Follow the example.

Beispiel: „Werner, hol dir **ein** Weinglas aus dem Schrank."

1. „Kati, wo finde ich _____ Geschirrtuch?"
2. „Herr Ober, ich brauche _____ Gabel."
3. „Dieses Restaurant ist Selbstbedienung. Nehmen Sie _____ Teller und stellen Sie sich an!"
4. Rita hat _____ lustige Schürze im Winterschlussverkauf gekauft.
5. Für dieses Rezept braucht man _____ Teelöffel Zimt.

Hörverständnis 6

Student's CD Tracks 8–11   Teacher's CD1 Tracks 70–73

Was ist dein Lieblingsrezept? Listen to each person talking about his/her favourite recipe and answer the questions that follow.

	Any four ingredients mentioned.	How long does it take to cook.	Why he/she likes the recipe.
1. Albert			
2. Vera			
3. José			
4. Heidrun			

Übung 13

Wörträtsel. Finde die Wörter! Find the following words in the puzzle.

Besteck ✓	Gabel	Messer	Löffel ✓
Kühlschrank ✓	Mikrowelle	Teller	Glas
Herd ✓	Kochtopf	Schale	Pfanne

D	O	B	Ä	H	E	R	D	C	G	S	G
J	P	E	J	P	L	Ö	Z	A	L	P	E
F	C	S	T	D	F	P	B	T	Ö	U	L
P	M	T	Z	E	S	E	W	S	F	W	L
O	U	E	W	H	L	B	J	Ü	F	I	E
T	P	C	S	O	V	L	Z	H	E	R	W
H	F	K	B	S	Ü	W	E	D	L	G	O
C	A	H	O	E	E	Q	V	R	X	L	R
O	N	C	W	N	D	R	H	W	T	A	K
K	N	R	E	L	A	H	C	S	D	S	I
X	E	D	L	S	K	E	M	A	F	O	M
C	K	Ü	H	L	S	C	H	R	A	N	K

Übung 14

Wiederholungsübung
Ein Brief

Schreibe einen Brief! Write a letter to your German pen pal, giving information he/she has asked for. Answer the ten questions in the course of your letter, writing **at least ten** sentences. Write the answers in your copybook. **The address and the opening lines are given to you.**

A.	Wo wohnst du ?	*(Where do you live?)*
B.	Wo liegt das?	*(Where is that situated?)*
C.	Wohnst du gern dort?	*(Do you like living there?)*
D.	Was kann man in der Gegend machen?	*(What can one do in your area?)*
E.	Kannst du kochen?	*(Can you cook?)*
F.	Was ist dein Lieblingsrezept?	*(What is your favourite recipe?)*
G.	Gehst du oft ins Kino?	*(Do you go to the cinema often?)*
H.	Was ist dein Lieblingsfilm?	*(What is your favourite film?)*
I.	Habt ihr einen Computer zu Hause?	*(Do you have a computer at home?)*
J.	Hast du ein Lieblingscomputerspiel?	*(Do you have a favourite computer game?)*

Roscommon, den 6. Dezember

Lieber Gerd!

Vielen Dank für deinen netten Brief. Ich hoffe, es geht dir gut.

_____

_____

_____

_____

Suggested marking scheme

Content (22 marks)
Sentences answering the questions: 10 x 2 (i.e. 2 marks for every question you answer)
Closing sentence 1 x 2 marks
When signing off the letter you must put *Dein/Deine* in front of your name.

Expression (18 marks)
Pay attention to the following when writing your reply:
- Avoid English
- Spellings
- Word order: **Time** + **Manner** + **Place**
  (Check that the verb is the second idea in the sentence.)
- Verb endings (e.g. *Ich wohne*)

Teacher's CD1 Track 74

EIN ZUNGENBRECHER

Kapitel 4

Wie komme ich am besten zur Post?

Frage	Antwort
Wie komme ich am besten zur Post?	Gehen Sie gereadeaus.
Wie komme ich am besten zum Bahnhof?	Gehen Sie nach links.
	Gehen Sie nach rechts.

Leseverständnis

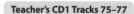

Teacher's CD1 Tracks 75–77

1.

Frau: Entschuldigen Sie, bitte. Wie komme ich am besten zum Supermarkt?

Herr: Gehen Sie hier nach rechts und dann nach links. Dann sehen Sie den Supermarkt auf der linken Seite.

Frau: Vielen Dank.

Herr: Bitte.

2.

Frau: Entschuldigen Sie, bitte. Wie komme ich am besten zum Hallenbad?

Herr: Sie gehen hier geradeaus. Nach fünf Minuten Gehzeit sehen Sie das Hallenbad auf der rechten Seite.

Frau: Vielen Dank.

Herr: Gern geschehen.

3.

Frau: Entschuldigen Sie, bitte! Wie komme ich am besten zum Museum?

Herr: Zum Museum? Das ist ganz einfach. Gehen Sie hier geradeaus, und nach 100 Metern sehen Sie schon das Museum auf der linken Seite.

Frau: Vielen Dank.

Herr: Gern geschehen.

Übung 1

Beantworte die folgenden Fragen auf Englisch! Answer the following questions in English.

1. To get to the supermarket this person must:

    a)   go straight on, then right and then left.

    b)   go right and then left.

    c)   go left and then straight on.

    d)   go straight on and then left.

2. Where is the person in the second conversation looking for? _____

3. How many minutes' walk away is it? _____

4. On what side of the street is the museum located? _____

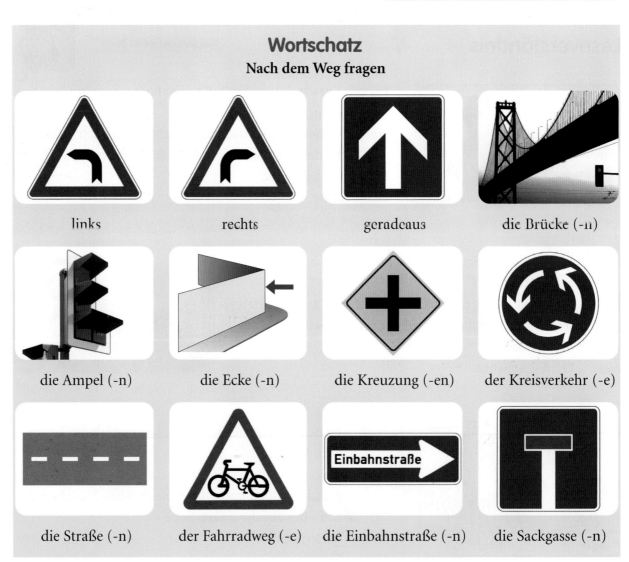

Wortschatz
Nach dem Weg fragen

links	rechts	geradeaus	die Brücke (-n)
die Ampel (-n)	die Ecke (-n)	die Kreuzung (-en)	der Kreisverkehr (-e)
die Straße (-n)	der Fahrradweg (-e)	die Einbahnstraße (-n)	die Sackgasse (-n)

das Fremdenverkehrsbüro (-s)   die Fußgängerzone (-n)   die U-Bahn-Station (-en)

der Bahnhof (¨e)
(Deutsche Bahn)

die Haltestelle (-n)
(für Straßenbahnen
oder Linienbusse)

der Fußgängerüberweg

Hörverständnis 1   Student's CD Tracks 12–13   Teacher's CD1 Tracks 78–79

Hör gut zu! Listen carefully and write the correct option a, b, c, or d into the box provided.

Dialogue 1

1. This man is looking for:
- a) the bank.
- b) the theatre.
- c) the disco.
- d) the museum.

2. He is told to go:
- a) straight on.
- b) left.
- c) right.
- d) over the bridge.

Dialogue 2

1. This lady is looking for:

     a) the supermarket.

     b) the post office.

     c) the secondary school.

     d) the sports centre.

☐

2. She is told to go:

     a) left then straight on.

     b) right then straight on.

     c) straight on then right.

     d) straight on then left.

☐

Wortschatz
Die Stadt

das Hallenbad (-bäder)

das Hotel (-s)

das Jugendzentrum (-zentren)

das Kino (-s)

das Museum (-een)

das Parkhaus (-häuser)

das Schloss (¨er)

das Rathaus (-häuser)

das Stadion (-ien)

das Theater (-)

der Bahnhof (-höfe)

der Dom (-e)

die Bank (-en)

die Kirche (-n)

die Kneipe (-n)

die Kunstgalerie (-n)

Hörverständnis 2

Teacher's CD1 Track 80

Hör gut zu! Listen carefully and write in where each person is going. The first one is done for you.

1.	Bakery
2.	
3.	
4.	
5.	
6.	
7.	

Schwerpunkt Grammatik   Reminder!

Masculine (der) nouns	= zum
Feminine (die) nouns	= zur
Neuter (das) nouns	= zum
Plural (die) nouns	= zu den

Wie komme ich am besten zum/zur/zum/zu den…?

Übung 2

Ergänze! Complete the following using **zum/zur/zum/zu den** as appropriate.

1. Wie komme ich am besten _____ Dom?

2. Wie komme ich am besten _____ Kino?

3. Wie komme ich am besten _____ Bank?

4. Wie komme ich am besten _____ Fußballstadion?

5. Wie komme ich am besten _____ Jugendherberge?

6. Wie komme ich am besten _____ Restaurants?

7. Wie komme ich am besten _____ Café Bergblick?

8. Wie komme ich am besten _____ Hotel Lindenhof?

9. Wie komme ich am besten _____ Geschäften?

10. Wie komme ich am besten _____ Kirche?

Zum Lesen

Teacher's CD1 Track 81

Ich suche die Cimbernstraße.

Tourist: Entschuldigen Sie, bitte. Ich suche die Cimbernstraße. Wie komme ich am besten dahin?

Herr: Es tut mir leid. Ich kann Ihnen nicht helfen. Ich bin hier fremd.

Tourist : OK. Danke trotzdem.

★★★

Tourist : Entschuldigen Sie, bitte. Wie komme ich zur Cimbernstraße?

Frau: Cimbernstraße? Mit K oder mit C?

Tourist : Mit C. C-i-m-b-e-r-n-straße.

Frau: Ich bin mir nicht sicher, aber ich denke, die Cimbernstraße ist drei Straßen weiter auf der linken Seite.

Tourist : Vielen Dank.

Frau: Bitte, bitte.

Hörverständnis 3

Teacher's CD1 Track 82

Hör gut zu! Listen carefully and write in the name of the street the person is looking for.

	Street
1.	
2.	
3.	
4.	
5.	
6.	
7.	
8.	
9.	
10.	

Wortschatz
Nach dem Weg fragen
Asking for directions

Entschuldigen Sie, bitte!	*Excuse me please.*
Entschuldigung!	*Excuse me.*
Verzeihung!	*Excuse me.*
Gibt es eine Bank hier in der Nähe?	*Is there a bank near here?*
Wie komme ich am besten…?	*What's the best way…?*
zum Supermarkt	*to the supermarket*
zur Stadtmitte	*to the town centre*
zum Kino	*to the cinema*
zu den Geschäften	*to the shops*
dahin	*there*
Gehen Sie…	*Go…*
nach links	*left*
nach rechts	*right*
geradeaus	*straight on*
über die Brücke	*over the bridge*
unter der Brücke durch	*under the bridge*
die Hauptstraße entlang	*along Main Street*
um die Ecke	*around the corner*
Nehmen Sie…	*Take…*
die erste/zweite/dritte/vierte Straße links.	*the 1st/2nd/3rd/4th street left.*
Nach 100 Metern	*After 100 metres*
auf der linken/rechten Seite	*on the left/right side*
gegenüber	*across from*
neben	*beside*

Übung 3

Übersetze ins Deutsche! Translate the following sentences into German.

1. Go straight on. _____

2. Go over the bridge. _____

3. After 150 metres go left. _____

4. How do I get to the city centre, please? _____

5. Go under the bridge. _____

6. Take the first street right. _____

7. Take the third street left. _____

8. The museum is on the right hand side. _____

9. The restaurant is on the left hand side. _____

10. Is there a swimming pool near here? _____

Schwerpunkt Grammatik Wiederholung Präpositionen + Dativ

Often when giving directions in German, dative prepositions are used. Here are some of the most common prepositions used for giving directions.

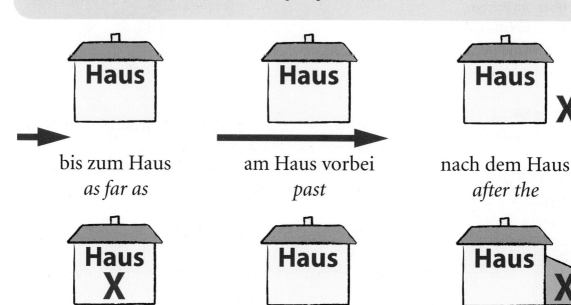

	bis	an...vorbei	nach
Masculine	bis zum	an dem/am...vorbei	nach dem
Feminine	bis zur	an der...vorbei	nach der
Neuter	bis zum	am...vorbei	nach dem
Plural	bis zu den	an den...vorbei	nach den

	an	vor	neben
Masculine	an dem/am	vor dem	neben dem
Feminine	an der	vor der	neben der
Neuter	an dem/am	vor dem	neben dem
Plural	an den	vor den	neben den

Leseverständnis

Teacher's CD1 Tracks 83–84

Nach dem Weg fragen.

1.

Frau: Entschuldigung! Gibt es ein Hotel hier in der Nähe?

Herr: Ja, gehen Sie hier geradeaus. Gehen Sie bis zur Ampel. Dann gehen Sie nach rechts. Nach 100 Metern auf der linken Seite sehen Sie das große Schild für das Hotel Europa.

Frau: Vielen Dank!

Herr: Bitte!

2.

Herr: Entschuldigen Sie, bitte! Ich bin hier fremd. Können Sie mir sagen, wie ich zum Alten Rathaus komme?

Frau: Ja, gerne. Möchten Sie zu Fuß gehen oder lieber mit der Straßenbahn fahren?

Herr: Ist es weit?

Frau: Vielleicht fünfzehn Minuten zu Fuß.

Herr: Das geht schon. Also, zu Fuß.

Frau: Am besten nehmen Sie die erste Straße links. Gehen Sie geradeaus und an der kleinen Marienkirche vorbei. Nach der Marienkirche gehen Sie nach rechts in die Kaiser-Wilhelm-Straße. Am Ende der Straße ist ein großer Platz. Auf der rechten Seite sehen Sie dann das Alte Rathaus.

Herr: Danke sehr.

Übung **4**

1. What directions is the lady given to the hotel?

   _____

   _____

2. What building is the man looking for?

   _____

3. How far is it?

   _____

4. Once he goes past the Marienkirche, where does he go then?

   _____

Hörverständnis **4**   Teacher's CD1 Tracks 85–87

Hör gut zu! Listen carefully and choose the correct option for each conversation.

Conversation 1

1. This person is going:
   a) to the supermarket.
   b) to the fruit and vegetable shop.
   c) to the department store.
   d) to the bookshop.

2. He is told to go:
   a) go straight on and then turn left at the lights.
   b) go straight on and go right at the light.
   c) go right and then go as far as the lights.
   d) go left and then go as far as the lights.

3. The building is located:
- a) on the right.
- b) on the corner.
- c) on the left.
- d) across from the church.

☐

Conversation 2

1. This person is looking for:
- a) the youth centre.
- b) the youth hostel.
- c) the town centre.
- d) the tourist information office.

☐

2. How does he intend to get there?
- a) walking
- b) by bus
- c) by car
- d) by tram

☐

3. Once he gets to the crossroads he must:
- a) go straight on for 200 metres and then go over the bridge.
- b) turn left and then go on for 200 metres and then go over the bridge.
- c) go straight on for 100 metres and the turn left.
- d) turn right and then go straight ahead for 200 metres.

☐

Conversation 3

1. This lady looking is for:
- a) the cinema.
- b) the pharmacy.
- c) the art gallery.
- d) the cake shop.

☐

2. On what street is there one located?
- a) Rumannstraße
- b) Sedanstraße
- c) Gretchenstraße
- d) Gellerstraße

☐

3. In order to get there she must:
- a) go left, then go right before the bridge and turn right at the traffic lights.
- b) go right, then go right before the bridge and then turn left at the traffic lights.
- c) go right, then go across the bridge and then turn right at the traffic lights.
- d) go left, then go over the bridge and turn right at the traffic lights.

4. The building she is looking for is:
- a) beside the supermarket.
- b) opposite the hotel.
- c) beside the bank.
- d) opposite the museum.

Schwerpunkt Grammatik der Genitiv (1)

In Viel Spaß! 1, you were introduced to the nominative, accusative and dative cases. Here, we will briefly examine the genitive case.

The genitive case is used:
1) to describe possession
2) after certain prepositions

Possession
In English, we say "my sister's book" or "the telephone number of the tennis club" to denote possession. We use an apostrophe or 'of'.
Very often, in German in spoken language the dative case is used with *von* for possession (*das ist das Auto von meiner Mutter* etc.), but in written language the genitive is widely used.

In German, if someone's **name** is used, an 's' (no apostrophe) is added to the name before the noun.
For example:
Hier ist Toms Haus.   *Here is Tom's house.*

Articles and Possessive Adjectives in the Genitive

Where **no name** is mentioned, a definite article, indefinite article or possessive pronoun indicates possession.

Ich habe das Buch **meiner Schwester**.   *I have my sister's book.*

Ich benutze den iPod **meines Freundes**.   *I'm using my friend's iPod.*

↓

It is the second noun that is in the genitive.

Let us now look at the definite articles, indefinite articles and possesive adjectives in the genitive.

	Maskulinum	**Femininum**	**Neuterum**	*Plural*
definite article	des	der	des	der
indefinite article	eines	einer	eines	–
possesive adjective	meines	meiner	meines	meiner

In the genitive cases, an 's' or 'es' is added to all **masculine** and **neuter** nouns.

An '**s**' is added to all masculine and neuter nouns with **two or more syllables**.
For example:
Ich mag das Auto meines Bruder**s**.   *I like my brother's car.*

If the masculine or neuter noun has only **one syllable**, '**es**' is added.
For example:
Der Titel des Buch**es** ist *Twilight*.   *The title of the book is* Twilight.

Im Fremdenverkehrsamt

Leseverständnis

Teacher's CD1 Track 88

Es ist kurz vor Weihnachten. Jenny Moran und Deirdre Walsh aus Cork verbringen vier Tage in Dresden. Am ersten Morgen entscheiden sie sich, die Sehenswürdigkeiten zu besichtigen. Sie gehen ins Fremdenverkehrsamt und fragen nach, was man in Dresden besichtigen sollte.

Frau: Schönen guten Morgen! Wie kann ich Ihnen behilflich sein?

Jenny: Guten Morgen! Wir verbringen vier Tage hier in Dresden. Was sollten wir besichtigen?

Frau: Auf jeden Fall müssen Sie die neu renovierte Frauenkirche besichtigen.

Jenny: Wie kommen wir dahin?

Frau: Haben Sie einen Stadtplan?

Jenny: Nein. Was kostet einer?

Frau: Der kleine hier ist umsonst, und der große mit der Stadtführung kostet fünf Euro.

Jenny: Wir nehmen den großen, bitte.

Frau: Also, die Frauenkirche befindet sich nicht weit von hier, in der Altstadt. Am besten gehen Sie hier nach rechts, und an der Hofkirche gehen Sie wieder nach rechts. Sie sehen dann einen kleinen Platz, und da vorne steht die Frauenkirche.

Jenny: Danke. Gibt es eine City-Tour, die Sie uns empfehlen könnten?

Frau: Draußen vor dem Haupteingang sehen Sie ein Schild für die City-Tours. Sie fahren jede Stunde und kosten 16 €. Sie können ein- und aussteigen, sooft Sie wollen. Sonst noch etwas?

Jenny: Nein, danke. Das ist alles. Vielen Dank für Ihre Hilfe.

Frau: Gern geschehen, und genießen Sie Ihre Zeit hier in Dresden!

Übung 5

Antworte auf Englisch! Answer the following questions in English.

1. How many days are Jenny and Deirdre spending in Dresden?
2. What does the lady in the tourist office recommend that they see?
3. Give one difference between the two maps that they are offered.
4. Describe how you get from the tourist office to the first sight the girls wish to visit.
5. Where can they find more information about the city bus tours?
6. How often do these tours depart?

Übung 6

Ergänze! Complete the following using the correct **definite article** in the genitive. Then write in your copybook what each sentence means in English.

1. Der Lehrer korrigiert die Fehler _____ Schülers.
2. Ich lese gern die Geschichten _____ Autorin Minika Feth.
3. Mir gefällt die Farbe _____ Autos.
4. Ich mag das neue Lied _____ Gruppe U2.
5. Was kosten die roten Schuhe _____ Designers Jimmy Choo?

Übung 7

Ergänze! Complete the following using the correct **indefinite article** in the genitive. Then write in your copybook what each sentence means in English.

1. Detlev hat die CD _____ Freundes verloren.
2. Vera hat die Federmappe _____ Freundin gefunden.
3. Hier ist das Haus _____ reichen Mannes.
4. Hier ist die Telefonnummer _____ Arztes.
5. Ich sehe die Turmspitze _____ Kirche.

Übung 8

Übersetze ins Deutsche! Translate the following into German. For each sentence it is possible to use both the **genitive** and the **von + dative** construction.

Beispiel

Here is my aunt's house.   Hier ist das Haus meiner Tante. (genitive)

Hier ist das Haus von meiner Tante. (von + dative)

1. Bernd is my mum's brother.
2. Here is the telephone number of the school.
3. I'm cycling a friend's bike.
4. I'm reading my penpal's letter.
5. Tomorrow is my sister's birthday.

1. _____
2. _____
3. _____
4. _____
5. _____

Übung 9

Ergänze! Complete the following using the correct **possessive adjective** in the genitive. Then write in your copybook what each sentence means in English.

1. Ich trage das schicke Kleid _____ Schwester.

2. Ich höre die Stimme _____ Deutschlehrerin.

3. Das ist das Arbeitszimmer _____ Vaters.

4. Die Bremsen _____ Fahrrads funktionieren nicht mehr.

5. Ich mag die Farbe _____ Zimmers.

Schwerpunkt Grammatik   der Genitiv (2)

Genitive Prepositions

The genitive case is also used after certain prepositions. Useful genitive prepositions include *außerhalb* (outside), *trotz* (despite) and *während* (during). A complete list can be found in the grammar section at the back of the book.

For example:

Trotz des schlechten Wetters spiele... ich heute Rugby.

Despite the bad weather... I'm playing rugby today.

Übung 10

Ergänze! Complete the following using the correct **definite article**. Write the English translation for each sentence in your copybook.

1. Während _____ Essens ist Fernsehen verboten.

2. Ich wohne außerhalb _____ Stadt.

3. Trotz _____ guten Noten bin ich unzufrieden.

4. Während _____ Winterferien fahren viele Leute Ski.

5. Trotz _____ Schnees haben wir heute Schule.

6. Das Museum ist ein bisschen außerhalb _____ Dorfes.

7. Trotz _____ hohen Benzinpreise fährt Herr Lens mit dem Auto zur Arbeit.

Dresden
eine Reise wert

das Tabakkontor Yenidze

der Zwinger

das Residenzschloss

die Frauenkirche *(außen)*

die Frauenkirche *(innen)*

Pfunds Molkerei

der Fürstenzug

die Neustädter Markthalle

der Semperoper

Übung 11

Finde die Wörter im Kasten! Find the German buildings in the puzzle and then write what each one means in English.

Dom	Schloss	Bahnhof	Schule	Kirche
Rathaus	Gymnasium	Kino	Bäckerei	Konditorei

_____   _____

_____   _____

_____   _____

_____   _____

B	L	D	F	T	K	D	R	S	P	N	K
K	O	R	E	H	I	O	I	C	E	I	O
M	S	U	Q	S	R	F	A	H	J	R	N
L	G	A	D	S	C	H	U	L	E	I	D
U	Y	D	Y	I	H	K	P	O	T	E	I
E	M	F	I	N	E	O	W	S	A	R	T
R	N	R	A	T	H	A	U	S	I	E	O
Y	A	H	I	K	I	N	O	W	E	K	R
A	S	O	A	J	W	A	D	J	Z	C	E
G	I	W	G	L	G	E	U	O	R	Ä	I
P	U	V	C	F	O	H	N	H	A	B	D
E	M	S	A	L	J	W	Q	X	E	I	Z

Hörverständnis 5

Teacher's CD1 Track 89

Hör gut zu! Listen carefully and tick whether the following statements are true or false.

		True	False
1.	Isabella is going to the library.		
2.	To get to the church, the man is told to go over the bridge.		
3.	The museum is open from 10 am until 5 pm every day.		
4.	The bus stop is 100 metres on the right.		
5.	The restaurant is beside the church.		

Kapitel 5
Wo treffen wir uns?

Meine erste Verabredung

Leseverständnis

Teacher's CD1 Track 90

Freitag im Schulhof.

Michael: Tag, Karin!
Karin: Tag, Michael!
Michael: Sag mal, hast du heute Abend was vor?
Karin: Nein, eigentlich nicht. Warum?
Michael: Hast du Lust, mit mir ins Kino zu gehen?
Karin: Na klar!
Michael: Geil! Treffen wir uns um acht vor dem Kino?
Karin: Ja. Also, bis später.
Michael: Tschüss!

Fünf Minuten später trifft sich Karin mit ihrer besten Freundin Angelika.

Karin: Du, Angelika. Rate mal, was ich heute Abend mache!
Angelika: Keine Ahnung. Komm, sag schon!
Karin: Ich gehe mit Michael Schwarz ins Kino!
Angelika: Echt? Wow! Ich wusste es! Ich sage doch immer, er hat nur Augen für dich! Wo trefft ihr euch?
Karin: Wir treffen uns um acht vor dem Kino.
Angelika: Michael ist der Schwarm der Klasse. Ich bin ganz neidisch auf dich!

Übung 1

Antworte auf Englisch! Answer the following questions in English.

1. What day do these conversations take place?

2. Where does Michael invite Karin?

3. What time and where are they meeting?

4. Why is Angelika not surprised that Michael has asked Karin?

5. Why is Angelika envious of Karin?

Übung 2

Ergänze! Complete the following using the verb **treffen**.

treffen	to meet
ich treffe	*I meet*
du triffst	*you meet*
er/sie/man trifft	*he/she/one meets*
wir treffen	*we meet*
ihr trefft	*you meet*
Sie treffen	*you meet*
sie treffen	*they meet*

1. Du _____ Paul nach der Schule.

2. Kai _____ Renate in der Disko.

3. Wir _____ Heidi und Jörg im Eiscafé.

4. Detlef und Carmen _____ Julia und mich im Konzert.

5. Ich _____ meinen Onkel im Supermarkt.

Schwerpunkt Grammatik   treffen

Treffen can be used on its own or as a reflexive verb. When the verb *treffen* is used on its own, it can imply that you just met that person by chance.

For example:

Ich treffe John oft in der Stadt.   *I often meet John in town.*
                                           (Meaning: I often bump into John in town.)

However, when the verb is used as a reflexive verb, it implies that you arranged to meet up.

For example:

Ich treffe mich mit John in der Stadt.   *I meet/I'm meeting John in town.*
                                           (Meaning: I arrange/I have arranged
                                           to meet John in town.)

Wortschatz

Wir treffen uns…	*Let's meet up…*
am Freibad	*at the open air pool*
an der Bushaltestelle	*at the bus stop*
bei dir	*at your house*
bei Karl	*at Karl's house*
bei mir	*at my house*
im Eiscafé	*at the ice cream parlour*
im Konzert	*at the concert*
in der Disko	*in the disco*
in der Stadt	*in town*
vor dem Kino	*in front of the cinema*
vor dem Haupteingang	*in front of the main entrance*
vor dem Schuleingang	*at the entrance to school*

Hörverständnis 1

Student's CD Tracks 14–18   **Teacher's CD1 Tracks 91–95**

Hör gut zu! Listen carefully and write in English where these people are going to meet up and at what time.

	Where they are meeting	Time they are meeting
1. Jenny and Ines		
2. Karsten and Peter		
3. Marina and Rüdiger		
4. Manuela and Johannes		
5. Herr Hanisch and Herr Loges		

DÜRFEN AND KÖNNEN

These two verbs express **permission**. *Dürfen* implies that you are allowed to do something, whereas *können* implies that you can do something, but it is up to you to decide if you want to or not. *Können*, therefore, also expresses the **possibility** that something can be done.

For example:

Ich **darf** ins Kino gehen.   *I'm allowed to go to the cinema.*
Ich **kann** ins Kino gehen.   *I can go to the cinema.*

Können also expresses the **ability** to do something.
For example:

Ich **kann** gut Klavier spielen.   *I can play the piano well.*

WOLLEN AND MÖGEN

Both of these verbs express **choice** or **desire** to do something. If you definitely know what you want, then *wollen* is the verb to use. However, if you are merely stating a desire, then *mögen* is the required verb.

For example:

Ich **will** ein Eis essen.   *I want to an ice cream.*
Ich **möchte**(*) ein Eis essen.   *I'd like to eat an ice cream.*

(*)
It is not usual to use the present tense of *mögen* and to follow it with an infinitive. When learning about modal auxiliaries, it is the *subjunctive* tense of the verb that is used.
(*Ich möchte* = I would like)
In previous chapters, you learned *ich mag* (I like), which is the present tense of *mögen*. Generally, **you should follow *ich mag* with a noun and not another verb.**

For example:

Ich **mag** Popmusik.   *I like pop music.*
Ich **möchte** Popmusik **hören**.   *I would like to listen to pop music.*

BUT
Ich **höre gern** Popmusik.   *I like listening to pop music.*

Übung 4

Welches Modalverb ist richtig? Choose which of the modal verb phrases is correct in each of the following situations.

1. Your friend Vincente has invited you to his birthday party. You ask your parents for permission and they say you are allowed to go. Which of the following do they say?

    a) Du willst zu Party gehen.

    b) Du darfst zur Party gehen.

    c) Du möchtest zur Party gehen.

2. You forget your German homework and your teacher is annoyed. He/she puts you in detention. What does he/she say?

    a) Du kannst nachsitzen.

    b) Du möchtest nachsitzen.

    c) Du musst nachsitzen.

3. Your Christmas report has arrived home. However, the grades are not as high as you had expected. You know what it is you should do to improve.

    a) Ich sollte immer meine Hausaufgaben machen.

    b) Ich darf immer meine Hausaufgaben machen.

    c) Ich will immer meine Hausaufgaben machen.

Hörverständnis 2

Teacher's CD1 Track 96

Hör gut zu! Listen carefully and write the correct option into the box.

1. Udo

    a) wants to go to the disco on Friday night.

    b) wants to go to a party on Saturday night.

    c) wants to go to a concert on Saturday night.

2. Marlene

   a) must buy stamps.

   b) must visit her aunt.

   c) must go to the dentist.

☐

3. Herr Bauer

   a) would like a coffee with milk and sugar.

   b) would like a coffee with just milk.

   c) would like a coffee with just sugar.

☐

4. Dorothea

   a) can't eat fish.

   b) would like to eat fish.

   c) doesn't want to eat fish.

☐

Schwerpunkt Grammatik   Modalverben (2)

Modalverben agree with the subject of the sentence. The main verb goes to the end of the sentence and stays in the infinitive.

For example:

Ich **muss** zur Schule **gehen**.	*I must go to school./I have to go to school.* (In English, the main verb directly follows the modal verb.)
Ich **will** eine CD **kaufen**.	*I want to buy a CD.*

To write a negative sentence using a modal auxiliary, the *nicht* is placed **after** the modal.

For example:

Ich will **nicht** in die Schule gehen.	*I don't want to go to school.*
Ich darf **nicht** in die Disko gehen.	*I'm not allowed to go to the disco.*

However, if the *nicht* comes before an 'ein' word, then they join together to form *kein*. This *kein* word keeps the ending of the 'ein' word of the positive statement/question.

For example:

Musst du einen Brief schreiben?	Nein, ich muss **keinen** Brief schreiben.
Ich soll eine Tüte kaufen.	Ich soll **keine** Tüte kaufen.
Ich will ein Buch kaufen.	Ich will **kein** Buch kaufen.

Ich

Übung 5

müssen	to have to
ich muss	I have to
du musst	you have to
er/sie/es/man muss	he/she/it/one has to
wir müssen	we have to
ihr müsst	you have to
Sie müssen	you have to
sie müssen	they have to

Ergänze! Complete the following using the verb **müssen**.

In to English

1. Wir _____ heute nachsitzen.

2. _____ du eine Uniform tragen?

3. Karl und Rita _____ arbeiten.

4. Ich _____um halb acht aufstehen.

5. Herr Seibert _____ manchmal im Haushalt helfen.

Übung 6

 Ich

sollen	should
ich soll	I should
du sollst	you should
er/sie/es/man soll	he/she/it/one should
wir sollen	we should
ihr sollt	you should
Sie sollen	you should
sie sollen	they should

Ergänze! Complete the following using the verb **sollen**.

1. Ich _____ fleißiger für die Schule lernen.

2. Max _____ öfter seine Oma besuchen, denn sie wohnt allein.

3. Wir _____ mehr für die armen Kinder in Afrika tun.

4. Meine Eltern _____ mir mehr Taschengeld geben.

Übung 7

dürfen	to be allowed
ich darf	I am allowed
du darfst	you are allowed
er/sie/es/man darf	he/she/it/one is allowed
wir dürfen	we are allowed
ihr dürft	you are allowed
Sie dürfen	you are allowed
Sie dürfen	they are allowed

Ergänze! Complete the following using the verb **dürfen**.

1. _darf_ ich zur Party gehen?

2. Kai _darf_ am Wochenende ausgehen.

3. Am Samstag _darf_ ich bis elf Uhr ausschlafen.

4. Meine Freunde _____ ins Konzert gehen, aber ich nicht.

5. _____ ihr in die Disco gehen?

Übung 8

Schreibe die folgenden Sätze in der Negation! Write the following sentences in the negative. The first one is done for you.

1. Ich muss viel lernen. **Ich muss nicht viel lernen.**

2. Ich darf zur Party gehen.

3. Ich muss ein Gedicht auswendig lernen.

4. Wir sollen eine Karte schicken.

5. Heinz muss sofort seine Eltern anrufen.

6. Gitta will einen Apfel essen.

7. Anna darf nach Lissabon fliegen.

Übung 9

Ergänze! Complete the following using **müssen**, **sollen** or **dürfen**, as appropriate. (For some answers, there is more than one possibility.)

1. Ich _____ morgen ausschlafen.

2. Wir _____ pünktlich zur Schule kommen.

3. Peters Eltern haben einen Computer im Arbeitszimmer, und Peter _____ abends am Computer spielen.

4. Mein Fahrrad ist sehr alt. Ich _____ ein neues kaufen.

5. In Deutschland _____ die Schüler ihre eigenen Klamotten in der Schule tragen.

6. Wenn du deine Hausaufgaben nicht verstehst, _____ du deinen Lehrer fragen.

7. Ich sehe zu viel fern. Ich _____ Sport machen.

8. In Irland _____ die meisten Schüler eine Uniform tragen.

9. Viele Leute fahren zu schnell auf unseren Straßen. Sie _____ langsamer fahren.

10. Man _____ mindestens 16 Jahre alt sein, um die Schule zu verlassen.

Hörverständnis 3

Teacher's CD1 Track 97

Hör gut zu! Listen carefully and choose the correct option for what each person has to, should, or is allowed to do.

1. Jonas

    a) must go to bed.

    b) must get up.

    c) must eat his broccoli.

2. Olivia

    a) shouldn't read for too long.

    b) shouldn't watch TV for too long.

    c) shouldn't play on the computer for too long.

3. Ismail

    a) must speak to the principal to get permission to go home.

    b) should speak to the class teacher at lunchtime.

    c) is allowed to go home early.

Übung 10

können	**to be able to**
ich kann	I can
du kannst	you can
er/sie/es/man kann	he/she/it/one can
wir können	we can
ihr könnt	you can
Sie können	you can
sie können	they can

Ergänze! Complete the following using the verb **können**.

1. „_____ du Japanisch sprechen?"

2. In Berlin _____ man die Buddy Bears sehen.

3. Meine Freunde und ich _____ im Winter hier gut Ski fahren.

4. „_____ ihr ein bisschen lauter sprechen?"

5. Ich _____ Schach spielen.

Übung 11

wollen	to want
ich will	I want
du willst	you want
er/sie/man will	he/she/one wants
wir wollen	we want
ihr wollt	you want
Sie wollen	you want
sie wollen	they want

Ergänze! Complete the following using the verb **wollen**.

1. Wir _____ ins Restaurant gehen.

2. Meine Tante _____ nach Australien fahren.

3. „Wollt _____ lieber Apfelkuchen oder Kekse essen?"

4. Ich _____ heute Tennis spielen.

5. „_____ du Medizin studieren?"

Übung 12

mögen	to like
ich möchte	I would like
du möchtest	you would like
er/sie/man möchte	he/she/one would like
wir möchten	we would like
ihr möchtet	you would like
Sie möchten	you would like
sie möchten	they would like

Ergänze! Complete the following using the verb **mögen**.

1. Ute _____ in Gießen wohnen.

2. Horst und Katja _____ einen neuen Hund kaufen.

3. Ich _____ viel Geld verdienen.

4. „Frau Overmeyer, _____ Sie einen Tee oder einen Kaffee trinken?"

5. „Vera, _____ du ein Stück Pizza essen?"

Übung 13

Und du? Beantworte die folgenden Fragen auf Deutsch! Answer the following questions in German.

1. Was willst du heute nach der Schule machen?

   _____

   _____

2. Kannst du ein Instrument spielen?

   _____

3. Möchtest du eines Tages nach Deutschland fahren?

   _____

4. Musst du am Wochenende viele Hausaufgaben machen?

   _____

5. Was kann man am Wochenende in deiner Stadt machen?

   _____

   _____

6. Was sollten Touristen unbedingt sehen, wenn sie nach Irland kommen?

   _____

   _____

7. Wie oft darfst du bis Mitternacht aufbleiben?

   _____

8. Wann musst du jeden Tag aufstehen?

   _____

9. Welche Popgruppe möchtest du am liebsten im Konzert sehen?

   _____

10. Kannst du gut Deutsch sprechen?

   _____

   _____

Schwerpunkt Grammatik   Modalverben (3)

Very often, when the meaning is implied, the infinitive of the verb is left out of the sentence.

For example:

I can speak good German.   *Ich kann gut Deutsch.*
                                  (The *sprechen* is omitted, as it is understood.)

I have to go home.   *Ich muss nach Hause.*
                                  (The *gehen* is omitted, as the meaning is clear.)

Übung 14

Schreibe die Sätze in die richtige Reihenfolge! Write the dialogue in the correct order.

– Wir treffen uns um drei bei mir.

– Ich habe gar nichts vor. Warum?

– Hast du Lust, mit Uwe, Karl und mir Fußball zu spielen?

– Guten Tag, Sven! Was machst du heute Nachmittag?

– Na klar habe ich Lust. Wann trefft ihr euch?

– Tschüss!

– Um drei bei dir. Ok, also bis dann. Tschüss!

– Guten Tag, Max!

1) _____

2) _____

3) _____

4) _____

5) _____

6) _____

7) _____

8) _____

Hörverständnis 4

Teacher's CD1 Track 98

Hör gut zu! Listen carefully and tick whether each caller is accepting an invitation, declining an invitation or ringing to invite.

	Accepting Invitation	Declining Invitation	Inviting
Caller 1			✓ 5th march
Caller 2	✓		
Caller 3		*	✓
Caller 4		✓	
Caller 5			

Eine Party organisieren

Leseverständnis (Teil 1)

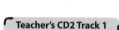

Teacher's CD2 Track 1

Jonas plant eine Überraschungsparty für seinen besten Freund Sebastian. Er ruft die Clique an.

Ralph: Brettner. Ralph. Am Apparat.
Jonas: Tag, Ralph! Hier Jonas.
Ralph: Tag, Jonas! Wie geht's dir?
Jonas: Mir geht's prima, danke. Sag mal, ich organisiere eine Überraschungsparty für Sebastian. Er hat nächste Woche Geburtstag. Möchtest du zur Party kommen?
Ralph: Ja, geil! Kann ich dir irgendwie helfen, die Party zu organisieren?
Jonas: Ja, das wäre toll.
Ralph: Was musst du denn noch machen?
Jonas: Ich muss die Anderen anrufen. Ich muss das Essen und die Getränke organisieren. Dann muss ich auch Musik organisieren. Und und und…!
Ralph: Also, ich kann die Rita, die Charlotte und den Jörg anrufen, und du kannst den Alex, den Timo und die Isabelle anrufen.
Jonas: Ja. Gute Idee. Die Party findet Freitagabend um acht Uhr bei mir statt. Ich habe doch den Partykeller, und meine Eltern gehen ins Theater.

Ralph: Prima! Also, die Getränke kann ich beim Getränkemarkt kaufen. Wir gehen sowieso jeden Donnerstag hin. Ich kann auf der Rückfahrt bei dir vorbeifahren, und die Getränke in den Partykeller stellen. Was für Getränke soll ich kaufen?

Jonas: Ja, auf jeden Fall Sprudel, Apfelsaft, Orangensaft und zwei oder drei große Flaschen Cola.

Ralph: Und ein Fass Bier?

Jonas: Nein, meine Eltern erlauben das nicht. Meine Mutter geht an die Decke, wenn ich Alkohol ins Haus bringe.

Ralph: Aber sie sind doch weg…

Jonas: Ja, aber trotzdem.

Ralph: Schon gut.

Jonas: Danke, Ralph. Das hilft mir sehr. Ich glaube, ich rufe jetzt die Isabelle an. Sie hat immer gute Ideen, wenn es ums Essen geht.

Ralph: OK, und ich rufe die Anderen an.

Jonas: Gut. Danke noch mal, und vergiss nicht, wenn du den Sebastian triffst, die Katze nicht aus dem Sack zu lassen!

Ralph: Versprochen. Ich verrate ihm nichts. Tschüss, Jonas!

Jonas: Tschüss, Ralph!

Übung 15

Beantworte die folgenden Fragen auf Englisch! Answer the following questions in English.

1. What is Jonas organising?
2. List three things he has to do.
3. When is the event taking place?
4. What does Ralph offer to do?
5. What does Jonas suggest he buy?
6. What else does Ralph suggest buying and why does Jonas reject this?
7. Who is Jonas ringing next and why?

Übung 16

Wie sagt man auf Deutsch…? How do you say each of the following in German?

1.	a surprise party	
2.	Would you like to come to the party?	
3.	I have to ring the others.	
4.	Great idea.	
5.	We go there anyway every Thursday.	
6.	What sort of drinks should I buy?	
7.	My mother hits the roof.	
8.	Don't let the cat out of the bag!	

Leseverständnis (Teil 2)

 **Teacher's CD2 Track 2**

Jonas ruft Isabelle an.

Isabelle: Hier Isabelle Feldt.

Jonas: Tag, Isabelle! Hier Jonas Birner.

Isabelle: Tag, Jonas! Wie geht's dir?

Jonas: Mir geht's gut. Ich organisiere eine Überraschungsparty für Sebastian, und du bist eingeladen.

Isabelle: Toll! Wann findet die Party statt?

Jonas: Nächsten Freitag bei mir zu Hause. Hast du einige Ideen, was wir an Essen organisieren könnten?

Isabelle: Ich schlage vor, dass wir den normalen Knabberkram bei Lidl kaufen. Ich meine Chips und Nüsse und so weiter. Dort ist es am billigsten. Wenn wir alle auch noch einen Kuchen oder einen Salat mitbringen, ist das Essen erledigt.

Jonas: Prima Idee! Ich kann einen Reissalat machen.

Isabelle: Gut. Ich backe eine Erdbeersahnetorte. Die isst der Sebastian unheimlich gern.

Jonas: Mmm, lecker!

Isabelle: Charlotte und Rita könnten Pizza machen, und die Jungs könnten bestimmt einen griechischen Salat irgendwoher beschaffen.

Jonas: Ja, das schaffen sie bestimmt. Klasse! Wir werden uns pfundig amüsieren!

Isabelle: Wenn du willst, könnten wir am Mittwoch direkt nach der Schule zu Lidl gehen. Ich helfe dir dann beim Einkaufen.

Jonas: Abgemacht! Du, ich muss noch Timo und Alex anrufen.
Isabelle: Alles klar. Tschüss, Jonas!
Jonas: Tschüss!

Übung 17

Richtig oder falsch? Tick whether the following statements are true or false.

		True	False
1.	Isabelle suggests that they buy chips and burgers for the party.		
2.	Jonas is going to make a rice salad.		
3.	Isabelle is going to bake a raspberry cream cake.		
4.	The boys should prepare a Spanish salad.		
5.	Isabelle and Jonas decide to go shopping on Wednesday.		

Hörverständnis 5

Teacher's CD2 Tracks 3–6

Hör gut zu! Listen carefully to the following message left on various telephone answering machines and in people's mailboxes. Fill in the details in English.

Message 1

Name of the person who leaves the message	
Why is this person not able to attend the party?	
When will he ring back?	

Message 2

Name of the person who leaves the message	
Where does this person work?	
What is the telephone number she can be reached at?	

Message 3

Who is this message for?	
Where is he being invited?	
Where and when does the caller suggest they meet?	

Message 4

Who is leaving the message?	
Why is she calling?	
What day and at what time will she now be arriving?	

Übung 18

Kurze Mitteilungen. Write a short note based on each of the following. The first one is done for you.

1) You are in Germany on a foreign exchange. You call over to your friend Clara's house, but she is not there. Leave the following note for her.

- Say that you and Gerd are going to the cinema this evening.
- Ask her if she would like to come.
- Tell her what the film is that you are going to see.
- Say that she can ring you if she wants to join you.

14 Uhr

Hallo Clara!

Gerd und ich gehen heute Abend ins Kino. Möchtest du mitkommen? Der Film heißt *Stirb Langsam 4.0*. Er soll sehr gut sein. Du kannst mich anrufen, wenn du mitkommen willst.

Bis bald
Bill

2) Your Austrian pen pal Florian is staying with you for a week. Florian has gone over to a neighbour's house. Send him a text message and include the following details.

   - Say that you would like to go into town to buy new runners as they are on special offer this week.

   - Ask Florian if he would like to go to town too.

   - Tell him what time you are leaving the house.

   - Say that you could go to the cinema afterwards.

3) While staying with an exchange family, Familie Heissl, in Germany, you wake up one morning and find you are alone in the house. Frau Heissl has left you a note saying that they have gone to do some shopping. As it is such a beautiful day you decide to go for a cycle. Leave the following note for the family.

   - Say that you are going for a cycle out into the countryside.

   - Say that you would like to see the area.

   - Say that you can buy a sandwich for lunch.

   - Say that you are coming back at around 3 pm.

Teacher's CD2 Track 7

EIN ZUNGENBRECHER

Kapitel 6

Was hast du am Wochenende gemacht?

Frage	Antwort
Was hast du am Wochenende gemacht?	Ich habe Fußball gespielt.
	Ich bin ins Kino gegangen.

Zum Lesen

Kati und Jens

Kati: Tag, Jens! Was hast du am Wochenende gemacht?

Jens: Ich habe Tennis gespielt, und ich habe ferngesehen. Und du?

Kati: Ich habe nichts gemacht.

Jens: Wieso?

Kati: Ich war krank.

Jens: Und wie geht's dir jetzt?

Kati: Jetzt geht's mir besser.

Lena und Judith

Lena: Hey, Judith!

Judith: Hey, Lena! Was hast du am Wochenende gemacht?

Lena: Ich bin mit Eric in die Stadt gegangen. Wir sind ins Kino gegangen.

Judith: Was habt ihr gesehen?

Lena: Wir haben *Madagascar 2* gesehen.

Judith: Wie war der Film?

Lena: Er war einfach geil! Sehr lustig!

Schwerpunkt Grammatik — Das Perfekt (1)

In this chapter, we will be looking at the Present Perfect Tense (in German *Das Perfekt*). As in English, there are several past tenses in German. The Perfekt tense in German is the past tense that is most used in conversation and, for the purposes of the Junior Certificate exam, the one you will be required to use in the Letter Writing Section.

In the two conversations above, many of the verbs are in the Perfekt.

Beispiel: Was **hast** du am Wochenende **gemacht**?   *What did you do at the weekend?*
Ich **bin** in die Stadt **gegangen**.   *I went into town.*

So, the first thing to note is that there are **two parts** to the Perfekt tense in German.

Übung 1

Finde die Verben im Perfekt! In the two conversations above, find all the verbs in the Perfekt. (*Clue:* Each line below corresponds to each verb in the Perfekt in the reading passage.) The first one is done for you.

hast   gemacht

Schwerpunkt Grammatik — Das Perfekt (2)

How the tense is formed
Weak Verbs

As you will have noticed, when forming the Perfekt, the present tense of either **haben** or **sein** is used as the 'helper' verb (also called the auxiliary verb). Most verbs use the helper verb **haben** in the Perfekt tense. We will firstly look at these.

Haben verbs can be divided into two categories: weak and strong. Weak means that they all follow a definite pattern. So, once you can do one weak verb, you can do them all. **Machen** is an example of a weak verb.

machen

ich	habe	**ge**mach**t**	*I did/have done*
du	hast	**ge**mach**t**	*you did/have done*
er/sie/es/man	hat	**ge**mach**t**	*he/she/it/one did/has done*
wir	haben	**ge**mach**t**	*we did/have done*
ihr	habt	**ge**mach**t**	*you did/have done*
Sie	haben	**ge**mach**t**	*you did/have done*
sie	haben	**ge**mach**t**	*they did/have done*

↑ ↑

With a weak verb, you make two changes to the infinitive to get the past participle of the verb.
1. You put **ge** in front of the verb.
2. You cross off the **en** at the end and put **t** instead.

As you can see, the past participle does not change as you decline the verb.

For verbs that end in '-den' and '-ten', you add '-**et**'
Beispiel: arbeiten   Ich habe **ge**arbeit**et**.   *I worked/have worked.*

Note: the **past participle** comes at the **end of the sentence**.

Übung 2

Ergänze! Complete the following by inserting the correct form of the verb **haben**.

1. Ich _____ meine Hausaufgaben gemacht.
2. Er _____ das Wörterbuch gebraucht.
3. Die Frau _____ die Küche geputzt.
4. Wir _____ mit unseren Freunden geplaudert.
5. Das _____ ich nicht gemeint.
6. Ich _____ mich gelangweilt.
7. Du _____ mir geglaubt.
8. _____ ihr mich gehört?

9. Juliane _____ die Reise gebucht.

10. Lea und Jan _____ viele Geschenk gekauft.

Übung 3

Was bedeutet das auf Englisch? Find the infinitive of the verb in each of the sentences above and then write out the meaning of each sentence in your copybook.

Übung 4

Wie lautet das Partizip Perfekt? Fill in the blanks using a suitable past participle from the box provided.

geschmeckt	gesurft	gedeckt	geplaudert	gekocht
gespielt	gemacht	gekauft	gelernt	gemalt	gespült

Am Freitag habe ich viel _____. Ich habe für die Schule _____.
Dann habe ich den Tisch für das Abendessen _____. Ich habe Tee _____.
Das Essen hat sehr gut _____. Nach dem Essen habe ich das Geschirr _____.
Ich habe ein schönes Bild _____. Ich habe mit meinem kleinen Bruder Playstation
_____. Ich habe im Internet _____ und bei iTunes ein Lied von Mika
_____. Später habe ich mit meinen Freunden Lise und Tim am Telefon _____.

Zum Lesen

Teacher's CD2 Track 10

Patricia trifft Martin im Supermarkt.

Martin: Tag, Patricia!

Patricia: Tag, Martin! Wie geht's?

Martin: Gut, danke. Wie war dein Wochenende?

Patricia: Schön. Am Samstag habe ich ausgeschlafen und habe im Garten gemütlich
gefrühstückt. Dann habe ich Nils getroffen, und wir haben eine schöne Fahrradtour
auf dem Land gemacht. Danach hat mich Nils zum Essen eingeladen. Und am Sonntag
habe ich die Zeitung gelesen und ein bisschen im Haushalt gearbeitet. Und du?

Martin:	Also am Samstag habe ich viel im Garten gearbeitet. Ich habe Blumen und Pflanzen auf dem Markt gekauft. Der Garten sieht jetzt wunderschön aus, muss ich sagen. Am Sonntag habe ich mit meiner Tante zu Mittag gegessen, und nachher haben wir einen kleinen Spaziergang gemacht. Das war nett.
Patricia:	Schön. Also, wir sehen uns morgen Abend beim Volleyball-Training, oder?
Martin:	Ja, also bis dann!
Patricia:	Tschüss!

Übung 5

a)

Was hast du am Wochenende gemacht? Write underneath each image what you did at the weekend.

_____ _____ _____

b)

Was hat Franz gestern gemacht? Write underneath each image what Franz did yesterday.

_____ _____ _____

c)

Was haben Jutta und Erika am Samstag gemacht? Write underneath each image what Jutta and Erika did on Saturday.

_____   _____   _____

Schwerpunkt Grammatik   Das Perfekt (3)

How the tense is formed

Weak Verb Exceptions

All the verbs that we have met so far have been weak verbs that all follow the same pattern. We can now look at some other weak verbs that have one specific difference: they **don't** have '**ge**' as a prefix.

Inseparable verbs

Verbs that begin with *be-, er-, ver-* among others (These are dealt with in more detail in the grammar section at the back of the book).

Beispiel

(1) besuchen	Ich habe meine Tante besucht.	*I visited/have visited my aunt.*
(2) erklären	Die Lehrerin hat die Geschichte erklärt.	*The teacher explained the story.*
(3) verkaufen	Ich habe das Auto verkauft.	*I sold the car.*

-ieren verbs
Beispiel

(1) studieren	Sie hat in Bonn studiert.	*She studied/has studied in Bonn.*
(2) reparieren	Hast du mein Rad repariert?	*Have you fixed my bike?*

Übung 6

Setze die Sätze ins Perfekt! Change the following sentences into the Perfekt.

1. Ich repariere das Radio.

   _____

2. Wir studieren Jura.

   _____

3. Er besichtigt das Schloss.

   _____

4. Ich bezahle das Eis.

   _____

5. Meine Eltern erlauben das nicht.

   _____

6. Wir verdienen 6 € die Stunde.

   _____

7. Michael vermietet ein Auto.

   _____

8. Du besuchst deinen Onkel im Krankenhaus.

   _____

9. Meine Tante finanziert die Reise.

   _____

10. Der Lehrer kontrolliert die Hausaufgabe.

   _____

Hörverständnis 1

Teacher's CD2 Track 11

Hör gut zu! Listen carefully and circle the correct option for what each person did on Friday.

1. **Lukas hat:**

   im Garten gearbeitet   Blumen fotografiert   Blumen gepflanzt

2. **Melanie hat:**

   Kunden bedient   das Essen serviert   viel Geld verdient

3. **Jonas hat:**

   eine Fahrradtour gemacht   am Computer gespielt   mit Max telefoniert

4. **Laura hat:**

   das Badezimmer geputzt   ihre Oma besucht   die Matheaufgabe gelöst

5. **Alexander hat:**

   den Rasen gemäht   Tischtennis gespielt   Musik gehört

Schwerpunkt Grammatik   Das Perfekt (4)

How the tense is formed

Separable Verbs

With separable verbs, the '**ge**' is placed after the separable prefix and the '**t**' is placed at the
end.

Beispiel

(1) aufräumen   Ich habe im Wohnzimmer auf**ge**räum**t**.   *I tidied up/have tidied up in the living room.*

(2) einkaufen   Wir haben ein**ge**kauf**t**.   *We did/have done the shopping.*

Übung 7

Ergänze! Complete the following.

Beispiel: (aufmachen) Der Schüler hat das Fenster **aufgemacht**.

1. (abholen)   Mein Brieffreund hat mich am Flughafen _____.

2. (aufräumen) Nach der Party habe ich _____.

3. (zumachen)   Jens hat die Tür _____.

4. (aufpassen) Marietta hat auf die Kinder _____.

5. (ablehnen)   Ich habe die Einladung _____.

Schwerpunkt Grammatik   Das Perfekt (5)

How the tense is formed
Strong Verbs + haben

With these verbs a 'ge' is still the prefix (apart from inseparable verbs) but this time 'en' is placed at the end. In addition, the stem vowel will often change:

Beispiel
(1) finden	Ich habe mein Handy **gefunden**.	*I found/have found my mobile.*
(2) schneiden	Ich habe das Brot **geschnitten**.	*I cut/have cut the bread.*

However, this is not always the case.

Beispiel
(1) lesen	Ich habe das Buch **gelesen**.	*I read/have read the book.*
(2) essen	Ich habe den Käse **gegessen**.	*I ate/have eaten the cheese.*
(3) fernsehen	Ich habe **ferngesehen**.	*I watched/have watched TV.*

Here are some commonly used strong verbs that use the auxiliary verb **haben**. A more detailed list is provided in the verb section at the back of the book. These irregular past participles should be learned.

anrufen	*angerufen*	*lesen*	*gelesen*
beginnen	*begonnen*	*rufen*	*gerufen*
essen	*gegessen*	*sehen*	*gesehen*
finden	*gefunden*	*sprechen*	*gesprochen*
geben	*gegeben*	*stehen*	*gestanden*
helfen	*geholfen*	*trinken*	*getrunken*

Übung 8

Was gehört zusammen? Complete the following by choosing the correct past participle.

1.	Ich habe an einer Tankstelle	**a.**	gelesen
2.	Wir haben ein tolles Buch	**b.**	gesprochen
3.	Hast du die Milch	**c.**	angerufen
4.	Ich habe Maria	**d.**	gearbeitet
5.	Mein Onkel hat mit Frau Jansen	**e.**	getrunken?

1.	2.	3.	4.	5.

Übung 9

Ergänze! Fill in the blanks using the past participles provided in the box.

begonnen	gefallen	gesehen	gelernt	aufbekommen
gefrühstückt	abgeholt	gegessen	gelesen	gesprochen
verlassen	gehabt	getrunken		

Gestern habe ich um sieben (1)_____. Ich habe das Haus um halb acht (2)_____.
Meine Freundin Barbara hat mich in ihrem Auto (3)_____. Die Schule hat um acht Uhr
(4)_____. Die erste Stunde war Mathe. Wir haben viele Hausaufgaben
(5)_____. In der Pause habe ich mit meinen Freunden (6)_____ und
ich habe einen Orangensaft (7)_____. In der Englischstunde haben wir ein
Gedicht von Shakespeare (8)_____. Es hat mir sehr gut (9) _____.
Wir haben viel (10)_____. Da es Freitag war, habe ich zu Abend mit der Clique in
einem schönen Café im Stadtzentrum (11)_____. Nachher haben wir den neuen Film
von Reece Witherspoon im Kino (12)_____. Ich habe viel Spaß (13)_____.

Schwerpunkt Grammatik   Das Perfekt (6)

How the tense is formed
Strong and Weak Verbs + sein

All the verbs that we have met so far have used **haben** as their helper verb. Now, it is time to look at the verbs that use **sein**. The same rules apply here as with the weak and strong 'haben' verbs.

Sein verbs tend to be verbs that show a change in position or condition.
Gehen is an example of a verb that takes **sein**.

ich	**bin**	gegangen	*I went/have gone*
du	**bist**	gegangen	*you went/have gone*
er/sie/es/man	**ist**	gegangen	*he/she/it/one went/has gone*
wir	**sind**	gegangen	*we went/have gone*
ihr	**seid**	gegangen	*you went/have gone*
Sie	**sind**	gegangen	*you went/have gone*
sie	**sind**	gegangen	*they went/have gone*

Weak Verbs
Beispiel

(1) landen	Das Flugzeug **ist gelandet**.	*The plane landed/has landed.*
(2) auswandern	Die Iren **sind ausgewandert**.	*The Irish emigrated/have emigrated.*

Strong Verbs
Beispiel

(1) gehen	Die Frau **ist** in die Stadt **gegangen**.	*The woman went/has gone to town.*
(2) fahren	Er **ist** nach Euro Disney **gefahren**.	*He went/has gone to Euro Disney.*

Here are some common verbs that take **sein** and their past participles. Again, a more detailed list is provided in the verbs section at the back of the book.

abfahren	*to depart*	abgefahren	gehen	*to go*	gegangen
ankommen	*to arrive*	angekommen	kommen	*to come*	gekommen
bleiben	*to stay*	geblieben	laufen	*to run*	gelaufen
fahren	*to go/travel*	gefahren	schwimmen	*to swim*	geschwommen
fallen	*to fall*	gefallen	sterben	*to die*	gestorben
fliegen	*to fly*	geflogen			

Ich habe mir etwas gewünscht und alle Kerzen ausgeblasen.
Meine Mutter hat mir ein Stück Kuchen gegeben. Der Kuchen
war total lecker! Dann habe ich meine Geschenke aufgemacht.
Meine Eltern haben mir einen kleinen roten Umschlag gegeben.
Ich habe die Augen zugemacht und gehofft...

...und was für eine tolle Überraschung! Ich habe zwei Karten
zum Tokio Hotel Konzert bekommen! Klasse! Ich konnte vor
Freude in die Luft springen!

Übung 11

Antworte auf Deutsch! Wie hat das Mädchen in der Bildergeschichte oben seinen letzten
Geburtstag gefeiert? Write ten sentences about how the girl in the story above celebrated her
last birthday.

Sie hat alle ihre Freunde eingeladen.

Wortschatz

die Party (-s)	*party*
die Fete	*party*
die Feier	*celebration*
die Geburtstagsparty	*birthday party*
das Abschiedsfest	*going away party*
der Polterabend	*party on the eve of a wedding*
die Hochzeit	*wedding*
der Hochzeitstag	*wedding anniversary*
die Kerzen	*candles*
der Kuchen (-)	*cake*
der Geburtstagskuchen (-)	*birthday cake*
die Einladung (-en)	*invitation*
das Geschenk (-e)	*present*
die Grußkarte (-n)	*greeting card*
das Geschenkpapier	*wrapping paper*
der Gast (̈e)	*guest*

die Musik	*music*
der Diskjockey	*disc jockey*
die Stimmung (-en)	*atmosphere*
das Getränk (-e)	*drinks*
das Essen	*food*
die Luftballons	*balloons*
das Feuerwerk	*fireworks*
die Partyhüte	*party hats*
die Rollzungen/Tröten	*blowouts*
feiern	*to celebrate*
ausblasen	*to blow out (candles)*
schenken (+ dat)	*to give someone a present*
viel Spaß haben	*to have a lot of fun*
Herzlichen Glückwusch zum Geburtstag!	*Happy Birthday!*
Viel Glück zum Geburtstag!	*Happy Birthday!*
Alles Gute zum Geburtstag!	*Happy Birthday!*

Übung 12

Finde die Wörter im Kasten! Look at the nine images in the picture and find the German word for all nine in the box on page 126.

_____	_____
_____	_____
_____	_____
_____	_____
_____	_____

Dann habe ich meine beste Freundin Gabriele angerufen. Ich habe ihr von der Party erzählt und sie gefragt, ob sie mir helfen würde. „Na klar", hat Gabriele geantwortet.

Einen Tag vor Marcels Geburtstag sind Gabriele und ich in die Stadt gegangen. Zuerst sind wir zu Karstadt gegangen. Wir haben dort viel Dekoration gekauft. Wir haben zwei Tüten Luftballons, zwanzig Partyhüte, zwanzig Luftschlangen, Partyteller, Plastikbecher und bunte Servietten gekauft. Wir haben auch eine glänzende Buchstabenkette mit dem Schriftzug „Happy Birthday" gekauft. Danach sind wir zum Supermarkt gegangen und haben das Essen und die Getränke für die Party gekauft.

Später am Abend habe ich den Partykeller dekoriert. An die Wand habe ich die Buchstabenkette gehängt. Links und rechts von der Kette habe ich Luftballons gehängt. Ich habe die Teller, Becher, Servietten, Partyhüte und Luftschlangen auf dem Tisch verteilt. Ich habe den Mitgliedern unserer Clique getextet. „Marcels Geburtstagsparty bei mir. Morgen um 19 Uhr 30. Erzähl ihm nichts davon!"

In der Schule, als wir Marcel getroffen haben, haben wir einfach „Grüß dich, Marcel!" gesagt. Niemand hat seinen Geburtstag erwähnt. Das hat Marcel sehr erstaunt, denn unsere Clique vergisst nie Geburtstage.

In der letzten Stunde habe ich ihn gefragt: „Du, Marcel, ich habe die Matheaufgabe gar nicht verstanden. Kannst du mir vielleicht damit helfen? Ich habe um neunzehn Uhr Klavierunterricht. Kannst du nachher zu mir rüberkommen und mir helfen?" „Ja, OK", hat Marcel geantwortet, aber melancholisch.

Um Viertel vor acht hat es an unserer Haustür geklingelt. Meine Mutter hat aufgemacht und hat Marcel erzählt, dass ich unten im Keller bin. Marcel ist die Treppe runter gekommen und hat die Tür aufgemacht. Er war total überrascht, als er uns gesehen hat. Wir haben alle „Happy Birthday Marcel" gesagt. Dann haben wir Musik gespielt, getanzt, gegessen und seinen Geburtstag richtig gut gefeiert.

Übung 13

Antworte auf Englisch! Answer the following questions in English.

1. Describe Marcel.

2. What date is his birthday?

3. Give **one** reason why the basement is a good place to hold a party.

4. List **three** items Claudia and Gabriele bought in Karstadt for the party.

5. Why did nobody wish him Happy Birthday at school?

6. What did Claudia ask him during last class?

7. At what time did Marcel call over to Claudia's house?

8. What did Marcel see when he opened the basement door?

9. Mention **three** things they did at the party

Übung 14

Beschreibe, was du im Bild siehst! Write a short paragraph about what you see in the picture.

Ich sehe...

Sie sind...

Sie feiern...

Auf dem Tisch...

... Kerzen / einen Geburtstagskuchen ...

Übung 15

Mein Tagebuch

Stell dir vor, du bist das Mädchen. Schreibe in dein Tagebuch, was du an dem Abend gemacht hast! Imagine that you are the girl. Write an entry into your diary about how you celebrated your birthday.

Übung 16

Wiederholungsübung

Ein Brief

You have recently received a letter from your Austrian pen pal. Write a letter in reply, answering all the questions (which have been numbered for you) in some detail*.

Breitenfurt, den 15. März

Lieber Ian!
Danke vielmals für deinen letzten Brief. Ich finde es immer schön, über dein Leben in Irland zu lesen. Ich bin sehr neugierig, ich habe immer Fragen über deinen Alltag, und heute ist keine Ausnahme.

Hier in Österreich ist immer viel los am Wochenende. Wie du weißt, bin ich sehr sportlich, und letztes Wochenende bin ich mit ein paar Freunden aufs Land geradelt. Nicht weit von unserem Dorf sind viele tolle Radwege für Mountainbikes. Das hat viel Spaß gemacht.(1) Und du, was hast du letztes Wochenende gemacht? Hast du auch deine Hausaufgaben für die Schule gemacht? In welchen Fächern hast du Hausaufgaben gemacht? Ich hatte keine Hausaufgaben!

Heute habe ich in der Schulkantine gegessen. Es hat echt gut geschmeckt. Ich habe Nudeln mit Tomatensoße gegessen. (2) Was isst du gern? Was isst du nicht gern? Gibt es typisch irische Gerichte? Kochst du? Ich koche, aber eher selten. Ich backe lieber. Ich backe gern Marmorkuchen.

Zur Zeit lese ich den Roman Der Junge im gestreiften Pyjama von John Boyne. Das Buch ist wunderbar. Ich bekomme es nicht aus der Hand.(3) Kennst du das Buch? Wie findest du es? Oder (3) erzähl mir von einem anderen Buch, das du gerade gelesen hast. Was für Bücher liest du gern? Ich bin eine richtige Leseratte. Ich lese alles.

Bald sind Osterferien! Wir fahren nach Tirol, um dort Ski zu laufen. Ich kann es kaum erwarten. Ich fahre sehr gern Ski. (5) Was hast du in den Osterferien vor? Wie lange habt ihr Osterferien?

So, das waren meine Fragen für heute! Ich freue mich auf eine schnelle Antwort von dir. Grüße deine Eltern von mir!

Bis bald!
Deine Silke

*As a guide for how much to write, try following the marking scheme below. The letter is marked as always under the two headings: **content** (the sentences you write that answer the questions) and **expression** (spelling, grammar, idiom, etc.).

Suggested marking scheme

CONTENT (27 marks)

Question	Marks Available (27)	Points to be covered	
Start	1	Any appropriate opening sentence	(1)
(1)	7	**Letztes Wochenende**	
		Was hast du letztes Wochenende gemacht?	(2 , 2)
		Hast du deine Hausaufgaben gemacht?	(1)
		In welchen Fächern?	(1, 1)
(2)	6	**Essen/Kochen**	
		Was isst du gern?	(1, 1)
		Was isst du nicht gern?	(1)
		Gibt es typisch irische Gerichte	(1)
		Kochst du?	(1)
		Ergänzung/Reaktion	(1)
(3)	6	**Lesen**	
		Kennst du das Buch?	(1)
		Wie findest du es?	(1)
		oder	
		Erzähl mir von einem anderen Buch!	(1)
		Was für Bücher liest du gern?	(1, 1)
		Ergänzung/Reaktion	(1)
(4)	6	**Osterferien**	
		Was hast du in den Osterferien vor?	(1, 1)
		Wie lange Ferien habt ihr?	(1, 1)
		Ergänzung/Reaktion	(1, 1)
Closing	1	Any appropriate closing sentence (Not from pen pal's letter)	(1)

EXPRESSION (23 marks)

Pay attention to the following when writing your reply:

- ■ Avoid English

- ■ Spellings

- ■ Word order: **Time+Manner+Place**
  (check that the verb is the second idea in the sentence)

- ■ Verb tenses (there are 4 marks for the past tense question, be sure to answer with *ich habe/ich bin* + past participle of the verb)

Teacher's CD2 Track 23

EIN ZUNGENBRECHER

Kapitel 7

Wie ist das Wetter?

Zum Lesen
Wie ist das Wetter?

Teacher's CD2 Tracks 24–25

Mutter und Tochter

Mutter: Guten Morgen, Mäuschen! Wach auf!

Tochter: Morgen, Mutti! Ich will aber im Bett bleiben.

Mutter: Ja, ich weiß. Du musst aber aufstehen. Der Bus kommt in einer halben Stunde. Zieh dir was Warmes an! Draußen ist es kalt.

Beate und Sven

Beate: Tag, Sven!

Sven: Tag, Beate! Hast du heute schon etwas vor?

Beate: Nein, ich habe gar nichts vor. Wieso?

Sven: Hast du Lust, eine kleine Fahrradtour zu machen?

Beate: Ja, vielleicht. Hast du den Wetterbericht gehört?

Sven: Ja, heute Nachmittag ist es sonnig und warm.

Wortschatz
es ist + adjective

es ist schön (*it is nice*)	es ist kalt (*it is cold*)	es ist windig (*it is windy*)	es ist bewölkt/wolkig (*it is cloudy*)
es ist sonnig (*it is sunny*)	es ist warm (*it is warm*)	es ist heiß (*it is hot*)	es ist neblig (*it is foggy*)
es ist bedeckt (*it is overcast*)	es ist stürmisch (*it is stormy*)	es ist wechselhaft (*it is changeable*)	es ist nass (*it is wet*)
es ist trocken (*it is dry*)	es ist schlecht (*it is bad*)	es ist heiter (*it is clear/bright*)	

Übung 1

Wie ist das Wetter heute? Describe the weather in each picture.

 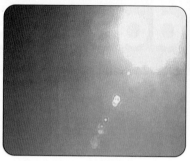 

Es ist _____   Es ist _____   Es ist _____

Hörverständnis 1

Teacher's CD2 Track 26

Hör gut zu! Listen carefully and fill in each city and what the weather is like there.

	City	Weather
1.		
2.		
3.		
4.		
5.		

Wortschatz
es + verb

es regnet *(it is raining)*	es schneit *(it is snowing)*	es hagelt *(it is hailing)*
es blitzt *(there is lightning)*	es donnert *(there is thunder)*	es schüttet *(it is lashing rain)*

Zum Lesen
Wie ist das Wetter heute?

Teacher's CD2 Tracks 27–28

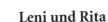

Leni und Rita

Leni: Rita, wie ist das Wetter heute?
Rita: Es ist furchtbar draußen! Es schüttet.
Leni: Oh nein! Ich muss zum Hockeytraining!

Jakob und Papa

Jakob: Papa, wie ist das Wetter morgen?
Papa: Morgen ist es kalt. Es schneit bestimmt.
Jakob: Geil!

Wortschatz
Nomen

die Aufheiterungen
(bright spells)

die Sonne
(the sun)

das Gewitter
(the thunderstorm)

die Schauer
(showers)

vereinzelte Schauer
(scattered showers)

der Regen
(rain)

der Wind
(wind)

die Hitzewelle
(heatwave)

das Glatteis
(black ice)

Übung 2

Wie ist das Wetter heute? Beantworte die folgenden Fragen auf Deutsch!

Beispiel: Ist es sonnig?   Ja, es ist sonnig.

Beispiel: Regnet es?   Nein, es regnet nicht.

1. Schneit es?   Nein, _____

2. Ist es neblig?   Ja, _____

3. Ist es heiß?   Ja, _____

4. Blitzt es?   Nein, _____

5. Ist es wechselhaft?   Ja, _____

6. Ist es trocken?   Nein, _____

Hörverständnis 2

Teacher's CD2 Track 29

Hör gut zu! Listen carefully and circle the correct weather option for each city.

1. In Dublin, the weather is:

    cloudy   wet   cold   foggy

2. In Cork, the weather is:

    dry   pleasant   overcast   rainy

3. In Berlin, there are:

    scattered showers   bright spells   high temperatures   clouds

4. In Oslo, it is:

    changeable   wet   hot   stormy

5. In Lisbon, the weather is:

    pleasant   hot   rainy   cold

Leseverständnis

Teacher's CD2 Track 30

Read what the following people say about the weather where they are.

Ich bin Thomas. Ich wohne in Münster. Bei uns ist das Wetter bewölkt. Heute Abend soll es ein Gewitter geben. Gewitter finde ich geil!

Guten Tag! Ich bin die Helga. Ich komme aus Norddeutschland. Ich wohne in der Nähe von Kiel. Bei uns ist das Wetter ziemlich in Ordnung. Die Sonne scheint, aber es gibt auch ein paar Wolken.

Ich heiße Annette, und ich wohne in Stuttgart. Bei uns ist es wechselhaft. Mal sonnig, mal wolkig.

Grüß Gott! Ich heiße Olli, und ich wohne in Salzburg. Wir haben kein Glück mit dem Wetter heute. Es ist stark bewölkt, und die Sonne kommt nur ab und zu durch.

Übung 3

Wer sagt das? Write the name of person, who according to the text:

1. says he/she is unlucky with today's weather:_____

2. says that the weather is changeable where he/she is: _____

3. says that where he/she is there are only a few clouds: _____

4. is expecting a thunderstorm: _____

Hörverständnis 3 Teacher's CD2 Track 31

Hör gut zu! Listen carefully and write in the temperature for each of the following locations.

City	°C
1. Hamburg	
2. Munich	
3. Barcelona	
4. Rome	
5. Warsaw	
6. Vienna	
7. Moscow	
8. London	
9. Athens	
10. Amsterdam	

Schwerpunkt Grammatik Verbindungswörter Conjunctions

A conjunction is a word that joins two or more words, phrases or sentences.

For example:
Ich kaufe Brot **und** Käse. *I'm buying bread **and** cheese.*

In German, there are two main types of conjunctions:
1. Coordinating
2. Subordinating

Both of these are explained in more detail in the grammar section at the back of the book.

Coordinating Conjunctions

These conjunctions do not alter the word order in a sentence.

For example:

Ich fahre in die Stadt, und ich gehe ins Kino.   *I'm going to town and I'm going to the cinema.*

There are five coordinating conjunctions: und (*and*), oder (*or*), aber (*but*), denn (*since/because*) and sondern (*but*).

Subordinating Conjunctions

These conjunctions send the verb to the end of the clause. The complete list of these conjunctions can be found in the grammar section. In this chapter, we will be focusing on **weil** (*because*).

For example:

Ich fahre in die Stadt. Ich gehe ins Kino.

Ich fahre in die Stadt, **weil** ich ins Kino **gehe**.   *I'm going to town because I'm going to the cinema.*

If there is a modal verb followed by an infinitive, then the sentence will look like this:

Ich fahre in die Stadt. Ich will ins Kino gehen.

Ich fahre in die Stadt, **weil** ich ins Kino gehen **will**. *I'm going to town because I want to go to the cinema.*

Übung 4

Verbinde die Sätze! Join the following sentences using the conjunction **weil**.

Beispiel

Ich fahre nach Italien. Ich besuche meine Tante.
Ich fahre nach Italien, weil ich meine Tante besuche.

1.   Ich mache eine Radtour. Es ist sonnig.

    _____

2.   Ich esse keine Fischgerichte. Ich mag sie nicht.

    _____

3. Ich fahre in die Stadt. Ich möchte ins Eiscafé gehen.

_____

4. Wir gehen ins Kaufhaus. Wir müssen viele Geschenke kaufen.

_____

5. Ich muss nach Hause gehen. Es wird spät.

_____

6. Englischunterricht macht Spaß. Der Lehrer ist interessant.

_____

7. Ich kann nicht zur Party gehen. Ich bin krank.

_____

Übung 5

Stimmt das? Choose the best option for each of the weather descriptions below.

1. Im Winter: In Süddeutschland:

   a) ist es heiter.

   b) schneit es oft.

   c) steigt die Temperatur oft über 32 Grad.

   d) ist das Wetter schön.

2. Im Juni: In Irland:

   a) ist es oft neblig.

   b) ist es nie warm.

   c) friert es.

   d) ist es manchmal trocken und sonnig und manchmal nass.

3. Im August: In Italien:

   a) hagelt es.

   b) ist das Wetter kühl.

   c) ist der Himmel blau.

   d) gibt es selten Aufheiterungen.

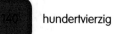

4. **Im März:** In Irland:

   a) ist das Wetter sehr wechselhaft.

   b) sind die Tageshöchsttemperaturen zwischen 23 und 27 Grad.

   c) ist es nie bewölkt.

   d) ist der Boden mit Schnee bedeckt.

Zum Lesen

Eine Postkarte

Teacher's CD2 Track 32

Hallo Robert!
Brrr...Es ist so kalt hier, dass sogar die Nordseeküste eingefroren ist! Aber sonst ist es wunderschön. Der Leuchtturm Westhever ist toll! Heute Abend gehen wir noch essen, und dann fahren wir schon wieder nach Hause. Schade!
Dein Tom

Übung 6

Schreibe eine Postkarte! You and your family are on holidays in the lovely city of Bregenz, on the shores of Lake Constance in Austria. Write a short postcard in German to your German teacher, telling him/her:

   – where you are and who you are with.

   – what the weather is like.

   – what you do each day.

Übung 7

Wie ist das Wetter in Europa?

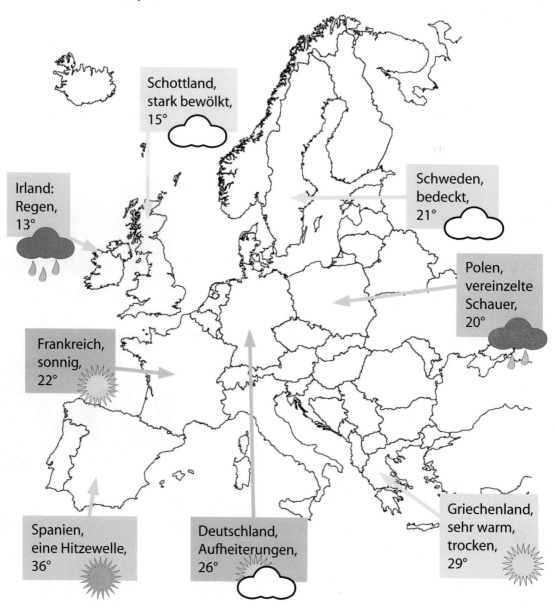

Beispiel:

Wie ist das Wetter in Irland?
In Irland regnet es, und die Tageshöchsttemperatur liegt bei 13 Grad.

1. Wie ist das Wetter in Schottland?

_____

2. Wie ist das Wetter in Spanien?

_____

3. Wie ist das Wetter in Frankreich?

_____

4. Wie ist das Wetter in Deutschland?

_____

5. Wie ist das Wetter in Griechenland?

_____

6. Wie ist das Wetter in Schweden?

_____

7. Wie ist das Wetter in Polen?

_____

Schwerpunkt Grammatik   wenn, wann, als

In German, there are three words for when: *wann*, *als* and *wenn*. These words are subordinating conjunctions

Wann is used when asking questions.

    For example: Wann kommt der Bus?   *When is the bus coming?*

It can also be used at the beginning of a subordinate clause, when a question is being used to form a statement.

    Ich weiß nicht, wann der Bus kommt.   *I don't know when the bus is coming.*

    Ich möchte wissen, wann die Schule beginnt.   *I'd like to know when school begins.*

Als is used when you are talking about a one time action in the past.

    Als ich in der Stadt war, habe ich meine Tante gesehen.

    When I was in town, I saw my aunt.

It can also be used for a single action, which took place over a period of time.

    Als ich dreizehn war, bin ich nach Deutschland gefahren.

    When I was thirteen, I travelled to Germany.

Wenn is the more general word for when or whenever. It can be used with a variety of tenses.

Present: Wenn ich in die Stadt gehe, kaufe ich neue Klamotten.
When I go to town, I buy new clothes.

Future: Wenn ich in die Stadt gehe, kaufe ich neue Klamotten.
When I go to town, I'll buy new clothes.

Past: Wenn ich in die Stadt ging, kaufte ich immer neue Klamotten.
When(ever) I went to town, I always bought new clothes.

Wenn can also mean if.
Wenn ich in die Stadt gehe, kaufe ich neue Klamotten.
If I go to town, I'll buy new clothes.

Übung 8

Ergänze die folgenden Sätze! Complete the following **wenn** sentences using your own ideas.

Beispiel: *Wenn* ich in der Schule <u>bin</u>, <u>trage</u> ich immer meine Uniform.

1. Wenn das Wetter schlecht ist, _____

2. Wenn ich müde bin, _____

3. Wenn ich meine Hausaufgaben vergesse, _____

4. Wenn das Wetter sehr sonnig ist, _____

5. Wenn es schneit, _____

6. Wenn es donnert und blitzt, _____

7. Wenn es regnet, _____

8. Wenn ich gute Noten in Deutsch bekomme, _____

9. Wenn ich mich mit meinen Freunden treffe, _____

10. Wenn ich keine Schule habe, _____

Übung 9

As this exercise requires some knowledge of the Imperfekt and Perfekt past tenses, you can return to it once you have covered these past tenses in later chapters.

Lückentest. Fill in either *wann*, *als* or *wenn* into each of these sentences.

1. Weißt du, _____ wir die Mathearbeit schreiben?
2. _____ mein Englischlehrer schlecht gelaunt ist, bekommen wir viele Hausaufgaben.
3. _____ ich zuletzt im italienischen Restaurant war, habe ich Pizza mit Pommes gegessen.
4. _____ ich für die Schule fleißig lerne, bekomme ich gute Noten.
5. _____ ich in der Grundschule war, habe ich mit Deutsch angefangen.
6. _____ immer der Mann eine Tasse Tee im Café Waldblick trinkt, bestellt er ein Stück Pflaumenkuchen.
7. _____ beginnen die Weihnachtsferien?
8. _____ immer ich eine Eins in der Schule bekomme, sind meine Eltern stolz auf mich.
9. _____ meine Schwester kleiner war, hat sie die Teletubbies geliebt.
10. Der Schüler möchte wissen, _____ er nachsitzen muss.

Hörverständnis 4   Teacher's CD2 Track 33

Hör gut zu! Listen carefully and write in English what each person says he/she does depending on the weather.

1. When it's sunny, Paul _____
2. When it snows, Carmen _____
3. When it rains, Sebastian _____
4. When it's cold, Rita _____
5. When there's ice on the road, drivers _____

2. Why is this a problem?

   _____

3. What day do they decide on instead?

   _____

4. Why is this day better?

   _____

5. What do they plan to bring with them? (List three items)

   _____

6. Give details of where and when they plan to meet.

   _____

Leseverständnis

Teacher's CD2 Track 37

Marko fährt ans Meer

Endlich ist es soweit! Der Tag, auf den Marko sich so gefreut hat. Endlich haben seine Eltern ihm erlaubt, mit seinen Freunden zelten zu gehen. Er hat alles bis ins letzte Detail geplant. 7:10 aufstehen. 7:30 frühstücken und seine Brotzeit in seinen Rucksack packen. 7:45 sein Fahrrad aus der Garage holen. 7:50 sich mit seinen zwei Kumpels Martin und Thomas am Bahnhof treffen. 7:55 Fahrscheine kaufen. 8:05 mit dem Zug an die Ostsee fahren.

Er guckt aus dem Fenster und freut sich. Die Sonne scheint, und der Himmel ist wolkenlos. Laut dem Wetterbericht für heute soll es über 30 Grad werden. „Geil!", sagt er sich und geht ins Badezimmer.

Eine Dreiviertelstunde später kommt er am Bahnhof an. „Morgen, Martin! Morgen, Thomas!" „Morgen, Marko! Hast du alles? Dein Zelt? Deinen Schlafsack?" „Na klar! Kommt, lass uns die Fahrkarten kaufen. Da drüben ist der Fahrkartenautomat. So, dreimal zum Timmendorfer Strand hin und zurück. Das macht 15,60 €. Das heißt 5,20 € pro Person."

Die Jungs kaufen ihre Fahrscheine, und drei Minuten später kommt der Zug rechtzeitig an. Sie steigen mit ihren Fahrrädern ein und finden drei Sitzplätze nebeneinander im Wagen. Es ist Samstag, und der Bahnhof ist ziemlich ruhig. Nur ein paar Leute stehen immer noch auf dem Bahnsteig und rauchen eine Zigarette oder winken ihren Bekannten, die schon eingestiegen sind. Der Zug fährt ab.

Marko und seine zwei Freunde sind total aufgeregt. Sie unterhalten sich und besprechen, was sie machen werden, wenn sie am Timmendorfer Strand ankommen. Die Fahrt ist nicht so lang, und vierzig Minuten später kommen sie an. Sie holen ihre Fahrräder und steigen aus. Sie gehen sofort ins Fremdenverkehrsamt und fragen, wo sie zelten dürfen. Sie bekommen eine Liste von Campingplätzen.

Nachdem sie ihre Zelte aufgebaut haben, laufen die drei zum Strand hinunter. Jetzt wird's richtig warm. Bei dieser Hitze kann man nur eins machen: ins Wasser springen. Sie ziehen sich ihre Badehosen an und laufen ins Meer. Genial!

Gegen 19 Uhr beginnt die Sonne unterzugehen. Die Wolken ziehen sich zusammen und es wird kalt. Die drei Jungs sind erschöpft nach einem ganzen Tag am Strand und machen sich auf den Weg zurück zum Campingplatz. Marko hat schon alle seine Butterbrote und Kekse gegessen, und jetzt hat er einen Riesenhunger. Die drei beschließen, in einen Schnellimbiss zu gehen. Marko bestellt eine ganze Pizza für sich, mit Zwiebeln, Ananas, Pilzen, Schinken und Mais als Belag. Thomas kauft sich zwei Thüringer Bratwürste mit Brot und Sauerkraut, und Martin nimmt ein halbes Hähnchen und eine kleine Portion Pommes. Hunger ist der beste Koch, lautet das Sprichwort, und alle drei genießen das warme Essen.

Im Schnellimbissfenster sehen sie ein Poster. Für den Abend ist ein Lagerfeuer am Strand geplant. „Das hört sich gut an!", sagt Thomas. „Ja", stimmt Martin zu. „Ja, viel Spaß und viele Mädels!", fügt Marko hinzu. Die drei Freunde lachen und freuen sich auf den schönen Abend.

Übung 11

Beantworte die folgenden Fragen auf Englisch! Answer the following questions in English.

1.   What had Marko's parents finally allowed him to do?

2. What had Marko planned to do at each of the following times?

   7:10 _____

   7:30 _____

   7:45 _____

   7:50 _____

   7:55 _____

   8:05 _____

3. Give **two** details of the weather that day.

4. What two items was Marko asked if he had brought?

5. What do the boys do when the train arrives?

6. Who is standing on the platform?

7. How long does the journey take?

8. What do they get at the tourist information office?

9. Find an expression in the **sixth paragraph** to show that the weather is hot.

10. What do the boys do when they get to the beach?

11. Find an expression in the **seventh paragraph** to show that the weather has changed.

12. What do the boys order to eat at the take away? (Give details)

13. Why are the boys looking forward to the rest of the evening? (Give details)

Wortschatz

endlich	*finally*
sich auf etwas freuen	*to look forward to something*
erlauben	*to allow*
die Kumpels	*friends, mates*
die Ostsee	*the Baltic Sea (Germany has two coastlines: the North Sea coast and the Baltic Sea coast. Both are very popular tourist destinations.)*
gucken	*to look*
sich freuen	*to be happy*
das Zelt	*tent*
der Fahrschein/die Fahrkarte	*ticket*
der Fahrscheinautomat	*ticket machine*
die Jungs (die Jungen)	*boys*
hin und zurück	*a return ticket (literally: there and back)*

einsteigen	*to get on/into a train, bus, etc.*
der Bahnhof	*train station*
der Bahnsteig	*the platform*
winken	*to wave*
die Bekannten	*acquaintances*
abfahren	*to depart*
aufgeregt	*excited*
sich unterhalten	*to chat to one another*
aussteigen	*to get out of a bus, train, etc.*
das Fremdenverkehrsamt	*tourist information office*
nachdem	*after*
das Zelt aufbauen	*to pitch a tent*
tauchen	*to dive*
erschöpft	*exhausted*
die Kekse	*biscuits*
sich entscheiden	*to decide*
der Belag	*topping*
das Sprichwort	*proverb*
genießen	*to enjoy*
das Lagerfeuer	*campfire*
hinzufügen	*to add*
die Mädels (die Mädchen)	*girls*

Übung 12

Postkarten

(1)

You are on holidays in Kerry with your family. Write a postcard to your German pen pal, Oliver, and include the following information:

- tell him where you are and who you are with.

- tell him where you are staying and for how long.

- mention that the weather is terrible and that it is raining a lot.

- tell him two activities you are doing over the next few days.

- tell him that you will write soon.

(2)

You are on a school tour in Germany. Write a postcard to your Swiss pen pal, Eva, and include the following information:

- tell her that you are on a school tour in Germany with your class.
- tell her that you are staying in a hotel in Munich.
- tell her that the weather is lovely and sunny.
- mention some of the German foods you like/don't like.
- tell her that you are going to visit the castle at Neuschwanstein tomorrow.

Kapitel 8

Wie waren deine Ferien?

Leseverständnis

Teacher's CD2 Track 38

Die Schulferien sind vorbei und der Deutschlehrer, Mr Kelly, fragt die Schüler, was sie in den Ferien gemacht haben.

Mr Kelly:	Fiona, was hast du in den Sommerferien gemacht? — weak
Fiona:	Ich habe einen Irischkurs in der Gaeltacht gemacht.
Mr Kelly:	Und wie war der Kurs?
Fiona:	Der Kurs war gut. Ich habe nur Irisch gesprochen — strong und viel gelernt.
Mr Kelly:	Was habt ihr abends gemacht?
Fiona:	Abends wurden Céili-Tänze für uns organisiert, oder manchmal haben wir Fußball gespielt. Ich hatte viel Spaß.
Mr Kelly:	Danke, Fiona. Das war interessant.

Ich hatte — I had.

Mr Kelly:	Patrick, was hast du in den Sommerferien gemacht? — was (fast way)
Patrick:	Ich war in Spanien.
Mr Kelly:	Bist du mit deiner Familie oder mit Freunden hingefahren?
Patrick:	Ich bin mit meiner Familie hingefahren. Wir sind von Cork nach Malaga geflogen.
Mr Kelly:	Und wie viel Zeit hast du in Spanien verbracht?
Patrick:	Verbracht? Es tut mir leid. Ich verstehe die Frage nicht.
Mr Kelly:	Wie lange warst du in Spanien? Eine Woche? Zwei Wochen? — 2 weeks
Patrick:	Wir waren zwei Wochen dort.

to spend time
↳
ver(bringen)

Mr Kelly: Was hast du jeden Tag gemacht?

Patrick: Ich war fast jeden Tag am Strand. Ich habe am Strand Fußball gespielt und im Meer gebadet.

Mr Kelly: Hat es dir gut gefallen?

Patrick: Ja. Spanien ist klasse! Das Wetter war toll, und die Mädchen am Strand waren sehr hübsch!

Mr Kelly: Danke, Patrick.

Übung 1

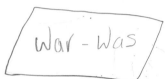

Antworte auf Englisch! Answer the following questions in English.

War - Was

1. What did Fiona do during the summer holidays?
2. Why does she say that the course was good?
3. What did she do in the evenings?
4. What did Patrick do during the summer holidays?
5. How long was he there?
6. What activities did he do during the day?
7. Give **one** reason why he liked it there.

Wortschatz

Ich bin ins Ausland gefahren.

Ich habe einen Sprachkurs gemacht.

Ich habe einen Campingurlaub gemacht.

Wir haben ein Ferienhaus in Kerry gemietet. — rent

Ich habe einen Austausch gemacht.

Ich war in der Gaeltacht.

Ich habe auf unserem Bauernhof gearbeitet.

Ich habe im Supermarkt gearbeitet.

Ich habe mich mit meinen Freunden getroffen.

Ich habe viel Sport gemacht.

Ich bin Ski gefahren.

Ich habe eine Radtour gemacht.

Und du? Was hast du in den Sommerferien gemacht?

_____

_____

_____

_____

_____

_____

Hörverständnis 1

Teacher's CD2 Tracks 39–44

Richtig oder falsch? Hör gut zu! Listen carefully and tick whether each of the following statements are true or false.

		True	False
1.	Christoph spent two weeks in the south of France.		
2.	Gabi did a Spanish course in Barcelona.		
3.	Heinz was hillwalking in Austria.		
4.	Sabina was on a camping holiday in Denmark.		
5.	Rainer cycled around Ireland in July.		
6.	Nadia worked in a library for four weeks.		

Schwerpunkt Grammatik   Das Imperfekt (1)

In the previous chapter, you were introduced to the **Perfekt** tense, a past tense used in spoken German. In the Junior Certificate, you are expected to be able to write in this tense in the letter writing section. In this chapter, we will be looking at the **Imperfekt** tense (in English, the *simple past* or *imperfect*). This is also a past tense, but you will mainly encounter it in the **reading comprehension** and **listening comprehension** sections. You have already met examples of this tense in some of the earlier chapters.

For example:

Das Wetter **war** gut.   *The weather was good.*
Ich **hatte** viel Spaß.   *I had a lot of fun.*

Firstly, let us look at the two verbs **haben** and **sein** in this tense.

haben	*to have*
ich hatte	*I had/used to have*
du hattest	*you had/used to have*
er/sie/es/man hatte	*he/she/it/one had/used to have*
wir hatten	*we had/used to have*
ihr hattet	*you had/used to have*
Sie hatten	*you had/used to have*
sie hatten	*they had/used to have*

Übung 2

Ergänze! Complete the following using the imperfect form of **haben**.

1. Ich _____ keine Zeit, meine Hausaufgaben zu machen.
2. Julian _____ keine Lust, ins Kino zu gehen.
3. Marianne _____ genug Geld, um sich einen schönen Mantel zu kaufen.
4. Torsten und Frank _____ Hunger.
5. Als ich klein war, _____ ich einen Goldfisch.
6. Wir _____ viele Vokabeln zu lernen.
7. Elisabeth _____ viele Probleme in der Schule.
8. „_____ Sie Angst, Frau Meier?"
9. Du _____ keine Chance!
10. Wir _____ viel Spaß in der Disco.

sein	to be
ich war	I was/used to be
du warst	you were/used to be
er/sie/es/man war	he/she/it/one was/used to be
wir waren	we were/used to be
ihr wart	you were/used to be
Sie waren	you were/used to be
sie waren	they were/used to be

Übung 3

Ergänze! Complete the following using the imperfect form of **sein**.

1. Ich _____ traurig.
2. Nach dem Training _____ wir sehr müde.
3. _____ du im Konzert?

4. Meine Eltern _____ sauer auf mich.

5. Uli und Jens _____ sehr krank.

6. _____ ihr in der Stadt?

7. Der Film _____ lustig.

8. Das Buch _____ spannend.

9. Letzten Sommer _____ wir in Spanien.

10. „_____ Sie schon mal in Afrika, Herr Bauer?"

Übung 4

Ergänze! Complete the following using the imperfect form of **haben** or **sein**, as appropriate.

1. Ich _____ müde.

2. Du _____ Durst.

3. Wir _____ in Mexiko.

4. Er _____ gestern in München.

5. Dirk _____ kein Kleingeld.

6. Nadia und Sven _____ gut in Mathe.

7. _____ du keine Lust, schwimmen zu gehen?

8. Vor zwanzig Jahren _____ die Schule viel strenger.

9. Meine Urgroßeltern _____ kein Auto.

10. Das Konzert _____ klasse!

Leseverständnis

Ferienhaus zu vermieten

Ferienhaus an der Ostsee für 6 Personen mit Kleinkind und Hund, 1 Duschbad, 1 Wohn-Esszimmer mit Kamin, SAT-TV, Stereoanlage, Fernseher.

Einbauküche mit Gefrierfach, Kaffeemaschine, Mikrowelle, Toaster, Wasserkocher, Waschmaschine außerdem 1 Schlafraum mit 1 Doppelbett.

Der Garten: eingezäunter Garten, Terrasse mit Gartenmöbeln und Grill, 2 Schaukeln, 1 Sandkiste, div. Spielsachen. Kinderfreundlich: Die Treppe ist oben mit einem Treppengitter gesichert, 1 Hochstuhl, auf Wunsch 1 Kinderfahrrad, 1 Roller, 1 Schlitten Außerdem vorhanden: 1 Waschmaschine, 4 Fahrräder 2 Stellplätze. Ein Hund ist bei uns gern gesehen.

Da sich auch im Obergeschoss eine Sitzecke mit kleinem Fernseher, 1 Badezimmer, 2 Schlafräume befinden, eignet sich das Haus sehr gut für 2 befreundete Familien oder wenn Oma und Opa mitkommen möchten.

In Schönhagen befindet sich ein Reiterhof, eine Tennishalle, ein Bäcker, ein Supermarkt, 1 Bistro und 1 Fischimbiss.

Freizeitmöglichkeiten in der Umgebung:
Angeln, Fahrradfahren, Golf, Inlineskating, Reiten, Schwimmen, Segeln, Surfen, Tauchen, Tennis, Wandern, Wasserski.

Übung 5

Richtig oder falsch? Tick whether the following are true or false.

		True	False
1.	This holiday home is located on the Baltic Sea.		
2.	In the living room, there is a TV and a laptop.		
3.	In the kitchen, there is a microwave and a dishwasher.		
4.	It is possible to barbecue in the garden.		
5.	No pets are allowed.		
6.	This house is suitable for two families sharing.		

Übung 6

Antworte auf Englisch! Answer the following questions in English.

1. The advertisement describes the property as 'kinderfreundlich'. Mention **three** reasons why this is an accurate description.

2. Mention **three** amenities in Schönhagen.

3. Name **seven** leisure activities available in the area.

Übung 7

Stell dir vor, du hast eine Woche mit deinen Eltern in diesem Ferienhaus verbracht! Schreibe eine Postkarte an deine Brieffreundin Trudi und erzähle ihr, was du gemacht hast!

Imagine that you and your family have stayed a week in this holiday home. Write a postcard to your pen pal Trudi and give her the following information:

- say when and how you arrived.

- say how long you are staying.

- mention two activities you have done since you arrived.

- say that you are speaking a lot of German.

Übung 8

Was gehört zusammen? Match the picture and the phrase.

   1.   2.   3.   4.   5.

A. Ich war seekrank.
B. Wir haben ein Auto gemietet.
C. Ich bin geflogen.
D. Mein Zimmer hatte einen schönen Meeresblick.
E. Ich bin mit der Fähre gefahren.

1.	2.	3.	4.	5.

Schwerpunkt Grammatik   Das Imperfekt (2)

In this section, we will focus on regular verbs in the imperfect. The endings for all regular verbs in the imperfect are as follows:

machen   *to do (also: to make)*
ich mach**te**   *I did/was doing/used to do*
du mach**test**   *you did/were doing/used to do*
er/sie/es/man mach**te**   *he/she/it/one did/was doing/used to do*
wir mach**ten**   *we did/were doing/used to do*
ihr mach**tet**   *you did/were doing/used to do*
Sie mach**ten**   *you did/were doing/used to do*
sie mach**ten**   *they did*

Übung 9

Ergänze! Complete the following.

Beispiel: (spielen)   Ich **spielte**

1. (wohnen)   Er _____ auf dem Land.

2. (kaufen)   Wir _____ neue Schulsachen.

3. (malen)   Du _____ ein schönes Bild.

4. (hören)   Ich _____ die laute Musik.

5. (spielen)   Vera _____ sehr gut Klavier.

6. (brauchen)   Der Lehrer _____ einen Kugelschreiber.

7. (kaufen)   Ich _____ eine Karte für mein Handy.

8. (besuchen)   Die Kinder _____ ihre Oma im Krankenhaus.

9. (zeigen)   Der Polizist _____ uns den Weg.

10. (schicken)   Mein Brieffreund _____ mir die Postkarte aus Istanbul.

Schwerpunkt Grammatik   Das Imperfekt (3)

There are a few variations to the above rule for verbs whose stem ends in **-d**, **-t**, and **-m**, **-n** (that do not have an 'l' or an 'r' before the final letter). For these verbs, an 'e' is added to the stem before the past tense ending.

Beispiel:

arbeiten	*to work*
ich arbeit**ete**	*I worked/was working/used to work*
du arbeit**etest**	*you worked/were working/used to work*
er/sie/es/man arbeit**ete**	*he/she/it/one worked/was working/used to work*
wir arbeit**eten**	*we worked/were working/used to work*
ihr arbeit**ete**	*you worked/were working/used to work*
Sie arbeit**eten**	*you worked/were working/used to work*
sie arbeit**eten**	*they worked/were working/used to work*

Übung 10

Ergänze! Complete the following using verbs in the imperfect tense.

1. (arbeiten)   Er _____ in einem kleinen Laden.

2. (antworten)   Ich _____ auf die Frage.

3. (schulden)   Du _____ mir 45 €.

4. (warten)   Wir _____ auf den Bus.

5. (regnen)   Es _____ die ganze Zeit.

6. (begegnen)   Karl _____ Rita in der Stadt.

Hörverständnis 2

Student's CD Tracks 24–28   Teacher's CD2 Tracks 45–49

Hör gut zu! Listen carefully and fill in the missing information in English.

	Where he/she went on holidays	Where they stayed	How long they stayed	How the weather was (one detail)
Nicole	~~spent~~ sweending	camping	~~was~~ 3 weeks	~~hot~~ changes
Matthias	worked	~~uncle~~ uncle	4 days	ok ~~stays~~
Andrea	~~china~~ china	~~hotel~~ ~~hotel~~ hotels	2 weeks 11 days	good dry sunny
Detlev		with a family		ok
Frau Weege		hotel		sunny ~~bad~~

Schwerpunkt Grammatik   Das Imperfekt (4)

Irregular verbs in the imperfect can be divided into two categories.

(1) Irregular weak verbs
(2) Irregular strong verbs

(1) **Irregular weak verbs.** These have a vowel change in the stem, but still follow the imperfect endings we have met so far.
Beispiel:

bringen	*to bring*
ich brach**te**	*I brought/was bringing/used to bring*
du brach**test**	*you brought/were bringing/used to bring*
er/sie/es/man brach**te**	*he/she/it/one brought/was bringing/used to bring*
wir brach**ten**	*we brought/were bringing/used to bring*
ihr brach**tet**	*you brought/were bringing/used to bring*
Sie brach**ten**	*you brought/were bringing/used to bring*
sie brach**ten**	*they brought/were bringing/used to bring*

C)

besucht	fand	war	sehe	hatten
über	Geburtstagskuchen	feierte	Bauernhaus	gesungen

In den Herbstferien habe ich meine Großeltern in Husum (1)_____. Leider
(2)_____ ich sie nicht so oft. Sie wohnen in einem alten (3)_____
nicht weit vom Strand. Als ich da war, (4)_____ mein Opa seinen 75. Geburtstag.
Meine Oma hat einen leckeren (5)_____ gebacken. Wir haben „Viel Glück und
viel Segen" (6)_____. Wir (7)_____ sehr viel Spaß. Ich
habe meinem Opa ein schönes Buch (8) _____ Irland geschenkt. Meine Oma
(9)_____ viele alte Bilder und hat mir erzählt, wer auf den Bildern war. Das
(10)_____ sehr interessant.

Hörverständnis 3

Teacher's CD2 Tracks 52–53

Hör gut zu! Listen carefully and fill in the missing information in English.

	Niels	Sabina
From: Town Street		
Date of birth		
Number of brothers and sisters		
Father's profession		
Mother's profession		
Where they went on holidays in the summer		
How long they were on holiday there		
Where they stayed		
What he/she liked best about the holiday		

Übung 15

Ein Brief: Wiederholungsübung

You have recently received a letter from your Swiss pen pal, Martin/Martina. Write a letter in reply, answering all the questions (which have been numbered for you) in some detail*.

Aarau, den 16. September

Liebe/Lieber …!

Vielen Dank für deinen letzten Brief. Es war sehr schön, einen langen Brief von dir zu bekommen. Du weißt ja, wie sehr ich mich freue, wenn ich einen Brief von dir bekomme!

Wie waren deine Ferien? In deinem Brief hast du geschrieben, dass du und deine Familie vor hattet, zwei Wochen in Spanien zu verbringen. (1) Wo in Spanien warst du? Was hast du in den zwei Wochen gemacht? Reist du gern? Ich war eine Woche in Dänemark. Wir haben ein Ferienhaus gemietet, und da es nicht weit von der Küste war, waren wir fast jeden Tag am Strand. Das war herrlich.

Im Moment ist das Wetter hier noch sehr warm. Es ist jeden Tag sonnig und meistens gehe ich nach der Schule mit meinen Freunden ins Freibad. (2) Wie ist das Wetter in Irland? Was machst du nach der Schule, wenn das Wetter schlecht ist? Und wenn es schön ist?

Ich bin jetzt Mitglied des Tischtennisvereins hier in Aarau. Das macht viel Spaß und ist nicht so anstrengend wie Fußball oder Basketball. (3) Bist du Mitglied eines Vereins? Was für Sportarten magst du? Musst du Sport in der Schule machen? Sind die Iren sportlich? Die Schweizer wandern gern und natürlich fahren wir im Winter gern Ski.

Wenn du Lust hast, könntest du in den Weihnachtsferien zu uns kommen und mit uns skilaufen gehen. (4) Hast du Lust, in die Schweiz zu fahren? Wann hast du Weihnachtsferien? Wie lange Weihnachtsferien hast du? Was kostet ein Flugticket von Irland nach Zürich? Frag mal deine Eltern, ob das möglich ist! Das wäre toll!

So, ich muss jetzt Schluss für heute machen, denn ich habe einen Haufen Hausaufgaben! (5) Bekommst du viele Hausaufgaben? In welchem Fach bekommst du die meisten? Wie lange verbringst du jeden Abend beim Hausaufgaben machen?

Lass bald von dir hören!

Dein Martin/Deine Martina

*As a guide for how much to write, follow the marking scheme below. The letter is marked as always under two headings: **content** (the sentences you write that answer the questions) and **expression** (spelling, grammar, idiom, etc.).

Suggested marking scheme

CONTENT (27 marks)

Question	Marks Available (27)	Points to be covered	
Start	1	Any appropriate opening sentence	(1)
(1)	5	**Ferien**	
		Wo in Spanien warst du?	(1)
		Was hast du in den zwei Wochen gemacht?	1, 1
		Reist du gern?	(1)
		Ergänzung/Reaktion	(+1)
(2)	5	**Wetter**	
		Wie ist das Wetter in Irland?	(1)
		Was machst du nach der Schule, wenn das Wetter schlecht ist?	(1)
		Und wenn es schön ist?	(1)
		Ergänzung/Reaktion	(+1, +1)
(3)	6	**Sport**	
		Bist du Mitglied eines Vereins?	(1)
		Was für Sportarten magst du?	(1, 1)
		Musst du Sport in der Schule machen?	(1)
		Sind die Iren sportlich?	(1)
		Ergänzung/Reaktion	(+1)
(4)	5	**Einladung**	
		Hast du Lust, in die Schweiz zu fahren?	(1)
		Wann hast du Weihnachtsferien?	(1)
		Wie lange Weihnachtsferien hast du?	(1)
		Was kostet ein Flugticket von Irland nach Zürich?	(1)
		Ergänzung/Reaktion	(+1)

(5)	4	**Hausaufgaben**	
		Bekommst du viele Hausaufgaben?	(1)
		In welchem Fach bekommst du die meisten?	(1)
		Wie lange verbringst du jeden Abend beim Hausaufgaben machen?	(1)
		Ergänzung/Reaktion	(+1)
Closing	1	Any appropriate closing sentence	(1)
		(Not from pen pal's letter)	

EXPRESSION (23 marks)

Pay attention to the following when writing your reply:

- Avoid English
- Spellings
- Word order: **Time+Manner+Place**
  (check that the verb is the second idea in the sentence)
- Verb endings (Ich mache etc.)
- Answering the questions in the correct **tense**.
  (e.g. Hast du den Film gesehen? ...Ja, ich **habe** den Film **gesehen**.)
- Use of idioms/expressions (See the list of these at the back of the book.)

Kapitel 9

Wann fährt der Zug nach Berlin ab?

Frage	Antwort
Wann fährt der Zug ab?	Er fährt um siebzehn Uhr ab.

Am Fahrkartenschalter

Leseverständnis

Teacher's CD2 Track 54

1.

Mann:	Entschuldigen Sie, bitte. Wann fährt der nächste Zug nach Trier ab?
Frau am Fahrkartenschalter:	Der nächste Zug fährt um achtzehn Uhr dreißig ab.
Mann:	Von welchem Gleis, bitte?
Frau am Fahrkartenschalter:	Von Gleis fünf.
Mann:	Danke schön.
Frau am Fahrkartenschalter:	Bitte!

Übung 1

Antworte auf Englisch! Answer the following questions in English.

1. Where does this person wish to travel to?

2. What time is the next train to this destination?

3. From which platform does the train leave?

Teacher's CD2 Track 55

2.

Frau:	Guten Morgen! Einmal nach Potsdam, bitte.
Frau am Fahrkartenschalter:	Einfach oder hin und zurück?
Frau:	Einfach, bitte.
Frau am Fahrkartenschalter:	Haben Sie eine BahnCard?
Frau:	Ja. Bitte schön.
Frau am Fahrkartenschalter:	Das macht vierzehn Euro, bitte.
Frau:	Danke schön.
Frau am Fahrkartenschalter:	Bitte!

Übung 2

Antworte auf Englisch! Answer the following questions in English.

1. What type of ticket does this person buy?

2. What does the ticket cost?

Mit dem ICE fahren

Teacher's CD2 Track 56

Leseverständnis

Mann:	Guten Tag!
Frau am Fahrkartenschalter:	Guten Tag! Wie kann ich Ihnen weiterhelfen?
Mann:	Ich möchte heute nach Hannover fahren.
Frau am Fahrkartenschalter:	Wann möchten Sie dort ankommen?
Mann:	Ich möchte dort gegen fünfzehn Uhr ankommen.
Frau am Fahrkartenschalter:	Am besten fahren Sie mit dem ICE, der um dreizehn Uhr zwölf von Gleis eins abfährt. Sie kommen dann um fünfzehn Uhr fünf in Hannover an.
Mann:	Muss ich irgendwo umsteigen?
Frau am Fahrkartenschalter:	Nein, dieser Zug fährt direkt nach Hannover.
Mann:	Prima! Ich möchte also einen Platz in diesem Zug reservieren.
Frau am Fahrkartenschalter:	Haben Sie eine BahnCard?
Mann:	Nein.
Frau am Fahrkartenschalter:	Hin und zurück oder einfache Fahrt?

Mann:	Hin und zurück, bitte. Ich möchte am Fenster sitzen, wenn das möglich ist.
Frau am Fahrkartenschalter:	Erster oder zweiter Klasse?
Mann:	Zweiter, bitte.
Frau am Fahrkartenschalter:	Also. Ein Ticket nach Hannover hin und zurück mit einem Fenstersitz. Das kostet 45,75 €, bitte.
Mann:	Vielen Dank!
Frau am Fahrkartenschalter:	Gern geschehen. Gute Fahrt!
Mann:	Danke. Auf Wiedersehen!
Frau am Fahrkartenschalter:	Auf Wiedersehen!

Übung 3

Antworte auf Englisch! Answer the following questions in English.

1. Where does this person wish to go and at what time does he wish to arrive there?

2. Give details of the train suggested to him.

3. Does he wish to buy a single or return ticket?

Man kann auch im Zug Fahrkarten kaufen.

Wortschatz

der Bahnhof	*train station*
der Hauptbahnhof	*main train station*
der Busbahnhof	*bus station*
die Bushaltestelle	*bus stop*
der Informationsschalter	*information desk*
der Fahrkartenschalter	*booking office/ticket counter*
das Ticket	*ticket*
die Fahrkarte (n)	*travel ticket*
der Fahrschein (e)	*travel ticket*
der Fahrkartenautomat	*ticket machine*
die Reservierung	*reservation*
der Kartenvorverkauf	*advance ticket purchase*
das Gleis	*platform*
der Bahnsteig	*platform*
der Zug	*train*
die Abfahrt	*departure*
der Ankunft	*arrival*
der Fahrgast	*passenger*
die Tageskarte (n)	*day ticket*
die Wochenkarte (n)	*weekly ticket*
die Monatskarte (n)	*monthly ticket*
die Ermäßigung	*reduction*
der Zuschlag	*supplement*
die Stoßzeit	*rush hour*
die Verspätung	*delay*
der Sitz	*seat*
der Erwachsene/die Erwachsene	*adult*
das Kind (-er)	*child*
der Schaffner	*conductor*
gültig	*valid*
günstig	*cheap*
verspätet	*delayed*
einsteigen	*to get on*
aussteigen	*to get off*
umsteigen	*to change trains*
ankommen	*to arrive*
abfahren	*to depart*
warten (auf)	*to wait (for)*
den Fahrschein entwerten	*to stamp your ticket in the machine*
schwarzfahren	*to travel without paying*

Hörverständnis 1

Teacher's CD2 Track 57

Wiederholungsübung

Hör gut zu! Listen carefully and write in the following times in the 24-hour clock.

1.		6.	
2.		7.	
3.		8.	
4.		9.	
5.		10.	

Hörverständnis 2

Teacher's CD2 Tracks 58–62

Hör gut zu! Listen carefully and fill in the missing details in English.

	Destination	Time of train	Platform	Cost of ticket
Conversation 1		17:10		
Conversation 2			19	
Conversation 3	Gera			
Conversation 4				€18.90
Conversation 5		22:25		

aussteigen   **einsteigen**   **umsteigen**

Hörverständnis 3

Student's CD Tracks 29–31   Teacher's CD2 Tracks 63–65

Hör gut zu! Listen carefully and answer the following questions in English.

Dialogue 1

1. Where is the passenger travelling to?   _____

2. What time does the train depart?   _____

3. Where does he have to change trains?   _____

4. How much does the ticket cost?   _____

Dialogue 2

1. What time does the train to Munich depart?   _____

2. Give any two details of the ticket purchased.   _____

3. What percentage reduction is the passenger entitled to?   _____

Dialogue 3

1. What train is the man waiting for?   _____

2. By how much has the train been delayed?   _____

3. What is the expected arrival time of the train?   _____

Man kann seine Fahrkarte am Fahrkartenautomat kaufen oder ins Reisezentrum gehen.

Zum Lesen

Teacher's CD2 Track 66

Olli macht eine Umfrage am Hauptbahnhof.

1.

Olli: Entschuldigen Sie bitte. Wohin fahren Sie?

Mann: Ich fahre nach Mainz.

Olli: Wie oft fahren Sie mit der Bahn?

Mann: Ich fahre jeden Tag mit dem IC zur Arbeit hier in Frankfurt.

Olli: Warum fahren Sie mit dem Zug und nicht mit dem Auto?

Mann: Ich finde den Zug schnell und umweltfreundlicher als das Auto.

Olli: OK. Danke sehr.

Mann: Bitte, bitte.

2.

Teacher's CD2 Track 67

Olli:	Guten Tag!
Frau:	Guten Tag!
Olli:	Haben Sie einen Moment Zeit, bitte?
Frau:	Ja, was kann ich für Sie tun?
Olli:	Ich mache eine Umfrage. Wie oft fahren Sie mit dem Zug?
Frau:	Ich fahre jeden Freitagabend mit dem ICE nach Berlin. Ich wohne und arbeite hier in Frankfurt, aber ich fahre am Wochenende zu meinem Freund, der in Berlin wohnt.
Olli:	Reisen Sie gern mit der Bahn?
Frau:	Ja, ich finde den ICE sehr bequem.
Olli:	Müssen Sie umsteigen?
Frau:	Es kommt darauf an. Wenn ich mit dem Zug um 17:13 fahre, dann nicht, denn dieser Zug ist direkt. Wenn ich aber mit dem Zug um 17:58 fahre, dann muss ich in Hannover umsteigen. Das ist aber nicht so schlimm, denn ich muss nur eine Viertelstunde warten, bis der ICE nach Berlin ankommt.
Olli:	Wie lange dauert die Fahrt?
Frau:	Viereinhalb Stunden ungefähr.
Olli:	Mensch! Das ist eine lange Fahrt. Was machen Sie in der Zeit?
Frau:	Ich habe einen iPod, und ich höre Musik, oder ich lese ein bisschen. Wenn ich müde bin, schlafe ich.
Olli:	Danke. Auf Wiedersehen!
Frau:	Auf Wiedersehen!

Hörverständnis 4

Teacher's CD2 Track 68

Wie fährst du zur Schule? Hör gut zu! Listen carefully and in English fill in how these pupils travel to school.

Erika	
Felix	
Ines	
Jan	
Lisa	

Vom Fenster aus sieht man die schöne Landschaft

Leseverständnis

Bayern-Ticket – 27 EUR* und Bayern-Ticket Single – 19 EUR*
sind gültig für:

■ Gruppen bis zu 5 Personen oder Eltern/Großeltern (maximal
   2 Erwachsene) mit beliebig vielen eigenen Kindern/Enkeln
   unter 15 Jahren.
■ Einzelreisende.

Gültigkeit
■ Für beliebig viele Fahrten in der 2. Klasse.
■ Montags bis freitags von 9 Uhrs bis 3 Uhr des Folgetags, an
   Wochenenden und an in ganz Bayern gültigen Feiertagen sogar
   schon ab 0 Uhr.
■ Bayernweit in allen Nahverkehrszügen, Verbundverkehrsmitteln
   (S-, U-, Straßenbahanen, Bussen) und fast allen Linienbussen.

Übung 8

Antworte auf Englisch! Answer the following questions in English.

1. This ticket is valid throughout Germany.   True or false?

2. Who can use this ticket?

3. Apart from weekdays after 9 am, when is this ticket also valid?

4. This ticket is not valid on a subway.   True or false?

Im Fundbüro

Leseverständnis

Teacher's CD2 Track 69

Ein Mädchen kommt ins Fundbüro

Herr Kirchner arbeitet im Fundbüro am Hauptbahnhof.

Herr Kirchner:	Guten Morgen! Wie kann ich Ihnen weiterhelfen?
Mädchen:	Guten Morgen! Ich habe meinen Rucksack im Zug liegen lassen. Ist heute Morgen ein Rucksack abgegeben worden?
Herr Kirchner:	Könnten Sie bitte den Rucksack beschreiben?
Mädchen:	Ja. Er ist schwarz und blau, und die Marke ist Reebok.
Herr Kirchner:	OK. Ich schaue nach... Ja, ich habe hier einen Rucksack. Könnten Sie mir vielleicht sagen, was Sie drin haben?
Mädchen:	Ja. Ich habe meinen Reisepass, mein Flugticket nach Irland, mein Portmonnaie und eine Zeitschrift.
Herr Kirchner:	Ja, das stimmt genau. Hier ist Ihr Rucksack.
Mädchen:	Gott sei Dank! Ich habe mir große Sorgen gemacht.
Herr Kirchner:	Sie haben Glück gehabt, junge Frau.
Mädchen:	Vielen Dank. Auf Wiedersehen!
Herr Kirchner:	Auf Wiedersehen!

Übung 9

Kreuze an, ob richtig oder falsch! Tick whether the following statements are true or false.

		True	False
1.	The girl lost her bag yesterday morning.		
2.	The bag is blue and red.		
3.	Her bag contains her passport and a novel.		
4.	Her bag was found.		

Leseverständnis

Ein Geschäftsmann kommt ins Fundbüro.

Teacher's CD2 Track 70

Geschäftsmann:	Guten Tag!
Herr Kirchner:	Guten Tag! Was kann ich für Sie tun?
Geschäftsmann:	Ich habe gestern Nachmittag ein Handy im Zug gelassen. Ist zufällig ein Siemens Handy gefunden worden?
Herr Kirchner:	Wann genau war das?
Geschäftsmann:	Das war gegen vierzehn Uhr. Ich bin mit dem Regional Express von Limburg angekommen.
Herr Kirchner:	In welchem Abteil waren Sie?
Geschäftsmann:	Im Abteil Nummer achtzehn. Ich glaube, mein Handy ist aus meiner Jackentasche gefallen.
Herr Kirchner:	Ich schaue im Buch nach, ob etwas vermerkt ist...Nein, es tut mir leid. Es wurde kein Handy im Zug gefunden. Versuchen Sie's mal bei der Bahnpolizei.
Geschäftsmann:	Ja, das mache ich. Danke trotzdem.
Herr Kirchner:	Gern geschehen. Auf Wiedersehen!
Geschäftsmann:	Auf Wiedersehen!

Übung 10

Antworte auf Englisch! Answer the following questions in English.

1. What item is this man looking for?
2. When did he leave it on the train? (Give details.)
3. What compartment was he in?
4. How does he think that this item was left on the train?
5. Was the item found?
6. Where is the man going now?

Übung 11

Was gehört zusammen? Match the beginning of the sentences on the left with a suitable ending on the right.

1.	Der Mann hat	a.	zur Bahnpolizei.
2.	Das Handy	b.	nicht gefunden worden.
3.	Der Mann ist	c.	war ein Siemens.
4.	Leider ist sein Handy	d.	sein Handy im Zug verloren.
5.	Jetzt geht er	e.	mit dem RE angekommen.

1.	2.	3.	4.	5.

Gibt es noch ehrliche Menschen?

Was meinst du? Was passiert auf dem Bild? Was macht der Junge jetzt?

Wortschatz
Ich habe ... verloren.

meine Tasche

meine Sporttasche

meine Aktentasche

meine Brieftasche

mein Portemonnaie/meine Geldbörse

meinen Koffer

meinen Regenschirm

meinen Ausweis

meine Schlüssel

meinen Rucksack

meine Uhr

eine Kette

meine Brille

mein Handy

einen Fünfzig-Euro-Schein

Hörverständnis 5

Einen Verlust melden. Hör gut zu! Listen carefully and fill in what each person has lost, where they lost it, and give their surname and contact number.

	Item lost	Where lost	Name	Telephone number
1.	~~Akten~~ Aktentasche	in city morning ~~bus~~	~~deats~~ dietz	(0710) _____ 4 _____
2.	Keys	bus 29	graobner	(0511) ~~65~~ 56 +99 ~~20~~ 20
3.	~~arm~~ arm band		Brown	(0710) 234 8901
4.	coat	~~train~~ train 65		(0561) _____
5.				(079) _____

Wortschatz
Other modes of transport

der Bus	*bus*
die Straßenbahn	*tram*
die S-Bahn	*local train*
die U-Bahn	*underground*
der Nahverkehr	*local traffic/transport*
die Endstation	*last stop*

Bemerken –

Hörverständnis 6

Teacher's CD2 Tracks 76–80

Hör gut zu! Listen carefully and fill in the missing details. The first one is done for you.

	How he/she travels to work	Station (or stop) he/she starts at	Station (or stop) he/she finishes at	Length of journey
1.	By Tram	Koblenzer Straße	Postplatz	Fifteen minutes
2.				
3.				
4.				
5.				

Beeilen Sie sich!
Sonst verpassen
Sie den Zug!

Übung 12

Was gehört zusammen? Match the phrase underneath with the scenes depicted. Write out the correct phrase in full.

D Es tut mir leid. Ich habe meine Monatskarte vergessen!

B Achtung! Auf Gleis fünfzehn. Der Zug Kassel-Frankfurt hat voraussichtlich zwanzig Minuten Verspätung.

F Bitte stempeln!

C Kann ich Ihnen mit Ihrem Gepäck helfen?

H Entschuldigen Sie, aber ich habe diesen Platz reserviert.

E Achtung! Auf Gleis sieben, ein Zug fährt ein.

A Ihr Hund muss auch ein Ticket haben.

G Entschuldigen Sie, bitte. Von welchem Gleis fährt der InterCity nach Genf?

A. _____
B. _____
C. _____
D. _____
E. _____
F. _____
G. _____
H. _____

Schwerpunkt Grammatik   Das Imperfekt (5)

In the previous chapter, we looked in detail at regular and irregular verbs in the imperfect. It is now time to look at **modal verbs** in the imperfect.

There are six modal verbs: *müssen, können, dürfen, wollen, sollen* and *mögen*.
The **stem** for each of the verbs in the imperfect is as follows:

müssen.... muss
können.....konn
dürfen......durf
wollen......woll
sollen.......soll
mögen......moch

small video screen offering movies. There are carriages that offer improved reception for mobile phones and others where mobile phone usage is not allowed. The ICE was involved in the world's deadliest high-speed train disaster in 1998, when 101 people were killed and 88 were seriously injured.

2) The **IC** (InterCity). This is a long distance passenger train with speeds of up to 200 km/h. It stops mainly at larger stations.

3) The **RE** (Regional Express). This is a type of regional train in Germany and Austria. It too can reach speeds of up to 200 km/h, but it stops at more stations that the IC.

In Austria, the national rail company is ÖBB (**Österreichische Bundesbahnen**). Since September 2007, all trains in Austria and Germany are non-smoking. All Austrian trains are painted in the Austrian national colours red and white. Its website is **www.oebb.at**

SBB CFF FFS

In Switzerland, the main rail company is **Swiss Federal Railways**. Its website is **www.sbb.ch**

Übung 15

Geh ins Internet! Go to the German website for Deutsche Bahn (www.bahn.de) and find out the following information.

1. How long is the journey by ICE from Hannover to Frankfurt (Main) Hbf (the Hauptbahnhof in Frankfurt am Main)?

2. Mention one other city where the train stops en route to Frankfurt. (Hint! Click on 'Zwischenhalte einblenden').

3. On weekdays, how long is the journey from Hamburg to Stuttgart:
   a) travelling by ICE?
   b) travelling by ICE and RE (Regional Express)?

4. If I opt to travel from Hamburg to Stuttgart by ICE and RE, where must I change trains? (Hint! Click on the arrow to the left of your chosen connection.)

5. I wish to arrive in Dresden on a Saturday at around 5 pm (17:00). If I am travelling by EC, at what time must I leave Berlin to arrive on time?

Übung 16

Finde die Wörter im Kasten! Find the ten travel-related terms in the box and then write the English for each one underneath.

Gleis	Gepäck	Fahrkarte	Verspätung	Abfahrt
Ankunft	umsteigen	Schaffner	gültig	Ermäßigung

_____ _____

_____ _____

_____ _____

_____ _____

_____ _____

L	P	G	N	U	T	Ä	P	S	R	E	V
R	E	N	F	F	A	H	C	S	Ä	G	Ä
G	M	G	C	Q	S	A	V	I	N	ß	W
I	Z	Ä	S	Ö	N	Ü	V	U	C	K	P
T	R	P	N	K	W	Z	G	L	E	I	S
L	O	M	U	H	S	I	N	E	X	L	A
Ü	V	N	W	I	ß	O	W	K	B	N	B
G	F	T	O	Ä	M	D	ß	Ä	Ö	L	F
T	Ä	U	M	S	T	E	I	G	E	N	A
W	N	R	I	U	N	U	R	N	H	T	H
G	E	P	Ä	C	K	ß	K	O	I	ß	R
R	L	E	T	R	A	K	R	H	A	F	T

Teacher's CD2 Track 81

EIN ZUNGENBRECHER

Zwei Ladenjungen, die vor den Schokoladenladen Laden laden, Schokoladenladenladenmädchen zum Tanze ein!

Leseverständnis

Teacher's CD2 Track 82

Eine ungewöhnliche Reise im Zug

Ich heiße Anna und bin sechzehn Jahre alt. Meine Tante war sehr krank, und ich bin letztes Wochenende mit dem Zug zu ihr gefahren und habe sie besucht. Ich bin jetzt alt genug, um alleine mit dem Zug zu fahren.

Ein Taxi hielt an, und der Fahrer fragte: „Wohin, bitte?"

„Zum Ulmer Hauptbahnhof", antwortete ich. Ich hob mein Gepäck in den Kofferraum und setzte mich ins Taxi. Wir sprachen nicht, bis wir am Bahnhof ankamen. „So, da sind wir", sagte der Fahrer. Ich stieg aus, holte mein Gepäck und bezahlte dem Taxifahrer sein Geld. Am Schalter kaufte ich mir eine Fahrkarte und holte mir ein paar Süßigkeiten aus dem Automaten. Dann machte ich mich auf den Weg zum Gleis 14. Der Zug war ziemlich lang, er hatte 24 Waggons. Ich stieg ein und suchte mir ein leeres Abteil. Schließlich fand ich eines. Es waren zwei Sitze darin, einer rechts, einer links. Es gab auch ein großes Fenster, das ich gleich aufmachte. Ich setzte mich hin und schob meinen Koffer unter meinen Sitz.

Ein paar Minuten später klopfte eine Frau an die Tür des Abteils. Hinter ihr stand ein kleines Mädchen, das ein unglückliches Gesicht machte. Als sie meine Süßigkeiten sah, schaute sie ein bisschen fröhlicher drein. Die Frau fragte mich: „Entschuldigung, können wir uns hierher setzen? Alle anderen Abteile sind belegt." Ich nickte, und sie setzten sich mir gegenüber.
Nach einer halben Stunde war ich noch immer wach und dem Mädchen war offensichtlich langweilig. Ihre Mutter las ein Buch und ignorierte sie. Schon bald war sie eingeschlafen. Und wie sie schnarchte! Wie ein Holzfäller!

Ein paar mal kamen Leute, um zu sehen, was solchen Lärm machte. Das Mädchen saß immer noch stur auf ihrem Platz. Als ich mich mit ihr unterhalten wollte, antwortete sie nicht. Ich beschloss, auch etwas zu schlafen.

Als ich wieder aufwachte, lag einer meiner Pullis auf meinem Schoß. Ein paar meiner Socken lagen auf dem Boden. Ich schaute nach meinem Koffer. Er war geöffnet und meine Klamotten lagen überall verstreut. Ich versuchte, sie wieder ordentlich in den Koffer zu packen. Das Mädchen war auf seinem Sitz eingeschlafen. Ihr ganzes Gesicht war voller Schokolade. Da fielen mir meine Süßigkeiten wieder ein! Die Tüte war offen, und alle Süßigkeiten waren verschwunden!

Als ich alles wieder eingepackt hatte, kam eine Durchsage, dass der nächste Halt die Endstation wäre. Mein Ziel. Ich war so froh, dass ich aus dem Zug aussteigen konnte! Die Frau und das Mädchen wachten auf. Auch sie packten ihre Sachen zusammen. Sie mussten ebenfalls aussteigen. Ich ging vom Bahnhof zur nächsten Bushaltestelle. Ganz hinten im Bus setzte ich mich auf einen freien Platz. Dann stiegen die Frau und das Mädchen in meinen Bus. Sie mussten mit dem selben Bus fahren wie ich! Sie gingen den Gang entlang und setzten sich GENAU NEBEN MICH! Ich hatte das Gefühl, dass es eine sehr, sehr lange Reise werden würde...

Übung 17

Beantworte die folgenden Fragen auf Englisch! Answer the following questions in English.

1. What age is Anna?
2. Where did she go last weekend and why?
3. List **three** things she did once the taxi arrived at the train station.
4. Describe the carriage where Anna found a seat.
5. Who knocked at the door of the carriage?
6. Give **one** detail of the behaviour of the mother in the carriage.
7. Give **two** details of what Anna saw when she awoke from her sleep.
8. What announcement was made?
9. What did Anna do when she got off the train?
10. Who entered the bus after her and where did they sit?

Kapitel 10

Haben Sie Zimmer frei?

Im Hotel

Teacher's CD2 Tracks 83–84

Leseverständnis

Herr Krüger ruft beim Hotel Sonnenhof an.

Frau:	Hotel Sonnenhof. Guten Morgen!
Herr Krüger:	Guten Morgen! Haben Sie für morgen Abend ein Zimmer frei?
Frau:	Ja. Für wie viele Personen?
Herr Krüger:	Für mich und meine Frau, bitte.
Frau:	Ja, das ist kein Problem.
Herr Krüger:	Gut. Was kostet das Zimmer?
Frau:	Ein Doppelzimmer mit Frühstück kostet fünfzig Euro.
Herr Krüger:	Perfekt. Ich möchte also dieses Zimmer reservieren.
Frau:	Wie heißen Sie, bitte?
Herr Krüger:	Ich heiße Krüger, Matthias Krüger.
Frau:	Sehr gut, Herr Krüger. Bis morgen Abend! Auf Wiederhören!
Herr Krüger:	Auf Wiederhören!

Frau Wermke ruft beim Hotel Bellevue an.

Herr:	Hotel Bellevue. Guten Tag!
Frau Wermke:	Guten Tag! Ich möchte zwei Zimmer reservieren, bitte.
Herr:	Natürlich. Wie viele Personen sind das?
Frau Wermke:	Wir sind zwei Erwachsene und drei Kinder.
Herr:	Und für welches Datum, bitte?

(handwritten: 2. adults   3. kids)

Frau Wermke:	Wir möchten am 7. August ankommen, und dann am 10. wieder abfahren.
Herr:	Also, vier Nächte. Möchten Sie Voll- oder Halbpension oder nur Frühstück?
Frau Wermke:	Halbpension, bitte.
Herr:	Ich kann Ihnen ein Doppelzimmer mit Meeresblick, und ein Dreibettzimmer direkt nebenan anbieten.
Frau Wermke:	Das wäre prima. Was kosten die Zimmer?
Herr:	Das Doppelzimmer mit Halbpension kostet neunzig Euro pro Nacht. Das Dreibettzimmer mit Halbpension kostet hundertzehn Euro pro Nacht. Wir brauchen die Nummer Ihrer Kreditkarte, um die Zimmer zu reservieren.
Frau Wermke:	Selbstverständlich. Ich glaube, am besten schicke ich Ihnen die Details per Fax. Wie lautet Ihre Faxnummer?
Herr:	Unsere Faxnummer lautet 06541 697439. Und Ihren Name, bitte?
Frau Wermke:	Ich heiße Wermke. Judith Wermke.
Herr:	Sehr gut, Frau Wermke. Ich warte so lange auf Ihr Fax. Ich wünsche Ihnen noch einen schönen Tag!
Frau Wermke:	Danke, gleichfalls. Auf Wiederhören!
Herr:	Auf Wiederhören!

Übung 1

Antworte auf Englisch! Answer the following questions in English on the two conversations above.

1. How much is a double room in Hotel Sonnenhof?

2. When is Matthias Krüger going to stay at the hotel?

3. For how many people is Frau Wermke making the reservation?

4. For how many nights is the reservation?

5. What rooms is she offered and what price is each room?

6. What is she asked for in order to secure the reservation?

Übung 2

Beschreiben Sie das Bild oben! Fülle die Lücken aus! Describe the image above. Fill in the blanks.

Koffer	Gast	Bild	Zimmerschlüssel
Aufzug	Rezeption	Empfangsdame	Empfangschef

Auf dem (1) _____ sehe ich eine Hotel-Lobby. Ich sehe die
(2) _____. Ich sehe eine Empfangsdame und einen (3) _____.
Ein (4) _____ ist gerade angekommen und hat eingecheckt. Er bekommt den
(5) _____ von der (6) _____. Neben ihm auf dem
Boden steht sein (7)_____. Er möchte jetzt zu seinem Zimmer gehen. Da
sein Zimmer im vierten Stock ist, nimmt er den (8)_____ und nicht die Treppe.

Hörverständnis 1

Teacher's CD2 Tracks 85–87

Hör gut zu! Listen carefully and fill in the details in English.

Conversation 1

Name of the hotel	
For how many nights is the booking?	
Arrival date and time	
Total cost of the stay	

Conversation 2

Name of the hotel	
For how many people is the reservation?	
Name of the person making the booking	
Telephone number of the person making the booking	

Conversation 3

How many single and double rooms is the caller looking to book?	
What is the cost of each type of room?	
Is breakfast included in the price?	
What time must the guest check out?	

Wortschatz

eine Reservierung machen	*to make a reservation*
ein Zimmer reservieren	*to reserve a room*
bestätigen	*to confirm*
das Hotel	*hotel*
die Jugendherberge	*youth hostel*
die Pension	*guest house*
Zimmer frei	*vacancies*
Fremdenzimmer	*rooms to let*
für eine Nacht/zwei Nächte	*for one night/two nights*
vom elften bis zum dreizehnten Mai	*from the 11th to the 13th of May*
für eine Person/für zwei Personen	*for one person/two people*
ein Erwachsener/eine Erwachsene	*an adult*
ein Einzelzimmer	*a single room*
ein Doppelzimmer	*a double room*
ein Zweibettzimmer	*a twin room*
ein Dreibettzimmer	*a triple room*

mit Dusche	*with a shower*
mit Bad	*with a bathroom*
mit Balkon	*with a balcony*
mit Meeresblick	*with a sea view*
mit Klimaanlage	*with air conditioning*
mit Internetzugang	*with Internet connection*
die Vollpension	*full board*
die Halbpension	*half board*
der Preis	*the price/rate*
im Preis inbegriffen	*included in the price*
der Gast	*the guest*
der Empfangschef	*receptionist (male)*
die Empfangsdame	*receptionist (female)*
der Schlüssel	*key*
einchecken	*to check in*
auschecken	*to check out*
das Zimmer verlassen	*to leave the room*

Übung 3

Setze die Dialoge in die richtige Reihenfolge! Write out the conversations in the correct order.

A.

7 Auf Wiedersehen!

5 Nein, es tut mir sehr leid. Wir sind völlig ausgebucht.

1 Guten Abend!

3 Für heute Abend?

6 Ach, das ist schade. Danke trotzdem. Auf Wiedersehen!

4 Ja, für heute Abend. Für mich und meine Frau.

2 Guten Abend! Haben Sie Zimmer frei?

(1) Guten Abend! _____

(2) _____

(3) _____

(4) _____

(5) _____

(6) _____

(7) _____

B.

9. Ja, das Frühstück ist inklusive.

7. Das Doppelzimmer kostet 80 € und das Zweibettzimmer kostet 75 €.

1. – Guten Morgen! Kann ich Ihnen helfen?

3. – Für wie viele Personen?

10. Gut. Ich nehme die Zimmer.

5. – Ja, wir haben ein Doppelzimmer und ein Zweibettzimmer frei.

2. – Guten Morgen! Haben Sie Zimmer frei?

6. – Ein Doppelzimmer und ein Zweibettzimmer. Das ist prima. Was kosten die Zimmer?

8. – Ist das Frühstück inklusive?

4. – Wir sind vier Personen. Zwei Erwachsene und zwei Kinder.

(1) Guten Morgen! Kann ich Ihnen helfen? _____

(2) _____

(3) _____

(4) _____

(5) _____

(6) _____

(7) _____

(8) _____

(9) _____

(10) _____

Übung 4

Übersetze ins Deutsche! Translate the following into German.

1. Have you any vacancies?

   _____

2. I would like to make a reservation.

   _____

3. I would like to reserve a double room.

   _____

4. I would like to reserve a single room with a shower.

   _____

5. We would like to stay from the 13th to the 17th of June.

   _____

6. I would like a double room with a sea view and air conditioning.

   _____

7. Is breakfast included in the price?

   _____

8. My name is Sara Tannenbaum and I'd like to check out please.

   _____

Das Hotel liegt...

am Meer

in den Bergen

im Stadtzentrum

mitten im Wald

auf dem Land

in einem Skigebiet

Zum Lesen
Postkarten aus dem Urlaub

Teacher's CD2 Tracks 88–90

(1)   Carolina, den 23. Juni

Liebe Tante Anna!
Mit meinen Freundinnen Kati und Steffi
verbringe ich eine Woche hier in Kroatien.
Das Wetter ist herrlich, und unser
Hotel ist wunderschön. Es liegt direkt
am Meer. Jeden Tag gehen wir baden, und
abends gehen wir in die Disco. Kroatien
ist wirklich eine Reise wert!
Bis bald,
deine Andrea

(2)   Paris, den 19. März

Lieber Marcus!
Wir machen eine Klassenfahrt hier in Paris! Die Stadt
ist affengeil! Wir haben schon das Schloss in Versailles
besichtigt, und heute Abend besuchen wir den
Eiffelturm. Unser Hotel liegt nicht weit davon. Ich habe
noch nie in einem Hotel gewohnt. Es ist cool! Ich teile
ein Vierbettzimmer mit drei Jungs aus meiner Klasse.
Es macht total Spaß! Das Frühstück ist klasse! Wir
essen Croissants und trinken heiße Schokolade. Ich
lebe wie Gott in Frankreich!! Warst du schon in Paris?
Viele Grüße
Dein Rory

(3)   Anthering, den 17. August

Liebe Charlotte!
Ich mache einen Wanderurlaub
hier in Österreich. Ich bin mit
meinen Eltern und meinem Bruder
hier. Unser Hotel ist sehr schön. Es
liegt mitten im Wald in Anthering,
nicht weit von Salzburg. Ich habe
ein Zimmer mit einem kleinen
Balkon. Abends ist es ein bisschen
gruselig, aber sonst bin ich gerne
hier!
Liebe Grüße
Deine Sinead

Ferianlager - Holiday resort

Übung 5

Eine Postkarte. Jetzt bist du dran! Du machst einen Skiurlaub in Deutschland. Schreibe eine Postkarte an Julius (deinen Brieffreund)!

Leseverständnis
Das Steigenberger Hotel in Hamburg

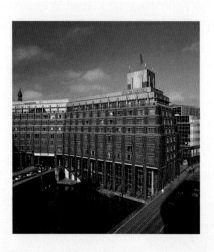

– Das Steigenberger Hotel ist ein elegantes Hotel im Zentrum von Hamburg. Das Hotel befindet sich in der Nähe des Rathauses und ist nur 200 Meter von Europas größter Einkaufspassage entfernt. Der Hafen und die Alster sind 700 Meter entfernt. Der Flughafen Hamburg ist 8,5 Kilometer entfernt, ca. 25 Minuten Fahrzeit.

– Das zehnstöckige Hotel verfügt über 234 helle, moderne, klimatisierte Zimmer mit weiß gestrichenen Wänden, großen Fenstern, farbenfrohen Stoffen und modernen Möbeln mit schwarzen Zierleisten.

– Die Badezimmer sind mit Telefon, kostenlosen Pflegeartikeln und Fön ausgestattet.
– Alle Zimmer verfügen über Kabelfernsehen, Pay-TV, Telefon mit Anrufbeantworter, Computer- und Faxanschlüsse, Safe, Minibar und W-LAN.
– Nach dem Frühstücksbuffet, das im Hotelrestaurant serviert wird, können Gäste in der Lobby bei einem Kaffee einen Blick in die kostenlos ausliegenden Zeitungen werfen oder den kostenlosen kabellosen Internetzugang zum Planen von Besichtigungstouren nutzen und sich vom Concierge beraten lassen.
– Das Hotel bietet zwei Restaurants und eine bei schönem Wetter geöffnete Terrasse. Im Hauptrestaurant werden europäisch-asiatische Kreationen serviert; im Licht durchfluteten Bistro stehen regionale Spezialitäten auf der Karte.
– Für Tagungen stehen Konferenzräume von 40 bis 265 Quadratmeter, Sekretariat und Limousinenservice zur Verfügung.
– Zum Hotel gehört eine gesicherte Tiefgarage mit Parkservice (15 EUR pro Tag).

Übung 6

Antworte auf Englisch! Answer the following questions in English.

1. Give any three details regarding where the hotel is located. *- 200 meters from biggest shopping street.*

   - & town hall

2. How many floors are in the hotel?

3. Give any two details describing the rooms in the hotel.

4. Every bathroom has its own phone and hairdryer. True or false?

5. After breakfast what can guests do?

6. How many restaurants are in the hotel?

7. What types of food are served in each of the restaurants?

8. Name two facilities that are available for conferences (*Tagungen*).

Hörverständnis 2 | Student's CD Tracks 32–36 | Teacher's CD2 Tracks 91–92 | Teacher's CD3 Tracks 1–3

Mein Lieblingshotel

Hör gut zu! Listen carefully and fill in the details for each hotel.

	Favourite hotel	Where	Why	Room price	Contact details
Frau Hirsch			rooms are lovely big beds are	€222	0711 2
Sebastian	New Yor	New York Time square	festeround	€160- €220	mar eott
Angelika			resetr		www .de 0 72 7134 6600
Arno					
Doris					

Leseverständnis
Brief an ein Hotel

Teacher's CD3 Track 4

Marianne Thynne
13 Church Drive
Naas
Co. Kildare
Irland

Naas, den 14. Februar

Hotel Beethoven
Hamburger Allee 35
60486 Frankfurt am Main
Deutschland

Sehr geehrte Damen und Herren!

Ich möchte vom 25. bis zum 28. März ein Einzelzimmer mit
Dusche reservieren. Haben Sie für diese Zeit noch Zimmer frei?
Ich sehe auf Ihrer Homepage, dass ein Einzelzimmer 45 € kostet.
Ist das Frühstück inklusive?
Könnten Sie bitte die Reservierung bestätigen?
Ich freue mich auf eine baldige Antwort.

Mit freundlichen Grüßen

Marianne Thynne

Übung 7

Antworte auf Englisch! Answer the following questions in English.

1. In which city is the Hotel Beethoven located?
2. What type of room is Ms Thynne hoping to book?
3. Where did she read that a room costs €45?
4. Give details of **two** of the questions she asks.

Formal Notes/Letters

Sehr geehrte Damen und Herren	*Dear Sir or Madam*
Ich möchte...reservieren.	*I'd like to reserve...*
Wir möchten...reservieren.	*We'd like to reserve...*
Könnten Sie + infinitive	*Could you...?*
Würden Sie + infinitive	*Would you...?*
Ich hätte gern...	*I'd like...*
Wir hätten gern...	*We would like...*
Ich bitte um die Reservierung eines Doppelzimmers.	*I wish to reserve a double room.*
Wir sind vier Personen.	*There are four of us.*
Ich freue mich auf eine baldige Antwort.	*Looking forward to a speedy reply.*
Mit freundlichen Grüßen	*Yours sincerely*
Ich komme am 5. Oktober an.	*I'm arriving on the 5th of October.*
Ich reise am 10. Oktober ab.	*I'm leaving on the 10th of October.*
eine Anzahlung	*a deposit*
eine Ermäßigung	*a reduction*
die Reservierung bestätigen	*to confirm the reservation*
eine Preisliste schicken	*to send a price list*
eine/einige Broschüre (-n) schicken	*to send a brochure/a few brochures*
Auskunft über	*information on...*
Ich möchte bei Ihnen eine Übernachtung buchen.	*I'd like to book a night's accommodation with you.*
zwei Übernachtungen	*two nights' accommodation*
umbuchen	*to change the dates of my stay*
die Buchung stornieren	*to cancel the booking*

Übung 8

Schreibe an ein Hotel! Write out the following short notes in German in your copybook.

Note 1

You and your family are planning to spend a weekend in Berlin, in June. Write to the Hotel Ambassador, Kurfürstendamm 112, 10707 Berlin, and include the following points in your correspondence:

- say you and your family would like to book two nights' accommodation.

– give details of how many people there are in your family and the types of rooms you require.

– give the dates of your stay.

– ask them to send you confirmation of the reservation.

Note 2

You and your class are travelling to Aachen for a weekend in December to go to the Christmas market (der Weihnachtsmarkt). Your teacher has asked you to write to the hotel. The address is Agon Hotel, Peterstr. 26, 52062 Aachen. In your letter:

– say that unfortunately you have to change the dates of your booking.

– you are now arriving on the 11th December and departing on the 14th.

– ask them to send you some brochures and details of the Christmas market.

– ask them to confirm the new reservation.

– thank them in advance.

Stimmt was nicht?

Das Bett ist unbequem.

Es ist zu laut.

Die Bedienung ist unhöflich.

Das Zimmer ist dreckig.

Das Fenster geht zur Straße.

Die Dusche ist kalt.

Habe ich etwas vergessen?

Ich habe _____ im Zimmer gelassen.

meinen Reisepass

meinen Fotoapparat

meine Handtasche

meine Brieftasche

meine Uhr

mein Gebiss

Hörverständnis 3

Teacher's CD3 Tracks 5–9

Hör gut zu! Listen carefully and fill in the details.

	Items left behind	Name	Contact details
Caller 1	reading glasses	cleaning lady 305	
Caller 2			(0043 316)
Caller 3	arm band		(0174)
Caller 4	fotoapparat		
Caller 5			(05151)

wartfoll
wartfoll

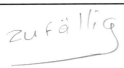
zufällig

fühere shine –

3. It is not allowed to either prepare or eat food in the dormitories.

_____

4. Smoking is only permitted in certain designated areas of the youth hostel.

_____

5. Animals are not allowed.

_____

Leseverständnis
Preisliste

	Junioren (bis 26 Jahre)	**27plus** (ab 27 Jahren)
Übernachtung mit Frühstück 1. Nacht	22,30 €	25,30 €
Übernachtung mit Frühstück jede weitere Nacht	19,00 €	22,00 €
Halbpension 1. Nacht	26,80 €	29,80 €
Halbpension jede weitere Nacht	23,70 €	26,70 €
Vollpension 1. Nacht	30,70 €	33,70 €
Vollpension jede weitere Nacht (bis zu 3 ÜN)	26,90 €	29,90 €
Vollpension jede weitere Nacht (mehr als 3 ÜN)	25,10 €	28,10 €

Übung 12

Antworte auf Englisch! Answer the following questions in English.

1. How much is one night's accommodation with breakfast for a 30-year-old couple?

2. How much does it cost for a group of four teenagers to stay in the hostel for three nights on a half-board basis?

3. Herr Hasselhof has been staying for three nights on a half-board basis. His flight has been delayed and so he will now stay one more night. How much will that extra night cost him?

4. Beate, a 21-year-old student, would like to stay a week at the hostel on a full board basis. How much will the week cost her?

Das schwarze Brett

Fahrrad zu verkaufen. Herrenrad. Guter Zustand. Ein Jahr alt. Fährt sehr gut. 80 €. Tel. Nr. 0172/1278903

Ein gebrauchtes Mädchenfahrrad zu verschenken! Ich fahre nach Amerika, und brauche es nicht mehr! Bitte an Kati im Zimmer 12 wenden!

Gitarre gesucht! Ich möchte Gitarre lernen, habe aber keine! Ich kann bis zu 50 € dafür bezahlen. Ich heiße Tim und bin im Zimmer 24.

Schönes möbiliertes Zimmer im Stadtzentrum zu vermieten. 180 €, alles inklusive. Nichtraucher bitte. Tel. Nr. 0172/3489012.

Möchtest du dein Englisch verbessern? Ich heiße Brian und komme aus Irland. Ich gebe Nachhilfe in Englisch. Eine Stunde kostet 15 €. Sehr preiswert! Ich bin in Zimmer 30.

Landeskunde

Very often at German youth hostels, campsites and, in particular, at universities you see notice boards (*das schwarze Brett*) selling/looking for items. This is a great way to find accommodation, or a bicycle, or furniture or even information about classes and activities being organised in the area.

Hörverständnis 4

Teacher's CD3 Track 11

Hör gut zu! Jörg and Silke are looking at the notices in the youth hostel. Listen carefully and answer the following questions in English.

1.	How much is the bicycle that is for sale?	
2.	What item is being given away?	
3.	When is the International Food party?	
4.	How much is the rent in the apartment?	
5.	What is the telephone number they take down?	(0174) _____

Übung 13

Jetzt bist du dran! You and a friend have just arrived in Germany and are staying in the youth hostel for two weeks. You would like to meet some young people who would be interested in going on a cycling trip along the Rhine with you. Put up a notice.

- saying who you are and where you are from.
- saying that you would like to go on a cycling trip from Heidelberg to Rüdesheim.
- say when you intend to leave and when you hope to return.
- ask them to contact you in Room 17 if they are interested.

Auf dem Campingplatz

Leseverständnis

Teacher's CD3 Track 12

Tina und Hanna machen eine Radtour am Rhein entlang. Sie beschließen, auf einem Campingplatz zu zelten.

Campingplatzwart:	Guten Tag!
Tina:	Guten Tag! Haben Sie noch Plätze frei?
Campingplatzwart:	Ja, wie lange wollt ihr denn bleiben?
Tina:	Drei Nächte, wenn es geht.
Campingplatzwart:	Ich weiß nicht. Es ist Hochsaison, und diese Woche kommt eine Schulgruppe aus Kiel. Schauen wir nach! Ja, das geht eigentlich, aber nur die drei Nächte.
Hanna:	Prima! Was kostet eine Übernachtung für zwei Schüler und Platz für ein Zelt?
Campingplatzwart:	Das kostet vierzehn Euro achtzig pro Nacht. Also, vierundvierzig Euro vierzig insgesamt.
Hanna:	Wo können wir unser Zelt aufbauen?
Campingplatzwart:	Ihr habt Stellplatz Nummer 23.
Tina:	Könnten wir auch duschen?
Campingplatzwart:	Ja, die Duschen befinden sich hier hinter dem Kiosk. Einmal duschen kostet einen Euro. Habt ihr Euro-Münzen?
Hanna:	Ja, danke. Ich glaube, das wäre es. Vielen Dank.
Campingplatzwart:	Gerne. Tschüss!
Tina:	Tschüss! Bis später!

Übung 14

Antworte auf Englisch! Answer the following questions in English.

1. How many nights do the girls want to stay?
2. Why might there not be vacancies for these nights?
3. What is the total cost of their stay?
4. How much is a shower?
5. What does the campsite warden ask if they have?

Übung 15

Wiederholung: Akkusativ. Ergänze! Complete the following by putting in the correct **indefinite article** (*einen, eine, ein*) or **negative article** (*keinen, keine, kein*) in the accusative case.

Wir machen einen camping wlaus.

Beispiel: Ich habe **eine** Luftmatratze.

1.   Hast du _____ Taschenlampe?

2.   Nein, ich habe leider _____ Taschenlampe.

3.   Wir haben _____ großes Zelt.

4.   Er hat _____ schönen warmen Schlafsack.

5.   Habt ihr _____ Kochtopf?

6.   Ja, wir haben _____ Kochtopf, aber wir haben _____ Campinggas.

7.   Ich habe _____ sehr teures Taschenmesser.

8.   Habt ihr _____ Wohnwagen oder _____ Wohnmobil?

9.   Siehst du _____ Abfalleimer irgendwo?

10.   Nein, ich sehe _____ Abfalleimer.

Leseverständnis

Campingplatz am Rhein

Herzlich Willkommen auf dem Campingplatz am Rhein. Wir, die Familie Müller, freuen uns, Sie auf unserem Platz begrüßen zu dürfen!

Preisliste	EUR
Erwachsene	5,10
Kinder bis 14 Jahre	3,20
Zelt	4,60 – 5,00
Wohnwagen	5,00
Vorzelt	1,50
Auto	3,90
Motorrad/Moped	3,00
Wohnmobil	8,00 – 9,20
Boot/Kanu	1,30
Gepäckwagen	1,90
Strom pro Nacht	2,90
Duschen (ca. 5 Minuten)	1,00
Müll/Einheit	1,30
Hund	3,00
Besucher	1,50

Wortschatz

Das Kaufhaus	the department store		
die Damenbekleidung	*ladies' fashions*	der Etagenplan	*the floor plan*
die Damenmode	*ladies' fashions*	die Rolltreppe	*the escalator*
die Herrenbekleidung	*gents' fashions*	der Aufzug	*the lift*
die Herrenmode	*gents' fashions*	das Erdgeschoss	*ground floor*
die Kinderbekleidung	*children's fashions*	das Parterre	*ground floor*
die Lebensmittel	*groceries*	der Stock	*floor/level*
die Schreibwaren	*stationery*	im ersten Stock	*on the first floor*
die Schuhe	*shoes*	das Stockwerk	*floor*
die Geschenkartikel	*gifts*	die Etage	*floor/level*
die Uhren	*watches*	eine Etage weiter	*one floor up*
der Schmuck	*jewellery*	das Obergeschoss	*upper floor*
die Bademoden	*swimwear*	im zweiten Obergeschoss	*on the second floor*
die Sportabteilung	*sports department*	das Untergeschoss	*basement*
die Spielwaren	*toy department*	im zweiten Untergeschoss	*two levels down*
die Lederwaren	*leather goods*	der Sommerschlussverkauf	*summer sales*
das Reisebüro	*travel agent*	der Winterschlussverkauf	*winter sales*
die Elektrogeräte	*electrical appliances*		
die Haushaltswaren	*household department*		
die Technikabteilung	*technology department*		
die Süßwaren	*sweets and confectionery*		

Hörverständnis 1

Teacher's CD3 Tracks 18–22

Hör gut zu! Listen carefully and circle where each customer wishes to go. The first one is done for you.

1. Gents' fashions   Children's fashions   Shoes   (Watches)

2. Sports dept.   Sweets   Jewellery   Stationery

3. Swimwear   Toys   Books   Elevator

4. Electrical appliances   Travel Agent   Groceries   Gifts

5. Ladies' fashions   Restaurant   Technology   Leather goods

> **Gehen Sie…**
>
> *in den* zweiten Stock
> *in die* erste Etage
> *zur* ….abteilung

> **… befindet sich** (sg)/**befinden sich** (pl)
>
> *im* zweiten Stock
> *in der* ersten Etage
> *in der* ….abteilung

Übung 3

Setze die Dialoge in die richtige Reihenfolge! Arrange the following dialogue.

A.

- Vielen Dank.

- Damenschuhe, bitte.

- Gern geschehen.

- Herren- oder Damenschuhe?

- Ich suche die Schuhabteilung.

- Könnten Sie mir bitte helfen?

- Die Damenschuhe befinden sich im ersten Obergeschoss.

- Ja, natürlich. Was suchen Sie?

1) _____

2) _____

3) _____

4) _____

5) _____

6) _____

7) _____

8) _____

Übung 5

Now write out the 14 words and their meanings in English.

1. _____
2. _____
3. _____
4. _____
5. _____
6. _____
7. _____

8. _____
9. _____
10. _____
11. _____
12. _____
13. _____
14. _____

Landeskunde

German Clothes Sizes
German clothes sizes differ from British/Irish and standard European sizes.

Ladies

German sizes	34	36	38	40	42	44	46
British sizes	8	10	12	14	16	18	20

Men's

German sizes	44	46	48	50	52	54	56
British sizes	34	36	38	40	42	44	46

Men's shirt sizes

German sizes	36	37	38	39	40	41	42	43	44	45
British sizes	14	14,5	15	15,5	15,75	16	16,5	17	17,5	18

Zum Lesen

Teacher's CD3 Tracks 28–30

Im Kaufhaus

Dialog 1

Kundin:	Guten Tag!
Verkäuferin:	Guten Tag! Kann ich Ihnen helfen?
Kundin:	Nein, danke. Ich möchte mich nur umsehen.
Verkäuferin:	Alles klar.

Dialog 2

Mr Michael O'Brien ist Geschäftsmann. Er und seine Frau verbringen drei Tage in München, weil er an einer Konferenz teilnimmt. Er beschließt, einen neuen Anzug zu kaufen.

Mr O'Brien:	Guten Tag!
Verkäufer:	Guten Tag! Kann ich Ihnen behilflich sein?
Mr O'Brien:	Ja, ich möchte einen neuen Anzug kaufen.
Verkäufer:	In welcher Farbe?
Mr O'Brien:	In Dunkelgrau.
Verkäufer:	Wir haben diesen schönen Nadelstreifenanzug.
Mr O'Brien:	Ja, der gefällt mir.
Verkäufer:	Welche Größe haben Sie?
Mr O'Brien:	In Irland habe ich Größe 38.
Verkäufer:	Das wäre dann Größe 48 hier in Deutschland. So, bitte schön. Möchten Sie ihn anprobieren?
Mr O'Brien:	Ja, bitte.
Verkäufer:	Der Ankleideraum ist direkt neben der Kasse.
Mr O'Brien:	Danke sehr.

(Ein paar Minuten später.)

Verkäufer:	Wie steht Ihnen der Anzug?
Mr O'Brien:	Der steht mir gut. Ich nehme ihn.
Verkäufer:	Sonst noch einen Wunsch?
Mr O'Brien:	Ja, ich brauche ein Hemd, das dazu passt.
Verkäufer:	Was ist Ihre Kragenweite?

Mr O'Brien: In Irland ist meine Kragenweite 15.

Verkäufer: Dann brauchen Sie Größe 38. Wie wäre es mit diesem weißen Hemd?

Mr O'Brien: Perfekt.

Verkäufer: Sonst noch etwas?

Mr O'Brien: Nein. Das ist alles. Danke schön.

Verkäufer: Ich bringe Ihnen alles zur Kasse.

Dialog 3

Seine Frau, Mrs Hazel O'Brien, ist in der Damenbekleidung.

Verkäuferin: Guten Tag! Kann ich Ihnen helfen?

Mrs O'Brien: Guten Tag! Ja, ich gehe heute Abend essen, und ich möchte ein schickes Kleid kaufen.

Verkäuferin: Wir haben hier viele schöne Kleider. Hier finden Sie bestimmt was. Möchten Sie ein kurzes oder ein langes Kleid?

Mrs O'Brien: Ein kurzes, aber nicht zu kurz.

Verkäuferin: Welche Größe brauchen Sie?

Mrs O'Brien: Ich brauche die britische Größe 10.

Verkäuferin: Das ist dann Größe 36. Möchten Sie ein Kleid mit langen oder kurzen Ärmeln?

Mrs O'Brien: Mit kurzen, bitte. Am liebsten hätte ich ein Kleid In Schwarz.

Verkäuferin: In Schwarz. Ja, dieses wäre vielleicht etwas für Sie.

Mrs O'Brien: Wie elegant! Ja, dieses Kleid gefällt mir sehr. Was kostet es?

Verkäuferin: Es kostet 69,90 €.

Mrs O'Brien: Das ist sehr preiswert. Darf ich es anprobieren?

Verkäuferin: Selbstverständlich. Sie finden eine Kabine hier vorne.

Mrs O'Brien: Danke.

Verkäuferin: So, passt es?

Mrs O'Brien: Ja. Ich nehme es.

Verkäuferin: Kommen Sie also bitte zur Kasse!

Übung 6

Wie heißt das auf Deutsch? Write the German for the following expressions.

1.	I'm just looking.	
2.	In which colour?	
3.	Would you like to try it on?	
4.	The changing room is just beside the till.	
5.	I need a shirt that goes with it.	
6.	I'd like to buy an elegant dress.	
7.	Would you like a dress with long or short sleeves?	
8.	I like this dress a lot.	
9.	That's very good value.	
10.	May I try it on?	

Schwerpunkt Grammatik   Adjektivendungen (1)

Adjectival endings

In *Viel Spaß! 1*, when introducing adjectives, it was explained that adjectives may come **after the verb** or **before the noun**.

For adjectives coming *after the verb*, there is no adjectival ending added.
For example:

Mein Mantel ist **blau**.   *My coat is blue.*

Meine Krawatte ist **blau**.   *My tie is blue.*

However, for adjectives **before the noun**, an adjectival ending is added.
For example:

Ich habe einen blau**en** Mantel.   *I have a blue coat.*

Ich habe eine blau**e** Krawatte.   *I have a blue tie.*

[Note the following **exceptions**:

* There are some colours that do not require adjectival endings, such as *lila* and *rosa*.

    For example: Ich habe eine lila Bluse./Er hat ein lila Hemd.

** dunkel drops its 'e' before the ending is added.

    For example: Ich trage einen dunklen Rock./Er trägt ein dunkles Hemd.]

When learning how to apply adjectival endings, you need to consider four points:

1)   Is there **an indefinite article** (*an 'ein' word*) or **a definite article** (*a 'der' word*) or neither coming before the adjective?

2)   Is the noun **singular** or **plural**?

3)   If the noun is singular, is it **masculine**, **feminine** or **neuter**?

4)   What **case** (*Nominativ, Akkusativ, Dativ* or *Genitiv*) is the noun in?

Firstly, we will examine adjectives used with **an indefinite article**.

The indefinite article table   Adjective endings for the indefinite article table

	m	*f*	*n*	*pl*
Nom.	ein	eine	ein	–
Akk.	einen	eine	ein	–
Dat.	einem	einer	einem	–

	m	*f*	*n*	*pl*
Nom.	-er	-e	-es	–
Akk.	-en	-e	-es	–
Dat.	-en	-en	-en	–

If we take the sentence, 'A young man comes into the shop.'

•   *young* is the adjective.

•   *man* is the noun.

man is singular, masculine and nominative. Therefore, the adjective is singular, masculine and nominative.

Therefore, in German, this sentence would be: Ein jung**er** Mann kommt ins Geschäft.

	m	*f*	*n*	*pl*
Nom.	ein	eine	ein	–

	m	*f*	*n*	*pl*
Nom.	-er	-e	-es	–

[Note: the **negative** (kein) and the **possessive adjective table** (mein/dein etc.) will also follow this pattern.]

Possessive adjective table

	m	*f*	*n*	*pl*
Nom.	mein	meine	mein	meine
Akk.	meinen	meine	mein	meine
Dat.	meinem	meiner	meinem	mienen

Adjective endings for kein/mein/dein

	m	*f*	*n*	*pl*
Nom.	**-er**	**-e**	**-es**	-en
Akk.	-en	**-e**	**-es**	-en
Dat.	-en	-en	-en	-en

Übung 7

Ergänze! Complete the following by adding the correct adjectival ending.

A) Nominativ

1. Ein groß_____ Kaufhaus ist gleich um die Ecke.
2. Ein neu_____ Kostüm von Calvin Klein kostet viel Geld.
3. Meine blau____ Turnschuhe sind sehr bequem.
4. Mein braun_____ Wintermantel passt mir gut.
5. Gefallen dir deine schwarz____ Schuhe?
6. Meine grün____ Jacke ist jetzt zu klein.
7. Ein grau____ Hemd ist schwer zu finden.

B) Akkusativ

1. Ich habe ein schön_____ Kleid gekauft.
2. Herr Wendt sucht einen neu____ warm____ Pullover.*
3. Marie kauft sich ein schick____ Kostüm für das Vorstellungsgespräch.
4. Ich habe keine rot____ Handschuhe bei Kaufhof gefunden.
5. Mutti, siehst du meinen hellblau____ Schal?
6. Ralf sucht einen braun____ gestreift____ Anzug.
7. Jens sucht seine weiß____ Sportsocken.

> ***Where there are two adjectives before the noun, the same adjectival endings are added to both.**

C) Dativ

1. Der Dieb trug einen dunklen Anzug mit einem kariert____ Hemd.

2. Das dunkelblaue Sakko passt gut zu deiner grau____ Hose.

3. Herr Tiemann sucht eine Krawatte, die zu seinem neu___ braun___ Anzug passt.

Übung 8

Was trägst du heute?

Zum Beispiel:

Ich trage ein weißes Polohemd, einen dunkelbraunen Pulli, eine Jeans und braune Schuhe.

Du? _____

_____

Beschreibe deine Lieblingsklamotten!

_____

_____

Hörverständnis 3

Teacher's CD3 Track 31

Hör gut zu! Listen carefully to each person describing what he/she is wearing. Then write in from 1–6 which person is speaking in the box beside the relevant image

A.   B.   C.

D. E. F.

Übung 9

Male das Bild unten aus! Colour in the picture below. Describe in German what each person is wearing.

Zum Lesen

1. Florian

Was trägst du in der Schule?	Ich trage normale Straßenkleidung in der Schule. Ich trage ein T-Shirt, einen Pulli, eine Hose und Turnschuhe dazu.
Was trägst du in der Disko?	Ich trage coole Kleidung in der Disko.
Was trägst du beim Sport?	Wenn ich Sport mache, trage ich ein T-Shirt, eine kurze Hose und Turnschuhe.
Was trägst du, wenn du auf eine Party gehst?	Ich trage normale Sachen, wie auch an den anderen Tagen.
Was trägst du im Sommer?	Im Sommer trage ich leichte Klamotten. Ich trage eine kurze luftige Hose, ein luftiges kühles Shirt und Turnschuhe oder Flip-Flops.
Was trägst du im Winter?	Ich trage einen dicken Pulli, eine lange Hose, eine warme Jacke, warme Socken, eine Mütze und Handschuhe.
Was sind deine Lieblingsmarken in Deutschland?	Ich finde Adidas, Nike, Fila und Tom Tailor sehr schön.
Ist Mode wichtig für dich?	Für mich ist die Mode nicht so wichtig wie für andere.

Übung 10

Beantworte die folgenden Fragen auf Englisch! Answer the following questions in English.

1. What does Florian wear to school?

2. What does he wear when playing sport?

3. What does he wear in winter?

4. Is fashion important to him?

2. Stefanie

Was trägst du in der Schule?	Meistens trage ich Jeans und ein Sweatshirt.
Was trägst du in der Disko?	Ich trage ein schickes Top und Jeans. Ich schminke mich, was ich sonst nicht oft tue.
Was trägst du beim Sport?	Ich trage eine Jogginghose, ein T-Shirt und Turnschuhe.
Was trägst du, wenn du auf eine Party gehst?	Ich trage dasselbe wie in der Schule.
Was trägst du im Sommer?	Im Sommer trage ich leichte Klamotten wie T-Shirts und kurze Hosen.
Was trägst du im Winter?	Im Winter trage ich warme Klamotten. Zum Beispiel einen dicken Pullover und eine Steppjacke.
Was sind deine Lieblingsmarken in Deutschland?	Meine Lieblingsmarken sind Esprit, S.Oliver und Kangaroos.
Ist Mode wichtig für dich?	Ja, Mode ist wichtig für mich, denn ich will einen guten Eindruck machen.

Übung 11

Beantworte die folgenden Fragen auf Englisch! Answer the following questions in English.

1. What does Stefanie wear when she is going to a disco?
2. What does she wear in winter?
3. Why is fashion important to her?

Übung 12

Jetzt bist du dran! Turn to the person beside you and fill in the following questions about him/her.

Was trägst du in der Schule?	
Was trägst du in der Disko?	
Was trägst du beim Sport?	
Was trägst du, wenn du auf eine Party gehst?	
Was trägst du im Sommer?	
Was trägst du im Winter?	
Was sind deine Lieblingsmarken?	
Ist Mode wichtig für dich?	

Stimmt was nicht?

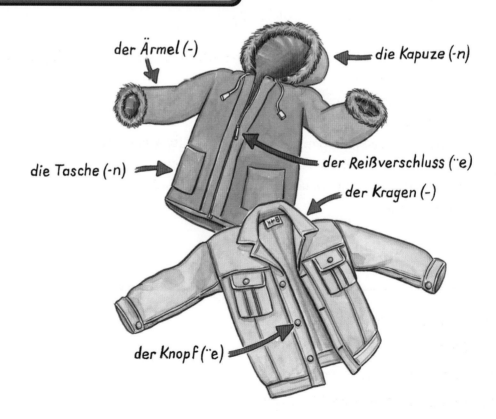

der Ärmel (-)

die Kapuze (-n)

die Tasche (-n)

der Reißverschluss (¨e)

der Kragen (-)

der Knopf (¨e)

Wortschatz
Typische Probleme

Ein Knopf fehlt.	*A button is missing.*
Der Reißverschluss ist kaputt.	*The zip is broken.*
Es gibt einen Riss im Ärmel.	*There is a tear in the arm.*
Die Farben sind ausgelaufen.	*The colours have run.*
Das Hemd hat die Wäsche gefärbt.	*The shirt dyed all the clothes in the wash.*
Der Pullover ist geschrumpft.	*The jumper has shrunk.*
Die Bluse ist mir zu klein/zu groß/	*The blouse is too small/big/narrow/wide*
zu eng/zu breit.	*for me.*
Die Uhr geht/funktioniert nicht mehr.	*The watch isn't working anymore.*
Ich habe mich umentschieden.	*I have changed my mind.*
bestellen	*to order*
nachbestellen	*to re-order*
umtauschen	*to exchange*

Leseverständnis

Teacher's CD3 Track 32

Ein Umtausch

Verkäufer: Guten Tag! Kann ich Ihnen helfen?

Kunde: Ja, ich möchte diese Jacke zurückbringen.

Verkäufer: Was ist das Problem?

Kunde: Ich habe sie gestern gekauft, und erst als ich zu Hause war, habe ich gemerkt, dass zwei Knöpfe fehlen.

Verkäufer: Haben Sie den Kassenbon dabei?

Kunde: Ja, bitte schön.

Verkäufer: Möchten Sie dieselbe Jacke wieder oder lieber Ihr Geld zurück?

Kunde: Ja, ich nehme dieselbe Jacke, wenn Sie eine haben.

Verkäufer: Ja, wir haben bestimmt eine im Lagerraum. Ich hole sie gleich.

Kunde: Danke schön.

Übung 13

1. When did the customer buy the jacket?

2. What did he notice when he got home?

3. What does the sales assistant ask for?

4. What does the customer decide to do?

Leseverständnis

Mit dem Geschäftsleiter sprechen

Teacher's CD3 Track 33

Verkäuferin:	Guten Tag! Kann ich Ihnen behilflich sein?
Kundin:	Ja, ich habe vor einer Woche diese Bluse hier gekauft und die Waschanleitung genau befolgt, nur sind die Farben ausgelaufen. Ich will mein Geld zurück haben, bitte.
Verkäuferin:	Haben Sie den Kassenzettel?
Kundin:	Nein, eben nicht. Den habe ich leider nicht mehr.
Verkäuferin:	Es tut mir leid, aber ohne Kassenzettel kann ich Ihnen nicht helfen.
Kundin:	Aber ich habe doch die Bluse in diesem Geschäft gekauft.
Verkäuferin:	Wie gesagt, wenn Sie den Kassenzettel nicht haben, kann ich nichts tun.
Kundin:	Darf ich bitte den Geschäftsleiter sprechen?
Verkäuferin:	Selbstverständlich.
Der Geschäftsleiter:	Guten Tag! Wie kann ich Ihnen helfen?
Kundin:	Wie ich gerade Ihrer Kollegin erklärt habe, habe ich diese Bluse hier gekauft. Beim Waschen sind die Farben ausgelaufen, und ich will meine vierzig Euro zurück haben. Nur habe ich den Kassenzettel nicht mehr.
Der Geschäftsleiter:	Nur mit einem Kassenzettel kann ich Ihnen das Geld zurückgeben, aber ich könnte Ihnen einen Gutschein im Wert von vierzig Euro geben.
Kundin:	Das Geld wäre mir lieber, aber wenn es denn sein muss…Ich danke Ihnen. Ich nehme den Gutschein.

Übung 14

Beantworte die folgenden Fragen auf Englisch! Answer the following questions in English.

1. When did the customer buy the blouse?

2. What is her complaint?

3. Why can't the shop assistant give her a full refund?

4. What does the manager offer her?

5. What is the customer's final decision?

Hörverständnis 4

Teacher's CD3 Tracks 34–38

Hör gut zu! Listen carefully and answer in English fill in the missing details.

	What is the customer's complaint?	Shop Assistant's offer	Customer's decision
1.	A pocket is torn on the garment.		
2.		A new pair of shoes or a refund.	
3.			To speak to the manager.
4.		To have the watch repaired.	
5.	She bought the wrong size.		

Landeskunde

Probably the best-known footwear from Germany is the range of Birkenstock shoes and sandals. The first Birkenstock shoe was made over 230 years ago. As a company, Birkenstock prides itself on its environmentally friendly manufacturing process and on the fact that all shoes are still 'made in Germany' in one of its ten production plants. While Birkenstock are often worn by doctors, nurses, dentists and others in the medical profession, most Germans wear them as house slippers. Recently, the model Heidi Klum has designed a range for the fashion-conscious. Other famous wearers of the brand include Tom Cruise and Madonna.

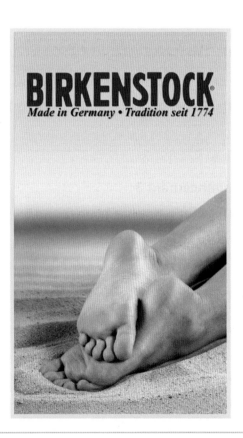

Hörverständnis 5

Teacher's CD3 Tracks 39–41

Eine Durchsage im Kaufhaus. Listen to the following announcements in the department store and answer in English the questions that follow.

Announcement 1

1) What age is the little girl who has been found?

_____

2) What is she wearing? (Give three details)

_____

_____

3) Where can her parents come and collect her?

_____

_____

Announcement 2

1) On what items are there bargains announced?

_____

2) What percentage of a reduction is there on these items?

_____

3) On what floor can these items be found?

_____

Announcement 3

1) A little boy has been found. Describe him. (Give any three details.)

_____

_____

2) Describe what he is wearing. (Any two details.)

_____

_____

3) Where can his parents come to collect him?

_____

_____

Schwerpunkt Grammatik

Adjektivendungen (2)

Adjectival endings with *a definite article.*
The definite article 'der' table

	m	*f*	*n*	*pl*
Nom.	der	die	das	die
Akk.	den	die	das	die
Dat.	dem	der	dem	den

Adjectival Endings for the definite article table

	m	*f*	*n*	*pl*
Nom.	-e	-e	-e	-en
Akk.	-en	-e	-e	-en
Dat.	-en	-en	-en	-en

As with the adjectival endings for the indefinite table, you need to consider whether the noun is:

1) singular or plural.
2) if singular, whether it is masculine, feminine or neuter.
3) what case (*Nominativ, Akkusativ* or *Dativ*) it is in.

For example:
Ich habe die schön**en** braun**en** Stiefel bei Deichmann gekauft.
die Stiefel = plural → The adjectival ending is -en

Übung 15

Ergänze! Complete the following by adding the correct adjectival ending.

A) Nominativ

1. Der braun____ Pullover passt dir gut.

2. Die hellgrün____ Jacke ist sehr altmodisch.

3. Die schwarz____ Stiefel sind sehr teuer.

4. Das weiß____ T-Shirt kostet 7- €.

5. Der dunkelblau____ Mantel ist stark reduziert.

6. Die schwarz____ seidig____ Bluse ist sehr elegant.

7. Das rot____ Trikot ist dreckig.

B) Akkusativ

1. Wo hast du die lustig___ Socken gekauft?

2. Ich habe die warm___ Strümpfe bei Peek und Cloppenburg gekauft.

3. Meine Mutter hat mir das schick___ Polohemd geschenkt.

4. Ich mag den weiß___ Rock, den du bei H&M gekauft hast.

5. Ich finde die blau___ Turnschuhe viel cooler als die grau___.

6. Kaufst du die gestreift___ oder die kariert___ Bluse?

7. Magst du die bunt___ Tops, die jetzt so modisch sind?

C) Dativ

1. Trägst du Socken oder Strümpfe mit den schwarz___ Stiefeln?

2. Dieser Schlips passt sehr gut zum grau__ Anzug.

3. Ich finde die Jacke zum braun___ Kostüm nicht.

4. Ich suche den Gürtel, der zu der schwarz___ Hose passt.

5. Diese Hose passt nicht so gut zum dunkelblau___ Sakko.

Hörverständnis 6 | Student's CD Tracks 37–39 | Teacher's CD3 Tracks 42–44

Hör gut zu! Listen carefully to the following dialogues and answer in English the questions that follow.

Dialogue 1

1. This conversation takes place in:

   a) the toy department.

   b) the sports department.

   c) the shoe department.

   d) the leather goods department.

2. What does the customer buy?

   _____

3. How much does he pay?

   _____

Dialogue 2

1. This customer decides to buy:

   a) a rain jacket.

   b) a ski jacket.

   c) a warm wool jacket.

   d) a denim jacket.

   ☐

2. What size jacket does the woman wish to try on?

   _____

3. What is the problem?

   _____

4. What does the shop assistant suggest?

   _____

Dialogue 3

1. This customer is looking for:

   a) a tie.

   b) a suit.

   c) a shirt.

   d) a pair of trousers.

   ☐

2. How much of a reduction is on this garment?

   _____

3. What price does he actually pay?

   _____

Schwerpunkt Grammatik | Adjektivendungen (3)

Adjective endings where there is neither an *indefinite article* nor a *definite article* in front of the adjective.

	m	*f*	*n*	*pl*
Nom.	-er	-e	-es	-e
Akk.	-en	-e	-es	-e
Dat.	-em	-er	-em	-en

As with the adjectival endings for the indefinite article and definite article tables, you need to consider whether the noun is:
1)   singular or plural.
2)   if singular, whether it is masculine, feminine or neuter.
3)   what case (Nominativ, Akkusativ or Dativ) it is in.

For example:
Ich mag weiß**e** Hemden.   *I like white shirts.*

Übung 16

Ergänze! Complete the following by adding the correct adjectival ending.

1.   Hörst du oft alt__ Musik?
2.   Ich trinke gern heiß__ Schokolade.
3.   Der Bäcker verkauft nur frisch___ Brot.
4.   Schwarz___ Tee schmeckt mir nicht.
5.   Ich trage immer schön__ Jacken.

Zur Hilfe!
die Musik
die Schokolade
das Brot
der Tee

Landeskunde   Dirndl und Tracht

In German-speaking countries, the name given to the traditional costume is **Tracht**. The colours and styles of each costume vary greatly from country to country and even from village to village. In Austria alone, there are more than 250 different *Trachten*.

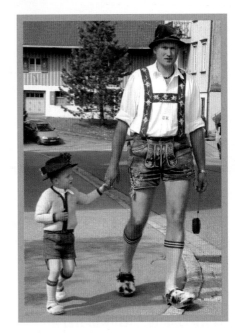

In the south of Germany, the men tend to wear **Lederhosen** (shorts, usually made of suede) and a white shirt. In Austria it tends to be a particular style of jacket, often grey and green.

The traditional dress for women is called a **Dirndl** and each village has its own style. A Dirndl is a pinafore-like dress. A short sleeved white blouse is worn underneath. Dirndls can vary hugely in price with some of the more elaborate designs costing hundreds of euro. In Switzerland, the women tend to wear very ornate skirts over a black dress and a decorative headdress.

Nowadays in most parts of Germany, a *Tracht* is only worn on a festive occasion, such as a Trachtentag or at the Oktoberfest. However, it is not unusual to see Bavarians or Austrians wearing their traditional costumes, particularly women who work in restaurants, hotels and pubs or everyday in the small villages in the countryside.

The British designer Vivienne Westwood once said: "Frauen sollten mehr Dirndl tragen. Das macht sie schöner".

Übung 17

Ein Brief

Regensburg, den 25. November

Liebe Ciara/Lieber Ciarán!

Wie geht's dir? Ich weiß, ich habe dir seit Wochen nicht geschrieben. Entschuldige bitte meine Schreibfaulheit! Ich habe dir viel zu erzählen und natürlich viele Fragen!

Bald ist der Herbst vorbei, und die eiskalten Wintertage kehren zurück. (1)Wann beginnt der Winter in Irland? Wie ist das Wetter im Winter in Irland? Welches ist deine Lieblingsjahreszeit und warum? Meine ist der Frühling, weil die Wiese hinter unserem Haus voller Blumen steht.

Am Samstag gehe ich mit meiner Mutter einkaufen. Ich brauche einen neuen warmen Wintermantel. Ich will mir eine dicke Steppjacke kaufen, in Dunkelbraun. (2) Interessierst du dich für Mode? Hast du eine Lieblingsmarke? Die Marken wie Tommy Hilfiger und Abercrombie and Fitch, sind sehr teuer hier in Deutschland. Wie ist es in Irland? Du hast mir schon erzählt, dass du eine Uniform in der Schule tragen musst, aber was trägst du gern in deiner Freizeit?

Am Sonntag fahren wir zu einem Trachtenfest. Ich werde mein neues Dirdl tragen. (3) Habt ihr Trachtenfeste in Irland? Gibt es eine traditionelle Kleidung für Irland?

Letztes Wochenende war meine Kusine Dorothea bei uns zu Besuch. Wir sind ins Kino gegangen und waren mit der Clique bowlen. Wir haben eine Menge Spaß gehabt. In deinem letzten Brief hast du mir geschrieben, dass du in den Herbstferien ins Konzert gehen wolltest. (4) Wie war das Konzert? Mit wem bist du hingegangen? Hast du dir selbst die Karte gekauft oder war das ein Geschenk? Auch ich gehe sehr gern ins Konzert. In den Weihnachtsferien kommt Justin Timberlake und ich möchte so gerne hin. Das Konzert findet in München statt. Ich finde ihn super!

Ich muss jetzt Schluss machen. Meine Mutter hat gerade von unten gerufen. Das Mittagessen ist fertig, und mir knurrt der Magen! (5) Was isst du gern zu Mittag? Heute gibt es Apfelstrudel zum Nachtisch. Lecker! Was ist dein Lieblingsnachtisch? Gibt's etwas, was du nicht gern isst?

Also, mach's gut! Schreib bald wieder! Du weißt, wie gern ich über dein Leben in Irland lese. Deine Liesel

Suggested marking scheme

CONTENT (27 marks)

Question	Marks Available (26)	Points to be covered	
Start	1	Any appropriate opening sentence	(1)
(1)	6	**Winter**	
		Wann beginnt der Winter in Irland?	(1)
		Wie ist das Wetter im Winter in Irland?	(1, 1)
		Welches ist deine Lieblingsjahreszeit?	(1)
		Warum?	(1)
		Ergänzung/Reaktion	(+1)
(2)	5	**Mode**	
		Interessierst du dich für Mode?	(1)
		Hast du eine Lieblingsmarke?	(1)
		Wie ist es in Irland?	(1)
		Was trägst du gern in deiner Freizeit?	(1)
		Ergänzung/Reaktion	(+1)
(3)	2	**Trachtenfest**	
		Habt ihr Trachtenfeste in Irland?	(1)
		Gibt es eine traditionelle Kleidung für Irland?	(1)
(4)	5	**Konzert**	
		Wie war das Konzert?	(1)
		Mit wem bist du hingegangen?	(1)
		Die Karte: selbst gekauft oder ein Geschenk?	(1)
		Ergänzung/Reaktion	(+1, +1)
(5)	6	**Essen**	
		Was isst du gern zu Mittag?	(1, 1)
		Was ist dein Lieblingsnachtisch?	(1)
		Gibt es etwas, was du nicht gerne isst?	(1)
		Ergänzung/Reaktion	(+1, +1)

| Closing | 1 | Any appropriate closing sentence | (1) |
| | | (Not from pen pal's letter) | |

EXPRESSION (24 marks)

Pay attention to the following when writing your reply:

- Avoid English words
- Spellings
- Word order: **Time+Manner+Place**
  (check that the verb is the second idea in the sentence)
- Verb endings (e.g. *Ich geh**e***)
- Verb tenses: present (eg. *Ich trage*), past (Ich bin gegangen/ich war)

Kapitel 12

Wie lernt man am besten eine Sprache?

Im Englischunterricht

Teacher's CD3 Track 45

Leseverständnis

Katja:	Entschuldigung, Frau Lens. Ich bin von meiner Note in der Englischarbeit sehr enttäuscht. Ich habe so fleißig dafür gelernt.
Frau Lens:	Ja, Katja. Schauen wir mal! Du hast diesmal eine Vier bekommen. Das letzte Mal hast du eine Zwei bekommen. Hast du das Thema richtig verstanden?
Katja:	Ja. Ich kenne mich gut in Grammatik aus. Im Unterricht habe ich alles verstanden. Ich verstehe nicht, was schiefgegangen ist.
Frau Lens:	Ich habe hier notiert, dass dein Englisch nicht sehr natürlich war, dass die Wortstellung eher wie Deutsch war.
Katja:	Und wie kann ich das verbessern?
Frau Lens:	Du könntest mehr englische Bücher lesen. In drei Wochen bekommen wir Ferien. Du könntest dann einen Englischkurs in Großbritannien oder in Irland machen, um dein Englisch aufzubessern.
Katja:	So ein Kurs kostet bestimmt viel Geld, oder?
Frau Lens:	Nicht unbedingt. Ich habe einige Namen von guten Sprachschulen im Ausland, und du kannst mit deinen Eltern darüber reden. Du könntest auch einen Schüleraustausch machen. Die sind ein bisschen billiger. Aber es lohnt sich wirklich, ins Land zu reisen.
Katja:	OK. Ich wäre Ihnen sehr dankbar, Frau Lens. Ich mag Englisch und weiß, es ist auch wichtig, gute Englischkenntnisse zu haben.
Frau Lens:	Da hast du recht, Katja. Komm mit ins Lehrerzimmer, und ich gebe dir die Informationen.
Katja:	Danke, Frau Lens.

Übung 1

Antworte auf Englisch! Answer the following questions in English.

1. Why is Katja disappointed?

2. What grade did she get last time in her test?

3. What was the test on?

4. What was one problem that her teacher explained was wrong with her test?

5. Name two ways that the teacher says she could improve her English.

6. What is Katja's attitude to learning English?

Und du? Wie findest du Deutsch?

_____

Wie lernt man am besten Deutsch?

Im Unterricht hört man gut zu.
lesson

Man fragt, wenn man etwas nicht versteht.

Man schreibt neue Vokabeln in ein
write Vokabelheft.

Man spricht mit seinen Freunden
speek auf Deutsch.

Man findet einen Brieffreund/
eine Brieffreundin in einem
deutschsprachigen Land.

Man macht einen Schüleraustausch.

Man macht einen Sprachkurs.

Man hört sich deutsche Lieder an.

Man liest Bücher auf Deutsch.

Man sieht sich deutsche Filme an.

Übung 2

Wie kann man am besten Deutsch lernen?

Wiederholung: Modalverben. Bilde die Sätze mit dem Modalverb **können**! Rewrite each of the
following sentences using the modal verb **können**. The first one is done for you.

Beispiel:

Im Unterricht hört man gut zu.   ***Im Unterricht kann man gut zuhören.***

1. Man macht einen Sprachkurs.

2. Man hört sich deutsche Lieder an.

3. Man spricht mit seinen Freunden auf Deutsch.

4. Man findet einen Brieffreund/eine Brieffreundin in einem deutschsprachigen Land.

5. Man macht einen Schüleraustausch.

6. Man fragt, wenn man etwas nicht versteht.

7. Man schreibt neue Vokabeln in ein Vokabelheft.

8. Man liest Bücher auf Deutsch.

9. Man sieht sich deutsche Filme an.

Und du? Was denkst du? Wie kann man am besten Deutsch lernen?

Leseverständnis

Teacher's CD3 Tracks 46–49

Wie lernt man am besten eine Fremdsprache?

Veronika

Tag! Ich heiße Veronika. Ich lerne seit drei Jahren Japanisch. Ich denke, man lernt eine Fremdsprache am besten, indem man für ein Jahr oder länger ins jeweilige Land geht. Ich habe vor, ein Jahr in Tokio zu verbringen. Ich weiß, es ist ziemlich weit weg, und ich werde meine Familie vermissen, aber es wird sich lohnen.

Leon

Grüezi! Mein Name ist Leon. Ich lerne mehrere Fremdsprachen. Ich lerne Englisch, Russisch, Französisch und Spanisch. Ich glaube, am schnellsten geht das in einem Kurs. Oder man besorgt sich ein Buch und die passende CD dazu. Man kann auch im Internet suchen, denn dort kann man Redewendungen und Vokabeln finden.

Anna

Hallo! Ich bin Anna. Natürlich ist es das Beste, wenn man in dem Land lebt, dessen Sprache man lernen will. Und dann, wenn man ins Land fährt, sollte man den Kontakt mit seinen eigenen Landsleuten meiden, also man sollte sich zwingen, ausschließlich die Landessprache zu sprechen.

Paolo

Tag! Ich heiße Paolo. Ich lerne Englisch als Fremdsprache in der Schule. Ich glaube, was sehr gut klappt, sind englischsprachige DVDs. Zuerst sollte man den Film auf Deutsch schauen, damit man weiß, worum es geht. Dann, nach ein paar Tagen (damit es nicht zu langweilig wird), den ganzen Film noch einmal auf Englisch mit englischen Untertiteln schauen. Damit kommt man sehr gut in die Sprache rein.

Übung 3

Antworte auf Englisch! Answer the following questions in English.

1. How long has Veronika been learning Japanese?
2. What does she intend to do to improve her Japanese?
3. Why will this be difficult for her?
4. What languages is Leon learning?
5. Name two methods that he recommends for learning a language.
6. What does Anna recommend as the best way to learn a language?
7. What does she say one should avoid doing?
8. Describe Paolo's method for improving his English.

Übung 4

Wie sagt man…? Write down how each of the following is written in German in the above text.

1. What works well…

   _____

2. I intend to spend a year in Tokyo.

   _____

3. One should avoid contact with people from one's own country.

   _____

4. in English with English subtitles

   _____

5. it'll be worth it.

   _____

6. after a few days.

   _____

7. I'm learning several foreign languages.

   _____

Übung 5

Und wie würde man das sagen? Using the expressions and vocabulary in the text, write out the German for the following.

1. I like German language films.

   _____

2. I watch the entire film again in German with German subtitles.

   _____

3. I have been learning German for three years.

   _____

4. I intend to spend a month in Germany.

_____

5. One should force oneself to speak in German.

_____

Hörverständnis 1   Teacher's CD3 Tracks 50–51

Hör gut zu! Listen carefully and complete the following grid in English.

	Language(s) he/she is learning	For how long?	Best way to learn the language
Heidi			
Ulf			

Leseverständnis   Teacher's CD3 Track 52

Was machst du in der Deutschstunde? Kara beschreibt eine typische Woche in der Schule.

Heute ist Montag, und wir haben in der dritten Stunde Deutsch. Meine Deutschlehrerin heißt Frau Murphy. Sie ist Irin, hat aber jahrelang in Deutschland gelebt. Ihre Deutschstunden sind immer sehr abwechslungsreich. Als Hausaufgaben fürs Wochenende haben wir einen Text über München gelesen. Wir haben Fragen dazu beantwortet. Ich habe auch viele Wörter im Wörterbuch nachgeschaut und sie dann in mein Vokabelheft geschrieben. Heute im Unterricht korrigiert Frau Murphy die Hausaufgaben, und dann hören wir eine CD an. Das ist immer interessant.

Ballina, den 13. Ma

Liebe Jutta, vielen Dank für

Dienstags schreiben wir immer einen Brief. Wir bereiten den Brief als Hausaufgabe vor. Manchmal, wenn der Brief schwierig ist, hilft uns Frau Murphy, indem sie uns Vokabeln und schöne Ausdrücke gibt. Ich finde, wir lernen viel, wenn wir Briefe schreiben. Frau Murphy sammelt die Hefte ein. Als Hausaufgaben müssen wir ein paar Seiten in unserem Lehrbuch lesen und die Übungen machen.

Mittwochs korrigiert Frau Murphy die Hausaufgaben. Sie fragt immer, „Wer möchte die Frage beantworten?" oder „Wer möchte lesen?", denn meistens spricht sie im Unterricht Deutsch. Am Anfang war das schwierig, aber jetzt finde ich das ganz normal.

Donnerstags haben wir keine Deutschstunde. Freitags bekommen wir die Briefe zurück. Als Hausaufgaben müssen wir die Briefe diesmal ohne Fehler schreiben, denn Frau Murphy korrigiert die Fehler in unserem Heft. Freitags sprechen wir oft über die Kultur in Deutschland. Manchmal zeigt Frau Murphy uns ein Video, und wenn wir Glück haben, bringt sie deutsches Essen oder Kekse in den Unterricht. Ich langweile mich nie im Deutschunterricht!

Übung 6

Ergänze! Fill in the details of what Kara does in a typical week in German class.

Monday	
Tuesday	
Wednesday	
Thursday	
Friday	

Wortschatz
In der Deutschstunde/Im Sprachkurs

Deutsch sprechen	*to speak German*
Fragen beantworten	*to answer questions*
Texte lesen	*to read passages*
Kassetten anhören	*to listen to tapes*
Briefe schreiben	*to write letters*
wiederholen	*to revise*
ein Video/einen Film zeigen	*to show a video/film*
Gedichte lesen	*to read poems*

Aufsätze schreiben	*to write essays*
über die Kultur lernen	*to learn about the culture*
über die Sitten und Gebräuche lernen	*to learn about the habits and customs*
deutsche Lieder singen	*to sing German songs*
Fehler korrigieren	*to correct mistakes*
im Wörterbuch nachschauen	*to look up words in a dictionary*
Gruppen bilden	*to form groups*
die mündliche Prüfung	*the oral exam*
das Leseverständnis	*the reading comprehension*
das Hörverständnis	*the listening comprehension*
die schriftliche Produktion	*the written production*
auswendig lernen	*to learn off by heart*

Wortstellung - word order.

Und du? Was machst du in der Deutschstunde?

_____

_____

Übung 7

Wiederholung: Das Perfekt. Was hast du gestern im Deutschunterricht gemacht?
What did you do yesterday in your German class?

Beispiel: einen Text lesen: Wir haben einen Text gelesen.

1. Deutsch sprechen: _____
2. einen Brief schreiben: _____
3. ein deutsches Lied singen: _____
4. die Fehler korrigieren: _____
5. Fragen beantworten: _____
6. ein Gedicht lesen: _____
7. einen Film sehen: _____
8. Vokabeln auswendig lernen: _____
9. eine Kassette anhören: _____
10. eine Hörverständnisübung machen: _____

Hörverständnis 2

Teacher's CD3 Tracks 53–55

Hör gut zu! Listen carefully to each of these students talking about language class and in English answer the questions that follow.

Marco

1. What languages is he studying? _____

2. How long has he been studying each? _____

3. Which language class does he prefer? _____

4. Name two activities that he does in that language class.

   _____

Justyna

1. What language is Justyna learning? _____

2. Why is she learning this language? _____

3. How many students are in her class? _____

4. How many hours a week does she have class? _____

5. What does she not like doing in class? _____

Camillo

1. What class did Camillo miss yesterday? _____

2. What homework did he get in that subject?

   _____

3. What are they doing in class tomorrow? _____

4. Is Camillo pleased about this? Why/why not?

   _____

EIN ZUNGENBRECHER

Teacher's CD3 Track 56

Leseverständnis
Eine Bildergeschichte
Katja macht einen Schüleraustausch

Katja hat sich entschieden, einen Schüleraustausch nach Irland zu machen. Sie packt ihren Koffer. Auf dem Bett liegen ihr Flugticket, ihr Pass, ein Wörterbuch, eine Regenjacke, ihre Klamotten und Geschenke für die Gastfamilie in Irland. Sie freut sich sehr auf ihren Aufenthalt in Irland.

Katjas Eltern bringen sie zum Flughafen. Katja fliegt gern, aber diesmal fliegt sie zum ersten Mal ohne ihre Eltern. Während des Flugs liest sie ein bisschen, und sie hört Musik, und sie unterhält sich mit der Frau neben ihr. Die Frau ist Irin und ist sehr nett. Katja findet es anstrengend, die ganze Zeit Englisch zu sprechen.

Katja kommt am Flughafen in Dublin an. In der Ankunftshalle wartet die Familie O'Dwyer auf sie. Die Tochter Fiona hat ein schönes Schild mit ‚Katja Seilmann' gemalt. Die Familie sieht sehr freundlich aus, und Katja ist erleichtert.

Später am Abend sitzt Katja mit der Familie am Esstisch. Frau O'Dwyer hat ein leckeres Abendessen vorbereitet. Es gibt ein gebratenes Hähnchen, Kartoffeln und grüne Bohnen. Katja gibt ihre Geschenke aus. Frau O'Dwyer ist mit den deutschen Pralinen sehr zufrieden, und Herr O'Dwyer freut sich sehr über das Bilderbuch aus Deutschland.

Am nächsten Morgen geht Katja mit Fiona in die Schule, denn Fiona hat erst in drei Tagen Schulferien. Fiona trägt ihre Uniform, aber Katja trägt ihre eigenen Klamotten. In der Schule muss Katja viele Fragen über Deutschland beantworten. Sie spricht die ganze Zeit Englisch und merkt, dass sich ihr Englisch schnell verbessert.

Katja verbringt zwei Wochen bei der Familie O'Dwyer. In dieser Zeit lernt sie viele von Fionas Freunden kennen, und sie haben viel Spaß. Fiona und Katja kommen sehr gut miteinander aus, und am Ende der zwei Wochen fährt Fiona mit Katja zurück nach Deutschland. Am Flughafen winken die beiden Mädchen der Familie O'Dwyer zum Abschied.

Übung 8

Kreuze an, ob richtig oder falsch! Tick whether the following statements are true or false.

		True	False
1.	Katja is packing presents, a novel and a rain jacket.		
2.	Katja travels to the airport on her own.		
3.	The O'Dwyer family is waiting for Katja at Dublin airport.		
4.	For dinner, Katja eats ham, potatoes and green beans.		
5.	Katja gives Mrs O'Dwyer a box of German chocolates.		
6.	Fiona has three more days of school before she gets her holidays.		
7.	Although she is talking in English all the time, Katja doesn't notice her English improving.		
8.	Katja spent a month in Ireland.		
9.	Katja got to know a lot of Fiona's friends.		
10.	Katja and Fiona didn't get on well together.		

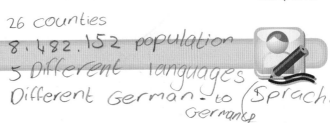

(handwritten notes):
26 counties
8.482.152 population
5 Different languages
Different German - to (Sprachen)
Germany

Übung 9

Eine Postkarte

Stell dir vor, du bist Katja! Schreibe eine Postkarte an deine Eltern! Erzähl ihnen, was du schon gemacht hast! Imagine that you are Katja. Write a postcard to your parents. Include the following points in your card:

- – tell them about the flight from Germany to Ireland.
- – tell them any **two** things about the O'Dwyer family.
- – mention any **two** things that you have done since your arrival in Ireland.
- – tell them you miss them.

Übung 10

Dein Tagebuch

Stell dir vor, du bist Fiona! Du fährst für zwei Wochen nach Deutschland und wohnst bei Katjas Familie. Schreibe in dein Tagebuch, wie dir der Aufenthalt in Deutschland gefällt!

Imagine that you are Fiona. You travel to Germany to spend two weeks with Katja and her family and keep a diary while there. Write an entry in German the **evening you arrive** and then **another towards the end of your stay**.

Unsere Partnerschule

Teacher's CD3 Track 58

Hier ist ein Foto von unserer Partnerschule in Deutschland. Der Austausch zwischen den beiden Schulen existiert seit zehn Jahren. Normalerweise kommt eine Austauschgruppe im Herbst nach Irland, und eine Gruppe von unserer Schule fährt im Frühling nach Deutschland. Wenn die deutschen Schüler nach Irland kommen, bleiben sie bei irischen Familien, und sie kommen dann jeden Tag mit in die Schule. Wir machen auch viele Ausflüge und zeigen ihnen den Burren, die Klippen von Moher, den Shannon und Vieles mehr. Sie finden die irische Landschaft wunderschön.

Am letzten Abend haben wir immer ein großes Abschiedsfest. Es gibt ein kleines Konzert, wo irische Musik gespielt wird und dann einen Céili Tanz. Es gibt auch viele Kekse, Kuchen, Chips und Erfrischungsgetränke. Der Abend macht sehr viel Spaß.

Wortschatz
Was macht man mit der Austauschgruppe?

Wir holen sie vom Flughafen ab.	*We collect them at the airport.*
Wir heißen sie Willkommen.	*We welcome them.*
Wir sprechen Englisch mit ihnen.	*We speak to them in English.*
Wir machen Ausflüge.	*We go on excursions.*
Wir zeigen ihnen die Sehenswürdigkeiten.	*We show them the sights.*
Wir erzählen ihnen von unserer Kultur und unserer Geschichte.	*We tell them about our culture and our history.*
Wir bringen ihnen ein paar Wörter Irisch bei.	*We teach them a few words of Irish.*
Wir organisieren ein Abschiedsfest.	*We organise a going away party.*

Hörverständnis 2

Teacher's CD3 Track 59

Hör gut zu! Answer the following questions in English.

Ciaran describes what happened when his exchange school was over in Ireland.

1. When and where did the group arrive?

   _____

2. Where is the exchange school situated? (Give details)

   _____

3. Give details of what was organised for that evening?

   _____

4. What did the German students find strange about Irish schools?

   _____

5. What two excursions were organised for the group?

   _____

Wortschatz

Wenn der Austausch gut läuft…	*If the exchange goes well...*
Ich bin gut angekommen.	*I arrived safe and sound.*
Die Gastfamilie hat mich am Flughafen/ Bahnhof abgeholt.	*The host family collected me at the airport/station.*
Mein Austauschpartner/Meine Austauschpartnerin heißt …	*My exchange partner is called …*
Er/Sie ist sehr freundlich/nett/sympathisch.	*He/She is very friendly/nice.*
Wir kommen sehr gut miteinander aus.	*We get on very well together.*
Wir verstehen uns prächtig.	*We're getting on really well.*
Die Familie ist sehr gastfreundlich.	*The family is very welcoming.*
mein Gastvater	*my hostfather*
meine Gastmutter	*my hostmother*
mein Gastbruder (¨)	*my hostbrother*
meine Gastschwester(-n)	*my hostsister*
Ich habe mein eigenes Zimmer mit Bad.	*I have my own room and bathroom.*
Sie helfen mir sehr, mein Deutsch zu verbessern.	*They are really helping to improve my German.*
Wir machen schöne Ausflüge.	*We go on nice trips.*
Das Essen schmeckt wunderbar.	*The food tastes great.*
Alle Katjas/Tims Freunde sind total nett.	*All Katja's/Tim's friends are really nice.*
Ich fühle mich sehr wohl hier.	*I feel really at home here.*
Ich fühle mich pudelwohl hier.	*I feel totally at home here.*
Sie haben sich sehr über meine Geschenke gefreut.	*They were delighted with my presents.*
Ich habe ihnen Bilder von meiner Heimat gezeigt.	*I showed them pictures of home.*
Alle waren überrascht, als ich die Geschenke überreicht habe.	*They were all surprised when I gave them the presents.*
Ich habe viele neue Kontakte geknüpft.	*I've met lots of new people.*
Mein Gastbruder ist jetzt ein super Kumpel.	*My host brother is now a good/great mate.*
Die Zeit vergeht schnell.	*Time is flying by.*
Die zwei Wochen vergehen wie im Flug.	*The two weeks are going as fast as lightning.*
ein 0-8-15 Geschenk	*a present that's nothing special*

Wenn der Austausch aber nicht so gut läuft...	*But if the exchange isn't going so well...*
Niemand hat mich am Flughafen/am Bahnhof abgeholt.	*Nobody collected me at the airport.*
Ich verstehe mich überhaupt nicht mit meinem Austauschpartner/ mit meiner Austauschpartnerin.	*I don't get on at all with my exchange partner.*
Die Gastfamilie ist sehr streng/konservativ/ altmodisch.	*The host family is very strict/conservative/ old-fashioned.*
Die Familie spricht nur Englisch mit mir.	*The family only speaks to me in English.*
Die Eltern wollen nur ihr Englisch üben.	*The parents only want to practise their English.*
Ich sterbe vor Hunger.	*I'm starving.*
Das Essen schmeckt mir überhaupt nicht.	*I really don't like the food.*
Ich langweile mich sehr.	*I'm really bored.*
Meine Geschenke kamen überhaupt nicht an.	*My presents went down like a lead balloon.*
Ich habe Heimweh.	*I'm homesick.*
Ich sitze die ganze Zeit vor der Glotze.	*I just watch TV all the time.*
Wir machen nie Ausflüge.	*We never go on excursions.*
Ich kenne hier niemanden in meinem Alter.	*I don't know anyone my own age here.*

Zum Lesen
Briefe aus dem Ausland

Teacher's CD3 Track 60

BRIEF 1

Köln, den 17. Juni

Lieber Herr Casey!

Wie geht es Ihnen? Ich bin bei der Familie Hartmann gut angekommen. Mein Gastvater heißt Ralph und ist Zahnarzt. Meine Gastmutter heißt Beate und ist sehr nett, und wenn ich mal Probleme oder Schwierigkeiten habe, hilft sie mir. Ich habe zwei Gastbrüder, Franz und Max, und eine Gastschwester, Ingrid. Ich komme sehr gut mit allen aus. Wir sprechen Deutsch, und ich habe das Gefühl, dass sich mein Deutsch schon sehr verbessert hat.

Wir haben schon ein paar Ausflüge gemacht. Wir waren schon im Dom und im Schokoladenmuseum, und ich fand beides ganz toll. Letztes Wochenende waren wir im Phantasialand und das war der Hammer! Ich fand die Fahrt ‚River Quest' einfach genial. Die Zeit vergeht sehr schnell. In einer Woche fahre ich nach Irland zurück. Leider!

Vielen Dank, dass Sie diesen Austausch organisiert haben. Ich hoffe, dass Sie die Ferien genießen.

Alles Gute
Niall Enright

BRIEF 2

Teacher's CD3 Track 61

Cork, den II. April

Liebe Kati!

Ich bin schon seit einer Woche hier in Cork, und fühle mich pudelwohl hier bei der Familie Beecher! Sie ist so eine nette Gastfamilie. Die Gastmutter und meine Gastschwester Anne haben mich am Flughafen abgeholt. Auf dem Weg vom Flughafen hat Frau Beecher mir Löcher in den Bauch gefragt! Ich habe mich sofort wohl gefühlt.

Ich habe ein eigenes Zimmer mit Bad, was sehr schön ist. Am ersten Abend hat Frau Beecher ein typisch irisches Abendessen gekocht. Irischen Eintopf. Der war total lecker. Sie hat mir das Rezept gegeben. Wenn ich zu Hause bin, kannst du zu mir kommen und wir werden zusammen einen ‚Irischen Abend' feiern. Nach dem Essen habe ich ihnen meine Geschenke überreicht. Für Frau Beecher habe ich ein Kochbuch mit typisch deutschen Gerichten mitgenommen und für Herrn Beecher einen guten deutschen Wein. Anne habe ich einen Harry Potter Roman auf Deutsch und eine silberne Kette geschenkt. Sie waren alle mit den Geschenken sehr zufrieden.

Du, ich muss jetzt Schluss machen. Wir gehen gleich ins Kino.
Ich bin gespannt. Ich hoffe, ich kann den Film (ohne Untertitel) gut verstehen!

Bis bald
Deine Steffi

Hörverständnis 4

Hör gut zu! Listen carefully and answer in English the questions that follow.

(1)

Jörg

1. When did Jörg arrive in Ireland? _____

2. Who collected him at the airport? _____

3. What event did he attend that evening? _____

4. What time did he get to bed? _____

5. Give two details of where he is going at the weekend.

_____

_____

(2)

Lauren

1. Where was Lauren on her school exchange? _____

2. How long did she spend there? _____

3. Was the exchange a success? Why/ Why not? (Give three details.)

_____

_____

(3)

Karin

1. Where did Karin go on her school exchange? _____

2. How did she travel there? _____

3. Give two details about her host family. _____

4. Mention two things she did on the exchange. _____

5. How does she know her English has improved? _____

Der Sprachassistent/Die Sprachassistentin

Landeskunde

Jedes Jahr kommen rund fünfzig Sprachassistenten und Sprachassistentinnen nach Irland, um hier für ein Jahr Deutsch zu unterrichten. Sie kommen aus all den drei deutschsprachigen Ländern.

Unser Sprachassistent

Name: Mayer
Vorname: Hans
Geburtstag: 3. Februar
Wohnort: Kassel (Deutschland)
Geschwister: eine Schwester
Lernt Englisch seit: zehn Jahren
Hobbys: Segeln, Schach, Fernsehen und Kino
Lieblingsessen: Lachs
Warum ist er nach Irland gekommen?: Um sein Englisch zu verbessern, und um das Land zu sehen.
Wie findet er Irland?: Er findet die Iren sehr offen und sehr gastfreundlich. Er findet das Wetter aber schlecht! Es regnet zu viel.
Was vermisst er von Zuhause?: Er vermisst seine Familie und seine Freunde. Wenn er Hunger hat, vermisst er Bratwurst mit Senf.

Fahrgast- passengers

Übung 11

Richtig oder falsch? Tick whether the following statements are true or false.

		True	False
1.	The language assistant is from Austria.		✓
2.	His favourite food is leeks.	✓	
3.	He finds the Irish people very open.	✓	
4.	He likes the rain.		✓
5.	He misses fried sausage with mustard when he's hungry.	✓	

Hörverständnis 5

Teacher's CD3 Tracks 65–66

Hör gut zu! Listen carefully and answer the following questions in English about these language assistants.

Daniela

1. What age is she? _____ 24 _____

2. Where is she from? _____

3. What is she studying in Germany? _____

4. Why did she decide to become a language assistant?
   _____ to get better at English _____

5. What does she think of the school she is in? (Give any **two** details.)
   _____
   _____

6. Give **two** details of what she does in German class.
   _____
   _____

Sebastian

1. What age is he? ~~30~~ 23

2. Where is he from? Germany

3. What are his hobbies? ~~sleeping~~ sporty - football, skiing, ~~cycling~~ cyicling noch hiking

4. Give **one advantage** he sees to being a language assistant. forteila

   Advantage: 12 hours working, getting to konw teachers, time, mondays free.

5. Give **three** details of what he does in German class.

   German music, ~~German~~ German Quiz,
   German sport, projects,
   ☆

Übung 12

Eine Postkarte

Ihr habt einen Sprachassistent/eine Sprachassistentin in der Schule. Schreibe deinem Brieffreund/deiner Brieffreundin eine Karte, in der du ihm/ihr über deinen Sprachassistent/deine Sprachassistentin erzählst. You have a new language assistant in your school. Write a postcard to your pen pal telling him/her about the language assistant.

Include the following details:

- name and age of the assistant
- where he/she is from
- what he/she looks like
- his/her hobbies
- what activities you do in German classes with the assistant

Eine Klassenfahrt nach Deutschland

Teacher's CD3 Track 67

Leseverständnis

Ciara erfährt von einer Klassenfahrt

dull

Es ist ein trüber Montagnachmittag im November. Ciara und ihre Klassenkameraden sitzen im Klassenzimmer, und warten auf ihre Deutschlehrerin. Draußen gießt es wie aus Eimern, und alle haben die Nase voll vom schlechten Wetter. Ciara und ein paar von ihren Freundinnen hatten vor, Hockey draußen auf dem Hockeyplatz zu spielen, aber dies scheint jetzt kaum möglich zu sein. Frau O'Leary kommt ins Zimmer und alle Schüler stehen auf. „Guten Tag!", sagt sie. „Setzt euch!" Die Schüler setzen sich. „Bevor ich die Hausaufgaben korrigiere, habe ich eine gute Nachricht für euch. Im April fahren wir nach Deutschland! Wir machen eine Klassenfahrt. Ich habe hier einige Broschüren mitgebracht. Sean, kannst du sie bitte austeilen?"

Ciaras eyes light up

Ciaras Augen leuchten auf. Eine Klassenfahrt! Nach Deutschland! Genial! Deutsch ist eines ihrer Lieblingsfächer, und sie träumt ständig von einer Klassenfahrt nach Berlin oder Wien. Sie schaut 'rüber zu ihrer besten Freundin Maggie. Sie ist genau so überglücklich wie Ciara. Frau O'Leary erklärt weiter. „Die Fahrt kostet sechshundert Euro. Ich weiß, für Einige in der Klasse ist das vielleicht sehr teuer, aber ihr habt noch Zeit zu sparen. Statt Geschenke zu Weihnachten oder zum Geburtstag könntet ihr euch Geld wünschen. Ihr könntet auch einen Teilzeitjob finden.

„Wir fahren für fünf Tage nach Deutschland und Österreich. Wir fliegen nach München und übernachten in einem Hotel dort. Wir besichtigen die Stadt, und dann habt ihr ein bisschen Freizeit in der Stadtmitte. Ihr könntet einkaufen, ins Museum oder ins Kino gehen. Am Abend essen wir in einem schönen Restaurant, wo man typisch deutsche Gerichte essen kann. Am zweiten Tag fahren wir nach Neuschwanstein, dort, wo das tolle Schloss ist. Am Abend fahren wir nach München zurück, und wir gehen Kegeln. Am dritten Tag fahren wir über die Grenze nach Österreich. Wir halten in Garmisch-Partenkirchen an, und fahren mit der Zugspitzbahn oben auf die Zugspitze. Die Zugspitze ist der höchste Berg Deutschlands. Dort essen wir zu Mittag, und danach fahren wir weiter nach Wien. Unser zweites Hotel ist in der Stadtmitte, und wenn wir in Wien ankommen, machen wir einen Stadtrundgang. Am nächsten Tag besichtigen wir das berühmte Schloss Schönbrunn. Am Nachmittag habt ihr Freizeit, und am Abend gehen wir zum Prater mit seinen 250 Attraktionen. An unserem letzten Tag fahren wir nach Salzburg, wo wir uns die Festburg und die Stadt anschauen werden. Dann geht's direkt zum Flughafen in Salzburg, wo wir gegen zwanzig Uhr den Rückflug nach Irland antreten werden. Nehmt die Broschüren mit nach Hause, und redet mit euren Eltern darüber! Ich brauche die Namen und eine Anzahlung von ein hundert fünfzig Euro bis zum 1. Dezember. Und nun zu den Hausaufgaben …"

Obwohl Ciara das noch mit ihren Eltern besprechen muss, hat sie unheimlich viel Lust, diese Schulfahrt zu machen. Sie hat schon fast drei hundert Euro auf ihrem Konto. Aber jetzt ist keine Zeit zum Träumen. Frau O'Leary prüft das Verb ‚sein' und Ciara ist die Nächste an der Reihe.

Übung 13

Antwort auf Englisch! Answer the following questions in English.

1. Why are Ciara and her friends in a bad mood before their teacher enters the class?

2. What happens when Ms O'Leary enters the class?

3. How does Ciara react to Ms O'Leary's announcement?

4. How much does the trip cost?

5. Suggest **two** ways Ms O'Leary suggests students might be able to contribute towards the cost of the trip.

6. Fill in the missing details of the itinerary.

	Activities
Day 1	• Flying from _____ to _____. • Staying in a hotel. • City Tour, then free time to _____, _____ or _____. • That evening, dinner in a restaurant where _____.
Day 2	• Travelling to Neuschwanstein to see _____. • That evening, travelling back to Munich to go _____.
Day 3	• Travelling over the border into _____. • Stopping en route in the town of Garmisch-Partenkirchen to get _____ up to the _____, which is the _____. • Travelling on then to the city of _____. • That evening, there is a walking tour of the city.
Day 4	• Visiting the castle _____. • Free time in the _____. • In the evening, going to the Prater amusement park.
Day 5	• Travelling to the city of _____. • Visiting the castle and the city. • Travelling to the airport to catch the _____ p.m. flight home to Dublin.

7. What are students who are interested in going on the trip to do?

8. How much money does Ciara already have in her account?

Übung 14

Wie sagt man das auf Deutsch? Find the German for the following words and expressions in the Reading Comprehension above.

1. outside it's lashing rain: _____
2. they're all fed up of the bad weather: _____
3. all the students stand up: _____
4. I have good news for you: _____
5. to Austria: _____
6. you still have time to save: _____
7. typical German dishes: _____
8. on the second day: _____
9. a walking tour: _____
10. a deposit: _____

Schwerpunkt Grammatik   Das Futur

The future tense in German is formed by using the present tense of **werden** along with the infinitive.

Beispiel
machen
ich **werde** machen   *I will do*
du **wirst** machen   *you will do*
er/sie/es/man **wird** machen *he/she/it/one will do*
wir **werden** machen   *we will do*
ihr **werdet** machen   *you will do*
Sie **werden** machen   *you will do*
sie **werden** machen   *they will do*

The infinitive is placed at the end of the sentence.
Beispiel
Ich **werde** heute Abend ins Kino **gehen**./Heute Abend **werde** ich ins Kino **gehen**.

Übung 15

Ergänze! Complete the following using **werden**.

1. Martin _____ einen Roman lesen.
2. Ciara und Audrey _____ einen Einkaufsbummel machen.
3. Ich _____ mein Zimmer aufräumen.
4. „Herr Weiß, _____ Sie Tee oder Kaffee trinken?"
5. Meine Großeltern _____ sich freuen.
6. „Jutta, _____ du bitte eine Tüte Milch kaufen?"
7. Ich _____ einen Sprachkurs machen.
8. Detlev _____ ein neues Computerspiel kaufen.
9. Das Geburtstagskind _____ viele Geschenke bekommen.
10. Wir _____ für drei Tage nach Cork fahren.

Übung 16

Übersetze ins Deutsche! Translate the following into German.

1. I will do my homework.
2. Jasmine will play tennis after school.
3. The teacher will give a lot of homework.
4. We will stay a week in Bern.
5. I'll fly to Düsseldorf.
6. We'll go on a cycling trip.
7. I will write to you next week.
8. It'll be great fun.
9. Will you eat pizza?
10. I'll arrive at 9 o'clock on the 24th of June.

EIN ZUNGENBRECHER

Kapitel 13

Was feiert man in Deutschland?

Wie feiert man Weihnachten?

Wie feierst du Weihnachten?

Ich feiere Weihnachten bei meiner Familie.

Ich kaufe viele Weihnachtsgeschenke.

Wir schmücken den Weihnachtsbaum.

Wir essen viele Leckereien.

Wir gehen in die Kirche.

Wir singen Weihnachtslieder.

Und du? Wie feierst du Weihnachten?

_____

_____

Wortschatz

am ersten Weihnachtstag	*on Christmas Day*
an Heiligabend	*on Christmas Eve*
an Weihnachten	*at Christmas*
das Christkind	*Baby Jesus/child-like figure who is believed to bring Christmas presents*
das Festessen	*Christmas dinner*
das Weihnachtslied (-er)	*Christmas carol*
der Engel	*angel*
der Glühwein	*mulled wine*
der Schinken	*ham*
der Stern	*star*
der Stollen	*a fruit cake, often with marzipan, eaten at Christmas*
der Tannenbaum(¨e)	*fir tree/Christmas tree*
der Truthahn	*turkey*
der Weihnachtsbaum (¨e)	*Christmas tree*
der Adventskranz	*Advent wreath*
der Weihnachtsmann (¨er)	*Father Christmas/Santa Claus*
der Weihnachtsmarkt (¨e)	*Christmas market*
die Bescherung	*giving out of Christmas presents*
die Gans	*goose*
die Geschenke auspacken	*to unwrap the presents*
die Grußkarte	*greeting card*
die Kerzen	*candles*
die Weihnachtsferien	*Christmas holidays*
die Weihnachtskarte (-n)	*Christmas cards*
die Weihnachtsplätzchen	*Christmas cookies*
die Weihnachtszeit	*Christmas time*
zu Weihnachten	*for Christmas*
die Weihnachtsgrüße	*Christmas greetings*
Frohe Weihnachten!	*Happy Christmas!*
Fröhliche Weihnachten!	*Happy Christmas!*

Übung 1

Ergänze! Was ist das? Fill in the missing letters to complete these symbols of Christmas.

1. Das ist ein We _ _ n _ _ h _ sb _ _ m.

2. Das ist ein G _ _ ch _ _ k.

3. Das ist ein T _ u _ _ ah _.

4. Das ist ein A _ _ _ _ _ _ k _ _ _ z mit vier K _ _ z _ _.

5. Das ist eine Gr _ _ k _ _ _ e.

6. Das ist ein S _ _ ll_ _.

7. Das ist ein E _ _ e _.

8. Das ist ein _ t _ r _.

Leseverständnis
Weihnachten in Europa

Teacher's CD3 Tracks 72–74

Lars

Tag! Ich heiße Lars und komme aus Wiesbaden. Ich freue mich sehr auf Weihnachten, denn zu Weihnachten ist die ganze Familie zu Hause, und es gibt immer viele schöne Sachen zu essen. Der Tannenbaum steht im Wohnzimmer, und wir schmücken ihn mit Kerzen. Am 24. kommt das Christkind durch ein offenes Fenster und bringt die Geschenke. Wenn wir am Abend von der Kirche kommen, sind die Geschenke unter dem Baum. Die Bescherung ist eher für meine kleinen Geschwister, aber ich freue mich natürlich auch, wenn ich meine Geschenke auspacke!

Eoghan

Hallo! Ich bin Eoghan. Ich komme aus Irland. Vor Weihnachten müssen wir immer Weihnachtstests schreiben. Das ist immer stressig. Aber ansonsten finde ich Weihnachten schön. Am 25. Dezember gehen wir in die Kirche, und dann kommen meine Großeltern zu uns. Meine Mutter bereitet immer ein leckeres Festessen mit allem Drum und Dran vor. Wir essen Truthahn, Schinken, Kartoffeln, Rosenkohl und Preiselbeersoße. Zum Nachtisch gibt's immer einen Trifle und Plumpudding.

Monika

Czesc! Ich heiße Monika, und ich komme aus Polen! Bei uns ist der Heiligabend das wichtigste polnische Familienfest. Dieser Tag ist ein Fastentag. Aber sobald man den ersten Stern am Himmel sieht, beginnt das Festessen. Meist werden zwölf Gerichte serviert, denn es gibt zwölf Monate im Jahr und es gab zwölf Apostel. An diesem Tag essen wir kein Fleisch. Ein typisch polnischer Brauch ist, dass man ein kleines Heubündel oder Geld unter die Tischdecke legt. Wir sind sechs in meiner Familie, aber an diesem Abend wird der Tisch für sieben Leute gedeckt, falls ein einsamer Mensch zur Tür kommt. Nach dem Essen singen wir Weihnachtslieder, und um Mitternacht gehen wir zur Mitternachtsmesse in die Kirche.

Übung 2

Antworte auf Englisch! Answer the following questions in English.

1. Why does Lars enjoy Christmas?
2. What do young children in Germany believe happens on 24 December?
3. Why does Eoghan say it is stressful before Christmas?
4. Who comes to his house for Christmas dinner?
5. List four things he eats on Christmas Day.
6. In Poland, when does the Christmas dinner begin?
7. Why does Monika say they eat twelve courses?
8. Why is an extra place set at the table?

Hörverständnis 1

Teacher's CD3 Track 75

Hör gut zu! Listen carefully and circle what each person is shopping for.

1. **Jens**

   Christmas cards   ingredients for a Stollen   a Christmas wreath

2. **Herr Schmitt**

   a Christmas tree   a present   an angel for the Christmas tree

3. **Inge**

   a CD of Christmas music   wrapping paper   cinnamon for mulled wine

Hörverständnis 2

Teacher's CD3 Track 76

Briefe an den Weihnachtsmann

Hör gut zu! Listen carefully and draw a line matching the name with the desired present.

1. **Felix**

2. **Kerstin**

3. **Lennart**

4. **Susi**

5. **Florian**

Die wichtigsten Daten im Weihnachtskalendar

Leseverständnis

Teacher's CD3 Track 77

November						
1	2	3	4	5	6	7
8	9	10	**11**	12	13	14
15	16	17	18	19	20	21
22	23	24	25	26	27	28
29	30					

Dezember					
	1	2	3	4	5
6	7	8	9	10	11	12
13	14	15	16	17	18	19
20	21	22	23	**24**	**25**	**26**
27	28	29	30	31	

11. November

Besonders in Deutschland und in Österreich feiert man den **Martinstag**. Es ist der Festtag des heiligen Bischof St. Martin von Tours. Er war ein Mönch, und an einem kalten schneereichen Abend hat er seinen Mantel mit einem Bettler geteilt. An diesem Tag isst man oft eine Martinsgans. Abends gibt es in vielen Regionen in Deutschland, Österreich und der Schweiz Umzüge, wo die Kinder mit ihren Laternen durch die Straßen im Dorf oder in der Stadt gehen und Laternenlieder singen.

1. Dezember

Am 1. Dezember bekommen die Kinder einen **Adventskalender**. Es gibt vierundzwanzig Türen – eine Tür für jeden Tag bis zum Weihnachtstag. Hinter jeder Tür steckt ein kleines Geschenk: ein Stück Schokolade, Mandeln oder ein kleines Spielzeug. Man kann die Adventskalender kaufen oder sogar selbst basteln.

6. Dezember

Am 6. Dezember ist **Nikolaustag**. Dieser Tag ist ein kirchlicher Feiertag und vor allem ein Tag der Kinder. Am 5. Dezember stellen viele Kinder einen Nikolaus-Stiefel draußen vor die Tür. Der Sankt Nikolaus füllt die Schuhe und Stiefel mit Nüssen, Mandarinen, Schokolade, Lebkuchen usw. Zum Frühstück isst man oft einen gebackenen *Nikolaus* (oft *Stutenkerl* genannt). Auch beginnen an diesem Tag die vielen Weihnachtsmärkte.

Gefüllte Nikolaus-Stiefel!

24. Dezember	**Heiliger Abend.** An diesem Abend findet die Bescherung statt. Das heißt, die Kinder bekommen ihre Weihnachtsgeschenke. Meistens liegen die Geschenke unter dem Weihnachtsbaum. In katholischen Familien bringt das Christkind die Geschenke, während es in evangelischen Familien der Weihnachtsmann ist. Um Mitternacht gehen viele Familien in die Weihnachtsmesse.
25. Dezember	Der **1. Weihnachtstag** am 25. Dezember ist ein Feiertag. Da Weihnachten ein Familienfest ist, kommen an diesem Tag oft Familienmitglieder. Zu essen gibt es eine Gans oder einen Braten und zum Nachtisch einen Kuchen.
26. Dezember	Der **2. Weihnachtstag** ist ebenfalls ein Feiertag. Da werden Familienbesuche gemacht, und es gibt oft ein leckeres Essen und am Nachmittag Plätzchen.

Übung 2

Antworte auf Englisch! Answer the following questions in English.

1. Describe Bishop Martin of Tours' good deed.
2. What is it that children do to celebrate Martinstag?
3. How many doors are there in an advent calendar? Why is there this number?
4. Name two of the items that can be found behind each door.
5. What do children do on the eve of Nikolaustag?
6. Name three items that Nikolaus traditionally brings the children.
7. Looking at the 24th and 25th December, identify **one difference** and **one similarity** between a German and an Irish Christmas.

Landeskunde

Weihnachten is also called *Das Fest der Liebe.*

feiern	*to celebrate*
ich feiere	*I celebrate*
du feierst	*you celebrate*
er/sie/es/man feiert	*he/she/it/one celebrates*
wir feiern	*we celebrate*
ihr feiert	*you celebrate*
Sie feiern	*you celebrate*
sie feiern	*they celebrate*

Übung 3

Ergänze! Complete the following with the verb **feiern**.

1. Er _____ nächste Woche seinen 17. Geburtstag.

2. Wir _____ Weihnachten bei meinen Großeltern.

3. Jutta _____ Weihnachten in Berlin.

4. Ich _____ gern.

5. Die Iren _____ gern Weihnachten.

6. _____ du Weihnachten bei deinen Eltern?

7. In Australien _____ man Weihnachten am Strand.

Ein Weihnachtsmarkt in Deutschland

Hörverständnis 3

Student's CD Track 43   Teacher's CD4 Track 1

Hör gut zu! Listen carefully and fill in the missing German words.

Ich heiße Roger Maul und bin halb (1)_____, halb Deutscher.
Ich wohne seit (2)_____ _____ in Irland, aber vorher
habe ich immer in Deutschland gewohnt. Es gibt viele Unterschiede
zwischen einem deutschen und einem irischen Weihnachten.

In Deutschland beginnt die Weihnachtszeit (3)_____ _____ und dauert
bis zum 6. Januar. In den deutschen Städten werden, wie in den irischen Städten, die
(4)_____ und (5)_____ sehr weihnachtlich geschmückt; überall werden
Lichterketten und Girlanden aufgehängt, auf dem (6)_____ wird ein
großer (7)_____ aufgestellt. Im Stadtzentrum findet traditionell der
(8)_____ statt. Es gibt ein Karussell für Kinder und viele Stände mit
(9)_____ und Weihnachtsdekorationen. Auf keinem Weihnachtsmarkt darf
ein Stand fehlen, an dem es (10)_____ gibt.

In der Weihnachtszeit gibt es viele spezielle Leckereien: (11)_____,
(12)_____, Dominosteine, Plätzchen und viel mehr. Ein schöner Brauch ist der
Adventskalender. Der Kalender hat (13)_____ Türchen, und man öffnet
jeden Tag eine Tür, bis am (14) _____ _____ die letzte Tür geöffnet ist.

Am 6. Dezember ist (15)_____. Am Vorabend stellen die Kinder einen
(16)_____ in die Fensterbank oder vor die Haustür. Wenn die Kinder brav
waren, finden sie am nächsten Morgen ein (17) _____ oder Süßigkeiten vom
Nikolaus im Stiefel.

In den Häusern werden zunächst Adventskränze auf den (18)_____ gestellt, auf
dem vier größe (19)_____stecken. An jedem (20) _____ wird eine
Kerze mehr angezündet, bis am 4. Advent alle vier Kerzen brennen.

Kurz vor Weihnachten wird der (21)_____ aufgestellt und mit Kerzen und
Dekorationen geschmückt.

Am Heiligenabend geht die Familie zunächst in die (22)_____.Wieder zuhause angekommen, gibt es (23)_____ mit (24)_____.
Dann kommt der große Augenblick, wo die (25) _____ stattfindet. Jeder sucht sich seine Geschenke unter dem Weihnachtsbaum. Es werden gemeinsam (26)_____ gesungen und alle sind glücklich und zufrieden.

Am (27)_____ _____ geht man morgens in die Kirche und anschließend gibt es ein festliches (28)_____ mit Gänsebraten. Am (29)_____ _____ geht man aus und trifft man sich mit seinen (30)_____ und (31)_____.

In vielen Gegenden schneit es zu Weihnachten und die Kinder (32)_____ _____ und Schlitten.

Leseverständnis
Ein Rezept zum Martinstag

Bischofsbrot

5 ganze Eier
250 g Zucker
250 g Mehl
250 g ganze Mandeln (abgebrüht und geschält)
250 g Sultaninen
15 g Zimt

Eier und Zucker schaumig rühren, die restlichen Zutaten darunter mengen. Masse in eine gefettete Kastenform geben. 1 Stunde bei 175° C backen. Zum Servieren dünn aufschneiden.

Übung 4

1. Which of the following ingredients are NOT in the recipe?

eggs		cinnamon	
baking powder		flour	
almonds		ginger	

2. What two ingredients are mixed together first?

3. For how long is the bread to be baked?

Leseverständnis
Ein Rezept für Stutenkerl

Zutaten für 2 Kerle
500 g Weizenvollkornmehl
30 g Hefe
250 g Milch
120 g Honig
2 Eier
100 g Butter
1 Zitrone
Salz
Rosinen für die Augen

Zubereitung
Zitrone abreiben, Butter schmelzen. Mehl mit der Hefe, dem Honig und der Milch verrühren, Eier und Gewürze dazugeben. Dann die Butter unterschlagen. Den Teig sehr gut kneten, er darf nicht zu fest sein. 15 Min. ruhen lassen.
Dann nochmals kneten und zum Stutenkerl formen.
Nach Wunsch verzieren (mit Mandeln, Mohn, Zitronat etc.). Auf dem gebutterten Blech 20 min. ruhen lassen.
Ca. 15 min bei 225 Grad backen.

Übung 5

Kreuze an, ob richtig oder falsch! Tick whether the following are true or false.

		True	False
1	The three main ingredients are flour, milk and honey.		
2	You need the zest of one orange.		
3	The honey is mixed in with the flour, the yeast and the milk.		
4	The mixture is baked for 15 minutes.		

Hörverständnis 4

Teacher's CD4 Track 2

Ein Rezept für alkoholfreien Glühwein

Hör gut zu! Listen carefully and fill in the missing information in German.

Die Zutaten

¼ Liter _____

4 Beutel Früchtetee

1 Esslöffel _____, je nach Geschmack

4 Nelken

¼ Liter _____

1 Prise _____

1 Liter Wasser

1 Esslöffel _____

Zubereitung

Das Wasser _____, Teebeutel circa _____ Minuten darin ziehen lassen. Apfelsaft und _____ sowie Zimt, Nelken und _____dazu und gut umrühren. Nach Geschmack mit Honig süßen.

Zum Lesen
Ein Weihnachtsgedicht

Teacher's CD4 Track 3

When the snow falls wunderbar

When the snow falls wunderbar
And the children happy are,
When the Glatteis on the street,
And we all a Glühwein need,
Then you know, es ist soweit:
She is here, the Weihnachtszeit

Every Parkhaus ist besetzt,
Weil die people fahren jetzt
All to Kaufhof, Mediamarkt,
Kriegen nearly Herzinfarkt.
Shopping hirnverbrannte things
And the Christmasglocke rings.

Merry Christmas, merry Christmas,
Hear the music, see the lights,
Frohe Weihnacht, Frohe Weihnacht,
Merry Christmas allerseits...

Mother in the kitchen bakes
Schoko-, Nuss- and Mandelkeks
Daddy in the Nebenraum
Schmücks a Riesen-Weihnachtsbaum
He is hanging auf the balls,
Then he from the Leiter falls...

Finally the Kinderlein
To the Zimmer kommen rein
And es sings the family
Schauerlich: "Oh, Christmas tree!"
And the jeder in the house
Is packing die Geschenke aus.

Merry Christmas, merry Christmas,
Hear the music, see the lights,
Frohe Weihnacht, Frohe Weihnacht,
Merry Christmas allerseits...

Mama finds unter the Tanne
Eine brand new Teflon-Pfanne,
Papa gets a Schlips and Socken,
Everybody does frohlocken.
President speaks in TV,
All around is Harmonie,

Bis mother in the kitchen runs:
Im Ofen burns the Weihnachtsgans.
And so comes die Feuerwehr
With Tatü, tata daher,
And they bring a long, long Schlauch

And a long, long Leiter auch.
And they schrei - "Wasser marsch!",
Christmas is – now im – Eimer...

Merry Christmas, merry Christmas,
Hear the music, see the lights,
Frohe Weihnacht, Frohe Weihnacht,
Merry Christmas allerseits...

Wie feiert man Silvester?

Silvester ist der letzte Tag des Jahres und ist am 31. Dezember. Der nächste Tag heißt Neujahrstag.

Leseverständnis

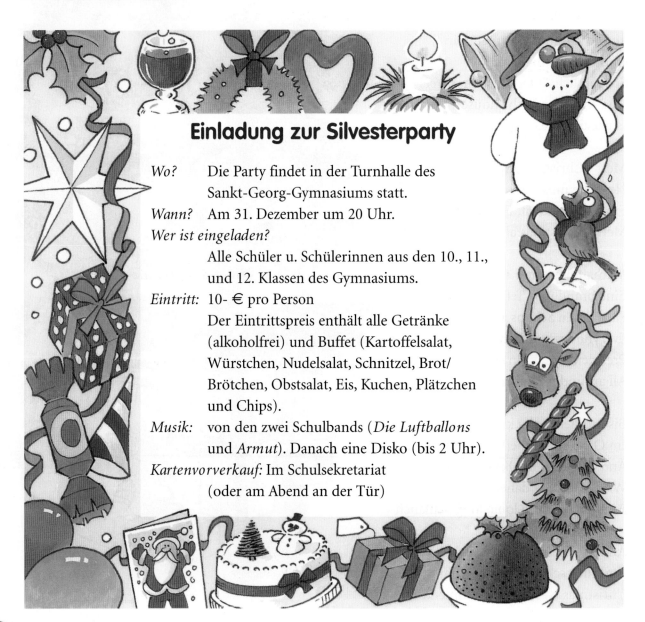

Einladung zur Silvesterparty

Wo? Die Party findet in der Turnhalle des
Sankt-Georg-Gymnasiums statt.

Wann? Am 31. Dezember um 20 Uhr.

Wer ist eingeladen?
Alle Schüler u. Schülerinnen aus den 10., 11.,
und 12. Klassen des Gymnasiums.

Eintritt: 10- € pro Person
Der Eintrittspreis enthält alle Getränke
(alkoholfrei) und Buffet (Kartoffelsalat,
Würstchen, Nudelsalat, Schnitzel, Brot/
Brötchen, Obstsalat, Eis, Kuchen, Plätzchen
und Chips).

Musik: von den zwei Schulbands (*Die Luftballons*
und *Armut*). Danach eine Disko (bis 2 Uhr).

Kartenvorverkauf: Im Schulsekretariat
(oder am Abend an der Tür)

Übung 6

Antworte auf Englisch! Answer the following questions in English.

1. Where is this party taking place?
2. Circle the correct option. The party begins at:

    6 pm   10 pm   8 pm

3. Who is invited to the party?
4. Name **five items** listed in the buffet menu.
5. Where can the tickets be bought in advance?

Zum Lesen

Landeskunde

Silvesterbräuche in Deutschland

Many Germans believe that the pig is associated with good luck and many eat pork on New Year's Eve, so that the following year will be a lucky one. A typical New Year's Eve dish is made of pig's head *(Saurüssel)*. On the other hand, most people refrain from eating fowl on New Year's Eve, as there is the superstition that your luck will fly away for the New Year.

Schwein gehabt, Glück gehabt
Alle Gerichte rund ums Schwein sind die besten Glücksboten fürs neue Jahr. Egal ob Marzipanferkelchen, Saurüssel oder Schweinskopfsülze, das Schwein ist ein Symbol für Wohlergehen und Glück.

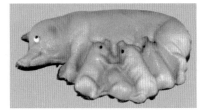

Aber Vorsicht mit den Enten!
So soll an Neujahr auf keinen Fall Geflügel serviert werden, denn nach altem Glauben fliegt das Glück mit dem Federvieh davon! Übrigens trotzen die Rheinländer seither ihrem Schicksal, und machen jedes Jahr traditionell ihre Neujahrsgans.

Feuerzangenbowle

Die Feuerzangenbowle gehört auch zur Silvesterfeier. Für die Zubereitung braucht man Rotwein, Orangen, Zitronen, Zimt und Gewürznelken. Zunächst werden die Orangen und Zitronen ausgepresst und zum erhitzten Rotwein dazu gegeben. Dann kommen Zimt und Nelken dazu. Über dem Topf wird auf eine Feuerzange ein Zuckerhut gelegt. Dieser wird mit hochprozentigem Rum übergossen und angezündet. Man muss dabei immer wieder etwas heißen Rum nachgießen, bis der Zuckerhut vollkommen geschmolzen ist. Prost!

Bleigießen

Ein sehr schöner Brauch zu Silvester ist Bleigießen. Man nimmt ein wenig Blei und erhitzt es auf einem Löffel über einer Kerze. Dann lässt man das heiße und geschmolzene Schwermetall in ein Glas oder einen Topf mit kaltem Wasser gleiten. Die dabei entstehenden Figuren sollen die Zukunft voraussagen.

Folgende Figuren symbolisieren diese Ereignisse im nächsten Jahr:

- **Auto** – langes Leben
- **Ball** – Glück rollt heran
- **Frosch/Schwein** – Lottogewinn
- **Glocke** – frohe Nachricht, Ankündigung einer Geburt
- **Herz** – sich verlieben
- **Maus** – heimliche Liebe
- **Ringe und Kränze** – Hochzeit
- **Schiff** – große Reise
- **Blumen oder Sterne** – verheißen Glück
- **Kreuze oder zerbrochene Ringe** – Tod und Trennung

Wortschatz
Neujahrsgrüße

Alles Gute im neuen Jahr!	*All the best for the New Year!*
Viel Glück im neuen Jahr!	*Lots of luck in the New Year!*
Frohes neues Jahr!	*Happy New Year!*
Guten Rutsch ins neue Jahr!	*Have a good New Year!*
Prosit Neujahr!	*Happy New Year!*

Übung 7

Eine Grüßkarte schreiben. Write a New Year's card to your Austrian pen pal, Ingrid, and include the following information:

- Wish her a Happy New Year.
- Say how you will be spending New Year's Eve.
- Mention two things you did over the Christmas holidays.
- Say you will write soon.

Landeskunde
Dinner for One

Ringing in the New Year in Germany and Austria would be unimaginable without sitting down in front of the TV to watch an 11-minute long, black and white sketch called *Dinner for One*. This short comedy, which was written and first performed in the 1920s in England, has become cult viewing and is shown approximately 20 times on New Year's Eve on various TV stations. However, although it is famous in German-speaking and Nordic countries, it remains unknown in Britain and Ireland. It is usually shown in the original English version, with no subtitles or dubbing.

The sketch involves a lonely upper-class Englishwoman, Miss Sophie. Each New Year's Eve she hosts a dinner for her long-dead admirers: Mr Pommeroy, Mr Winterbottom, Sir Toby and Admiral von Schneider. Her butler, James, makes his way around the table playing each of the guests in turn. As he does so, he drinks each guest's share of the sherry, then wine, then champagne becoming more inebriated and familiar and repeatedly trips over a tiger skin on the floor. After each course of the meal, he asks Miss Sophie: "The same procedure as last year, Miss Sophie?" To which she replies: "The same procedure as every year, James!" At the end of the meal, Miss Sophie stands up to retire for the evening and James asks again: "The same procedure as last year, Miss Sophie?" Miss Sophie replies: "The same procedure as every year, James!" and James says: "I'll do my best."

If you would like to see the sketch you can find it on *youtube* and also on *google video*. Additional information in German is available on the NDR website: www.ndr.de

sich wünschen	to wish (for oneself)
ich wünsche (mir)	I wish (for myself)
du wünschst (dir)	you wish (for yourself)
er/sie/es/man wünscht (sich)	he/she/it/one wishes (for himself/herself/itself/oneself)
wir wünschen (uns)	we wish (for ourselves)
ihr wünscht (euch)	you wish (for yourselves)
Sie wünschen (sich)	you wish (for yourself/yourselves)
sie wünschen (sich)	they wish (for themselves)

Übung 8

Ergänze! Complete the following using the verb **sich wünschen**. The first one is done for you.

1. Zu Weihnachten <u>wünscht</u> <u>sich</u> Robert einen neuen Laptop.

2. Marie _____ _____ einen neuen Wintermantel.

3. Claudia und Christoph _____ _____ eine Reise nach Bali.

4. Ich _____ _____ ein neues Handy.

5. Du _____ _____ eine schicke Jacke.

6. Die fleißige Schülerin _____ _____ gute Noten im Abitur.

7. Johann _____ _____ mehr Taschengeld.

8. „Was _____ Sie _____, Herr Laub?"

Schwerpunkt Grammatik   Wünschen

It is also possible to wish something for someone else. In this case, the person you are wishing is in the dative case.

Ich wünsche + dative noun
Beispiel: Ich wünsche **meinem Bruder** viel Glück.   *I wish my brother a lot of luck.*

Ich wünsche + dative pronoun
Beispiel: Ich wünsche **ihm** viel Glück.   *I wish him a lot of luck.*

Dative pronouns: mir
                     dir
                     ihm/ihr/ihm/ ...
                     uns
                     euch
                     Ihnen
                     ihnen

Übung 9

Ergänze! Complete the following sentences with the relevant dative pronoun.

Beispiel: (meine Schwester) Ich wünsche **ihr** viel Glück.

1. (du)   Ich wünsche _____ viel Spaß in Innsbrück.

2. (Max)   Ich wünsche _____ schöne Weihnachten.

3. (du und Jens)   Ich wünsche _____ eine gute Reise.

4. (mein Onkel)   Ich wünsche _____ alles Gute zum Geburtstag.

5. (Karla)   Ich wünsche _____ gute Besserung.

6. (meine Großeltern)   Ich wünsche _____ frohe Ostern.

7. (meine Freunde)   Ich wünsche _____ viel Erfolg im Junior Cert.

Und du? Was wünschst du dir im neuen Jahr?

_____

_____

Hörverständnis 5

Teacher's CD4 Track 4

Katja und Tim organisieren eine Silvesterparty. Tim ruft Katja an.

Hör gut zu! Listen carefully and answer the following questions in English.

1. How many people are Katja and Tim hoping to invite to the party?

   _____

2. Where does Tim suggest they organise the party?

   _____

3. What problem does Katja see with Tim's suggestion?

   _____

4. Where does she suggest instead?

   _____

5. What time is the party?

   _____

6. List five things they buy for the party.

   _____

   _____

7. Tim asks Katja for a telephone number.

   a) Whose number is it?

      _____

   b) Why does Tim need this number?

      _____

   c) Complete the number 0174 _____

Wie feiert man Fasching?

Landeskunde

Fasching, **Karneval** and **Fastnacht** all refer to the period of celebration between 6 January (the Epiphany) and Ash Wednesday.

Fasching is celebrated in southern German (south of the Danube), in the two *Bundesländer* Sachsen and Brandenburg and in parts of Austria.

Karneval is celebrated north of the area from Bonn over to Erfurt, but most especially in the area along the Rhine (Cologne, Düsseldorf, etc.).

Fastnacht is celebrated south of the Karneval area, especially in the *Bundesländer* Hessen, Rheinland-Pfalz and Baden-Württemberg and also in Switzerland.

This pre-Lenten carnival season is also known as the Fifth Season (*Die fünfte Jahrseszeit*).

During the carnival season, towns and villages organise parades and costume balls. The carnival week begins on *Altweiberfastnacht* (the Thursday prior to Ash Wednesday) and the high point of the carnival is the parade that is generally held on *Rosenmontag* or *Faschingsdienstag*. The most famous parades are held in the cities of Cologne, Düsseldorf and Mainz. Each year, hundreds of thousands of Germans and tourists come to watch the parade.

Bastelecke

Deutsche Ostereier

1. Take a raw egg (preferably white) and, with a strong sewing needle, carefully punch a hole at either end of it.
2. Blow the egg white and yolk into a bowl.
3. Wash the egg with washing up liquid.
4. Use coloured pencils or markers to make a pattern on the egg. Be careful, as the egg will break easily.
5. Tie a piece of sewing thread around half a matchstick and push the matchstick through one of the holes in the egg.
6. Put some twigs with buds into a vase and attach the eggs.

Hörverständnis 7

Teacher's CD4 Track 8

Hör gut zu! Richtig oder falsch? Listen carefully and tick whether the following statements are true or false.

Lukas und Vera sprechen über ihre Pläne für die Osterfereien.

		True	False
1.	Lukas is going skiing in the Austrian Alps.		
2.	He will be staying in a hotel there for ten days.		
3.	Vera is going to her grandparents' house in North Germany.		
4.	Vera is looking forward to staying there.		
5.	Lukas is going to eat lots of Easter eggs.		

Wie feiert man das Oktoberfest?

Teacher's CD4 Track 9

Leseverständnis
Eine Postkarte

München, den 27. September

Liebe Jennifer!
Grüße aus München! Ich verbringe eine
Woche bei meiner Tante Gabi hier in
München. Heute Abend waren wir auf dem
Oktoberfest. Ich durfte natürlich kein
Bier trinken, aber ich hatte eine Menge
Spaß. Ich war auf dem Riesenrad, und wir
waren in einem großen Zelt, wo eine Band
laute Blasmusik gespielt hat. Das war lustig!
Aber meine Tante hat mitgesungen, und das
war sehr peinlich! Morgen machen wir eine
Stadt-Tour, und am Nachmittag besuchen
wir das BMW-Museum. Ich freue mich sehr
darauf.
Bis bald
Dein Daniel

Jennifer Brown
11 Mill Road
Kilkenny
IRLAND

Übung 11

Antworte auf Englisch! Answer the following questions in English. The answers can be found
in the above text.

1. How long is Daniel spending in Munich?
2. Who is he staying with?
3. Mention one thing he did at the Oktoberfest.
4. What did he find funny?
5. What did he find embarrassing?
6. What is he looking forward to?

Landeskunde

Das Oktoberfest

Das Oktoberfest ist das größte Volksfest der Welt. Es fängt Ende September an und hört Anfang Oktober auf. Es wird auf den „Wiesen" gefeiert, in der Nähe des Münchner Hauptbahnhofs. Er wird seit 1810 gefeiert. Das Oktoberfest beginnt damit, dass der Bürgermeister von München ein Fass Bier ansticht. Auf dem Oktoberfest wird viel Bier getrunken, das aber aus Münchner Brauereien stammt. Es gibt aber auch Würste und Pommes. Es gibt auch viele Attraktionen für die ganze Familie. Es gibt viele Karussells, Achterbahnen und Riesenräder.

Hörverständnis 8

Teacher's CD4 Tracks 10–11

Hör gut zu! Listen carefully and write the answers in English to the following questions.

Conversation 1

1. Where is Alex going?

2. How long is she going for?

3. What date will she be back?

4. What is she most looking forward to?

5. What does she promise to bring back to Karl?

Conversation 2

1. Where was Michael at the weekend?

2. How did he get there and how long did the journey take?

3. What was the name of the hotel in which he stayed?

_____

4. What positive aspects of the hotel does he mention? (Give **three**)

_____

5. What did he do over the weekend? (Any **four** activities)

_____

_____

Wie feiert man in Irland?

Zum Lesen
Zwei Briefe

St Patrick's Day

Teacher's CD4 Track 12

> Dublin, den 17. März
>
> Lieber Oliver!
> Grüße aus Irland! Heute ist unser Nationalfeiertag. Wir feiern den
> St Patrick's Day. Der Tag beginnt mit einer morgendlichen Messe.
> Danach darf ich Süßigkeiten und Schokolade essen, weil heute eine
> Fastenpause erlaubt ist. Nach dem Mittagessen werde ich mich mit ein
> paar Freunden treffen, und wir werden mit der Dart in die Stadt fahren,
> denn es gibt heute eine große Parade im Stadtzentrum. Fast eine
> Million Menschen kommen, um die Parade zu sehen, sowohl Iren als
> auch Touristen. Viele Leute tragen etwas Grünes, denn grün ist
> unsere Nationalfarbe...ich aber nicht, denn ich finde das zu kitschig.
> An diesem Tag wird die Welt grün! Kein Scherz! In Chicago, zum
> Beispiel, wird der Chicago River grün eingefärbt! Man sieht oft
> grüngefärbtes Bier und grüngefärbte Haare! Da das Kleeblatt ein
> Symbol unserer grünen Insel ist, heften oft Erwachsene, besonders
> ältere Leute, Kleeblätter an die Brust.
> Feiert man St Patrick's Day in Deutschland?
> Bis bald
> Dein Brian

Halloween

Teacher's CD4 Track 13

Westport, den 31. Oktober

Liebe Anke!

Viele Grüße aus Irland! Meine Irlandtour vergeht leider zu schnell. Nur noch eine Woche und dann bin ich wieder zu Hause. Ich verbringe das Wochenende bei meiner Brieffreundin Aoife hier in Westport in Westirland. Die Stadt ist sehr lebendig und sehr schön. In all den Läden sieht man Halloween-Verkleidungen und -Masken. Laut Aoife verkleiden sich die Kinder heute Abend, und gehen von Haus zu Haus, um Süßigkeiten mit dem Halloweenspruch 'Trick or Treat' (Rat oder Gabe) zu bekommen. Meistens wird aber erstmal verlangt, dass sie ein Lied singen oder ein Gedicht aufsagen. Das wird bestimmt lustig! Aoifes Mutter hat schon einen Haufen Mini-Riegel, Erdnüsse und Mandarinen in einem Korb bereit, die sogenannten 'Treats'.

Halloween ist vor allem ein Grund zum Feiern. In Westport finden überall Partys statt. Aoife und ich gehen auf eine Kostüm-Party! Ich habe mir ein tolles Skelett-Kostüm gekauft. Es sieht einfach genial aus! Auf der Party werden auch typische Halloween-Spiele gespielt, wie das Apfeltauchen. Man muss versuchen, einen Apfel aus einer mit Wasser gefüllten Schüssel zu holen, ohne dass man seine Hände benutzt. Man darf nur seinen Mund benutzen. Mal sehen, ob ich das schaffe!

So, bis nächste Woche!

Deine Vera

Feste   Ein Quiz

1. In Deutschland feiert man am 6. Dezember...
   a) Barbaratag   b) Nikolaustag   c) Donnerstag

2. Stutenkerl ist...
   a) ein Buch über Stuttgart b) ein Mann aus Stuttgart c) ein Weihnachtsgebäck

3. Den 31. Dezember nennt man...
   a) Silvester   b) Ostern   c) den zweiten Weihnachtstag

4. Am 24. Dezember, wenn man die Geschenke aufmacht nennt man das...
   a) das Christkindl   b) die Krippe   c) die Bescherung

5. Das Oktoberfest beginnt...
   a) im Oktober   b) im November   c) im September

6. Wann findet der große Umzug in Köln statt?
   a) am Aschermittwoch   b) am Rosenmontag   c) am Ostersonntag

7. Zu Weihnachten isst man in Deutschland oft...
   a) Gans   b) Truthahn   c) Schnitzel

8. Feuerzangenbowle ist...
   a) ein Spiel   b) ein Fest   c) ein Getränk

9. An Neujahr isst man auf keinen Fall...
   a) Wurst   b) Hähnchen   c) Fisch

10. Ein Adventskalender hat wie viele Türen?
    a) 24   b) 30   c) 34

Lösung
1. b   2. c   3. a   4. c   5. c   6. b   7. a   8. c   9. b   10. a

Kapitel 14

Was fehlt dir?

Der Körper

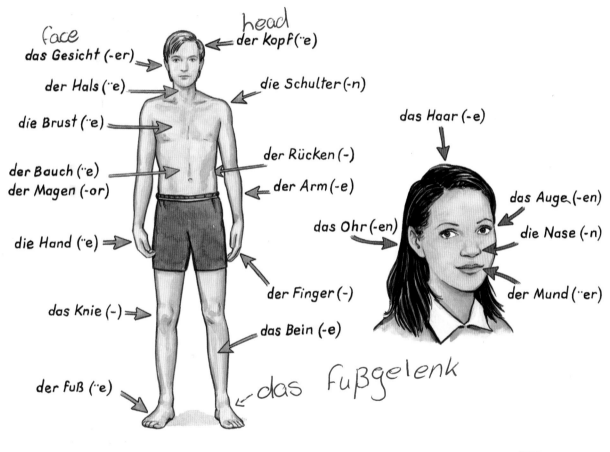

face
das Gesicht (-er)

head
der Kopf (¨e)

der Hals (¨e)

die Schulter (-n)

die Brust (¨e)

das Haar (-e)

der Rücken (-)

der Bauch (¨e)
der Magen (-or)

der Arm (-e)

das Auge (-en)

das Ohr (-en)

die Nase (-n)

die Hand (¨e)

der Finger (-)

der Mund (¨er)

das Knie (-)

das Bein (-e)

das Fußgelenk

der Fuß (¨e)

Das ist..

der Zahn (¨e) der Zeh (-en)/die Zehe (-n) der Knochen (-) der Muskel (-n)

Übung 1

Was sind diese Körperteile? Unjumble the body parts.

1. pofk: _____
2. roh: _____
3. dumn: _____
4. sane: _____
5. chuba: _____
6. nebi: _____
7. chegsit: _____
8. inke: _____
9. nuage: _____
10. slah: _____

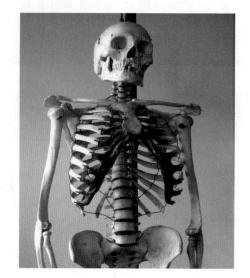

Zum Lesen
Was fehlt dir?

Teacher's CD4 Track 14

Finn:	Hi, Amelie! Wie geht's?
Amelie:	Hi, Finn! Leider geht's mir schlecht.
Finn:	Wieso? Bist du krank?
Amelie:	Ja, mir tut der Rücken weh.
Finn:	Du solltest zum Arzt gehen.
Amelie:	Ja, ich habe schon einen Termin. Hoffentlich kann er mir helfen.
Finn:	Ja, das hoffe ich auch.

Schwerpunkt Grammatik

wehtun *(to hurt)*

While *wehtun* can be conjugated like other verbs (e.g. *Du tust mir weh* = You are hurting me), it is mainly used as an *impersonal* verb when describing ailments.
If your arm is hurting you, you would say: **Mir** tut der Arm weh.

The **mir** in the sentence is a *dative personal pronoun*.

List of dative personal pronouns.

mir	me/to me
dir	you/to you
ihm	him/to him
ihr	her/to her
uns	us/to us
euch	you/to you
Ihnen	you/to you
ihnen	them/to them

Wo tut es Ihnen weh?   *Where does it hurt (you)?*

Es/Das tut (sehr/wirklich) weh.   *It (really) hurts.*

Übung 2

Wo tut es dir weh? Look at the following images and write out where it hurts. The first one is done for you.

1. *Mir tut das Knie weh.*

2. _____

3. _____

4. _____

5. _____

6. _____

7. _____

Hörverständnis 1

Teacher's CD4 Track 15

Hör gut zu! Listen carefully and write down where each person is sore.

1.	
2.	
3.	
4.	
5.	
6.	
7.	
8.	
9.	
10.	

Wie fühlst du dich?

Leseverständnis

Teacher's CD4 Track 16

Werner trifft Heike.

Heike: Tag, Werner!

Werner: Tag, Heike! Sag mal, du siehst ja ganz blass aus. Wie fühlst du dich?

Heike: Ich fühle mich gar nicht wohl. Ich habe Kopfschmerzen und Fieber. Ich bin auf dem Weg zum Arzt.

Werner: Oh! Du Arme! Kann ich dir helfen?

Heike: Nein. Es geht schon, aber danke.

Werner: Gute Besserung!

Heike: Danke. Tschüss!

Werner: Tschüss!

Übung 3

Antworte auf Englisch! Answer the following questions in English.

1. How does Heike feel?

2. Where is she going?

Leseverständnis

Teacher's CD4 Track 17

Marie ruft Heino an.

Heino:	Rieke. Guten Tag!
Marie:	Tag, Heino! Marie am Apparat.
Heino:	Marie! Wie geht's?
Marie:	Leider geht's mir nicht so gut. Deswegen rufe ich dich an. Ich muss unseren Kinobesuch heute Abend absagen.
Heino:	Ach, schade! Was hast du?
Marie:	Ich habe schreckliche Zahnschmerzen. Ich habe einen Termin morgen früh bei dem Zahnarzt in der Stadtmitte.
Heino:	Soll ich dich mit dem Auto hinfahren?
Marie:	Ach, das ist lieb von dir! Ja, das wäre toll.
Heino:	Ein Freund in der Not ist ein wahrer Freund. Wann soll ich dich abholen?
Marie:	Sagen wir, um halb neun?
Heino:	Abgemacht! Also, bis dann.
Marie:	Bis dann. Tschüss!

Übung 4

Antworte auf Englisch! Answer the following questions in English.

1. How does Marie feel?

2. What does she cancel?

3. How does Heino offer to help?

4. What time will Heino call to collect Marie?

Hörverständnis **2**

Teacher's CD4 Track 18

Hör gut zu! Listen carefully and circle the correct ailment.

1. **Herr Lantelme has**

   an earache   a cough   a fever   a sore throat

2. **Frau Lantelme has**

   a stomach ache   a headache   a tooth ache   a sore back

3. **Ingrid Lantelme has**

   a cold   a stomach ache   a fever   a tooth ache

4. **Kurt Lantelme has**

   a broken leg   a broken arm   a broken nose   a broken finger

Wortschatz
Verschiedene Krankheiten

Ich habe ...

Bauchschmerzen/Bauchweh	*stomach ache*
Halsschmerzen/Halsweh	*a sore throat*
Kopfschmerzen/Kopfweh	*a headache*
Magenschmerzen	*a stomach ache*
Magenbeschwerden	*an upset stomach*
Ohrenschmerzen	*an earache*
Rückenschmerzen	*backache*
Zahnschmerzen/Zahnweh	*tooth ache*
Durchfall	*diarrhoea*
— Schnupfen	*a head cold*
— Heuschnupfen	*hay fever*
Fieber	*fever/a high temperature*
eine Allergie	*an allergy*
eine Nussallergie	*a nut allergy*
Asthma	*asthma*
Blasen	*blisters*
(einen) Husten	*a cough*
eine Erkältung	*a cold*
mich erkältet	*a cold*
(eine) Grippe	*the flu*

Ich bin krank.	*I'm sick.*
Mir ist übel.	*I feel sick.*
Ich fühle mich krank.	*I feel sick.*
Mir ist schlecht.	*I feel unwell.*
Ich fühle mich nicht wohl.	
	I don't feel well.
Ich fühle mich schwach.	*I feel weak.*
Mir ist schwindelig.	*I feel dizzy.*
Mir wird schwarz vor Augen.	*I feel faint.*
Ich bin am Ende meiner Kräfte.	
	I'm worn out.
Ich niese.	*I'm sneezing.*
Ich schwitze.	*I'm sweating.*
Ich habe mich übergeben.	*I vomited.*
Mir ist kalt.	*I'm cold.*
Meine Nase läuft.	*I've a runny nose.*
Meine Nase ist verstopft.	
	My nose is blocked.

Ich habe einen Sonnenbrand bekommen.	*I got sunburnt.*
Ich leide an...(+Dativ)	*I suffer from…*
Ich habe den Appetit verloren	*I've lost my appetite.*
Ich habe mir die Schulter verrenkt.	*I've dislocated my shoulder.*
Ich habe einen gebrochenen Arm.	*I have a broken arm.*
Ich wurde (von einer Wespe/einer Biene) gestochen.	*I've been stung (by a wasp/bee).*
Ich habe einen Insektenstich.	*I've an insect bite.*
Ich habe einen Mückenstich.	*I've a mosquito bite.*

Übung 5

Was hast du? Was gehört zusammen? Match the German symptoms on the left with the correct English translation on the right.

1.	Ich habe Heuschnupfen.	a.	I have an earache.
2.	Ich fühle mich schwach.	b.	I have a cold.
3.	Ich habe Ohrenschmerzen.	c.	I have really bad back pain.
4.	Ich niese die ganze Zeit.	d.	I have a broken toe.
5.	Ich habe dolle Rückenschmerzen.	e.	I feel faint.
6.	Ich habe mich erkältet.	f.	I have a cough.
7.	Ich habe eine Grippe.	g.	I have hay fever.
8.	Ich habe einen gebrochenen Zeh.	h.	I have hurt my foot.
9.	Ich habe einen Husten.	i.	I have the flu.
10.	Ich habe mich am Fuß verletzt.	j.	I am sneezing all the time.

1.	2.	3.	4.	5.	6.	7.	8.	9.	10.
g	e	a	j	c	b	i	d	f	

Übung 6

SMS schreiben! You are in bed sick. Translate the following text messages into German to send them to your friends.

> 1. Hello Inge. No school today! I have the flu and must stay in bed. Have fun in maths! Jane
>
> _____
>
> _____

2. Good morning, Sven. I am very sick. I have a fever and a headache.
   I can't go to football training this evening. Bye. John

   _____

   _____

3. Hi Steffi. I'm sorry but I can't come to the party this evening. I have dislocated
   my shoulder. It really hurts! I'm on my way to the doctor. Bye. Mairead

   _____

   _____

Du bist…

so blass wie ein Geist	*as white as a ghost*
so weiß wie ein Leichentuch	*as white as a ghost (literally, as a shroud)*
kreideweiß	*as white as chalk*
leichenblass	*as white as a ghost (literally, as a corpse)*
käseweiß	*as white as a ghost (literally, as cheese)*

Geht's dir besser?

Ja, es geht mir besser.	*Yes, I am better.*
Ja, ich bin in Hochform.	*Yes, I am in great form.*
Ich bin wieder gesund.	*I am healthy again.*
Ich bin bei guter Gesundheit.	*I am in good health.*
Ich bin kerngesund.	*I am as fit as a fiddle.*
Ich bin fit wie ein Turnschuh.	*I am as fit as a fiddle.*
Ich bin wieder fit.	*I am back in form again.*

Übung 7

Übersetze ins Deutsche! Translate the following sentences into German.

1. I don't feel well. *Mir fühle mich krank.*

2. I have a headache. _____

3. I have a broken arm. _____

4. I have a cough. _____

5. I have a sore back. _____

6. I have lost my appetite. _____

7. I feel weak. _____

8. I have a cold. _____

9. I have the flu. _____

10. I have a toothache. _____

Was nehme ich gegen Kopfschmerzen?

Zum Lesen

Teacher's CD4 Track 19

Noah: Mama, ich fühle mich nicht so wohl.

Mutter: Was ist, Liebling?

Noah: Ich habe Ohrenschmerzen.

Mutter: Am besten gebe ich dir dann Ohrentropfen, und morgen, wenn es dir nicht besser geht, gehen wir zu Doktor Moller.

Wortschatz
Die Medikamente

die Kopfschmerztablette (-n)	*aspirin*	der Gipsverband (¨e)	*plaster cast*
die Salbe (-n)	*ointment*	der Hustensaft (¨e)	*cough syrup*
die Schlaftablette (-n)	*sleeping pill*	der Verband (¨e)	*bandage*
die Spritze (-n)	*injection*		
die Tablette (-n)	*tablet*		

das Antibiotikum		die Antihistamintabletten	*antihistamine*
(Antibiotika)	*antibiotic*		*tablets*
das Antihistaminikum	*antihistamine*	die Augentropfen	*eye drops*
das Antihistaminspray	*antihistamine*	die Hustenbonbons	*cough drops*
	spray	die Nasentropfen	*nose drops*
das Aspirin	*aspirin*	die Ohrentropfen	*ear drops*
das Paracetamol	*paracetamol*	die Vitamine	*vitamins*
das Pflaster (-)	*plaster*		
das Schmerzmittel (-)	*painkiller*		

Ich muss…

zum Arzt gehen	*go to the doctor*
zum Zahnarzt gehen	*go to the dentist*
ins Krankenhaus gehen	*go to hospital*
im Bett bleiben	*stay in bed*
den Notarzt anrufen	*call the emergency doctor*
zur Apotheke gehen	*go to the chemist's*
viel schlafen	*sleep a lot*
viel trinken	*drink a lot*
mich ausruhen	*take it easy*
Stress vermeiden	*avoid stress*
Kontakt mit anderen vermeiden	*avoid contact with others*
Medikamente kaufen	*buy medicines*
Schmerztabletten nehmen/schlucken	*take/swallow painkillers*
eine Salbe einreiben	*rub in an ointment*
Zitronen und Honig kaufen	*buy lemons and honey*
Zitronen/Zwiebeln einreiben	*rub lemon/onion*
	(over a sting)

Übung 8

Was gehört zusammen? Match the ailment and the picture.

1.	2.	3.	4.	5.
Ich habe Bauchschmerzen.	Ich habe Ohrenschmerzen.	Ich kann nicht schlafen.	Ich habe mich in den Finger geschnitten.	Ich habe einen Husten.

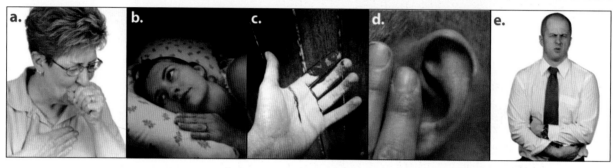

1.	2.	3.	4.	5.

Landeskunde

„Zu Risiken und Nebenwirkungen fragen Sie Ihren Arzt oder Apotheker."

At the end of every TV and radio commercial for a pharmaceutical product, this instruction is given. It means "To find out about any risks and side-effects, ask your doctor or your pharmacist."

Übung 9

Was muss ich machen? Finde die richtige Behandlung! Circle the correct treatment for each of the following medical problems.

1. Ich habe Ohrenschmerzen. Ich muss…kaufen.

   einen Hustensaft   Vitamine   Ohrentropfen

2. Ich habe Zahnschmerzen. Ich muss … gehen.

   ins Krankenhaus   zum Zahnarzt   zum Notarzt

3. Ich bin von einer Biene gestochen worden. Ich muss…einreiben.

   Zitrone   Honig   Marmelade

4. Ich habe einen Sonnenbrand bekommen. Ich muss…

   Kontakt mit anderen vermeiden   Nasentropfen kaufen   viel Wasser trinken

Leseverständnis

Zainab ruft Nabila an.

Teacher's CD4 Track 20

Nabila: Bei Sahin. Nabila am Apparat.

Zainab: Tag, Nabila! Ich bin's, Zainab.

Nabila: Zainab! Wie geht's dir? Wir haben uns lange nicht mehr gesprochen.

Zainab: Mir geht's gut. Und dir?

Nabila: Naja. Es geht. Ich bin seit einer Woche krank und muss zu Hause bleiben.

Zainab: Oh, nein. Was fehlt dir?

Nabila: Ich habe eine Grippe. Ich habe Fieber. Ich habe auch Schnupfen, Kopfweh und fühle mich ziemlich schwach. Aber es wird langsam besser.

Zainab: Und was tust du den ganzen Tag?

Nabila: Ich bin fast den ganzen Tag im Bett. Ich habe auch den Appetit verloren. Ich habe keine Lust zu essen. Aber es ist so langweilig, wenn man nur die ganze Zeit zu Hause ist.

Zainab: Weißt du was? Ich komme heute Abend vorbei und bringe dir ein paar Mädchen-Zeitschriften, und du kannst auch meinen iPod nano borgen. Ich habe ganz viele Videos darauf.

Nabila: Das wäre super, Zainab. Vielen Dank.

Zainab: Kein Problem. Bis später!

Nabila: Bis später!

Übung 10

Beanworte die folgenden Fragen auf Englisch! Answer the following questions in English.

1. How long has Nabila been sick?
2. Describe **two** of her symptoms.
3. Mention **one** effect her illness is having on her.
4. What does Zainab say she will bring?

Hörverständnis 3

| Student's CD Tracks 44–46 | Teacher's CD4 Tracks 21–23 |

Hör gut zu! Listen carefully to the following conversations and in English answer the questions that follow.

Dialogue 1

1. Why was Michael not in school today? _____
2. How long must he wear the cast? _____
3. When will he be back to school? _____
4. Give **one** reason why he is looking forward to returning.

_____

Dialogue 2

1. Why does Renate ring Monika? _____
2. What excuse does she give? _____
3. What did the doctor prescribe? _____
4. When do they arrange to meet instead? _____

Dialogue 3

1. Why was Gerd at the doctor's today? _____
2. What did the doctor recommend? _____
3. How long must he continue the treatment? _____
4. What do Gerd and Frank plan to do when Gerd recovers?

_____

In der Apotheke

Landeskunde

In Germany, there is a difference between a pharmacy/dispensing chemist *(eine Apotheke)* and a non-dispensing chemist *(eine Drogerie)*. If you need medicines, you must go to the *Apotheke*. Here, the staff is trained to deal with various medical problems. The *Drogerie*, on the other hand, is more like a small supermarket. It sells mainly perfumes, shampoo, shower gel, washing powder, plasters, etc., as well as stationery and non-prescription medication, such as vitamins and natural remedies. Generally, there will only be staff at the cash register. Photos are also developed at the *Drogerie* and not at the *Apotheke*.

Leseverständnis

FONTANA Apotheke
– Quelle Ihrer Gesundheit –

**Apothekerin Regina Brewitzer und Apotheker Dr Gunther Brewitzer
sind mit ihrem Apothekenteam gerne für Sie da:**

Montag bis Freitag

8:00 bis 18:30 Uhr

durchgehend

Samstag

8:00 bis 13:00 Uhr

„Qualität ist unser Anspruch"

Übung 11

Antworte auf Englisch! Answer the following questions in English.

1. What days is the pharmacy open from 8 am until 6:30 pm?

2. What day is the pharmacy open for half a day?

Zum Lesen

(1) **Teacher's CD4 Tracks 24–26**

Apothekerin: Guten Morgen!

Mann: Guten Morgen! Haben Sie etwas gegen Kopfschmerzen?

Apothekerin: Ja, diese Aspirintabletten sind sehr wirksam.

Mann: Was kosten die?

Apothekerin: 2,65 €.

Mann: Danke schön. Auf Wiedersehen!

Apothekerin: Auf Wiedersehen!

(2)

Frau: Guten Morgen!

Apothekerin: Guten Morgen! Kann ich Ihnen helfen?

Frau: Ja, ich habe gestern meine neuen Wanderschuhe getragen, und heute habe ich schreckliche Blasen. Was empfehlen Sie? *[handwritten: blister. / to recommend]*

Apothekerin: Ich empfehle eine Salbe und dann noch diese Heilpflaster. Am besten tragen Sie auch zwei oder drei Tage lang keine festen Schuhe.

Frau: Danke. Was macht das?

Apothekerin: Das macht 5,60 €, bitte. Brauchen Sie eine kleine Tüte? *[handwritten: small bag?]*

Frau: Nein, danke. Auf Wiedersehen!

Apothekerin: Auf Wiedersehen!

(3)

Frau: Guten Tag!

Apothekerin: Guten Tag! Wie kann ich Ihnen behilflich sein?

Frau: Hatschi! Ich habe mich erkältet.

Apothekerin: Können Sie bitte Ihre Symptome beschreiben?

Frau: Ja, ich Halsweh, ich habe Fieber, ich habe Muskelschmerzen und – Hatschi! – ich niese.

Apothekerin: Am besten nehmen Sie diese Tabletten, und ich empfehle auch ein Muskel- und Gelenkbad. Wenn Sie sich in drei Tagen nicht besser fühlen, sollten Sie zum Arzt gehen.

Frau: Vielen Dank. Was macht das zusammen?

Apothekerin: Das macht 11,45 €, bitte. Möchten Sie eine Tüte?

Frau: Ja, bitte. Vielen Dank. Auf Wiedersehen!

Apothekerin: Auf Wiedersehen!

Übung 12

Jetzt bist du dran! Schreibe einen Dialog! Write a dialogue.

While on a skiing trip in St. Anton in Austria, you wake up one morning to find that you have a bad cold. There is a pharmacy just down the street. Ask the pharmacist to recommend something for your cold. Write out the dialogue. Below are some phrases to help you. Remember that this conversation takes place in a shop, so you will have to use the *Sie* form of the verbs.

Guten Morgen!	*Good morning!*
Wie kann ich Ihnen behilflich sein?	*How can I be of assistance?*
sich erkälten	*to catch a cold*
Können Sie Ihre Symptome beschreiben?	*Can you describe the symptoms?*
Mir ist kalt.	*I feel cold.*
niesen	*to sneeze*
Meine Nase läuft.	*I've a runny nose.*
Halsschmerzen	*a sore throat*
Ich empfehle…	*I recommend*
Was macht das zusammen?	*What does that come to?*

Was fehlt Ihnen?

Leseverständnis

Teacher's CD4 Track 27

Frau Himmer ist krank.

Max Kopleck ist Arzt in Leipzig. Er hat seine eigene Praxis und von Montag bis Samstag zwischen acht und dreizehn Uhr seine Sprechstunde. Seine erste Patientin heute ist die vierundachtzigjährige Frau Himmer.

Frau Himmer:	Guten Morgen, Herr Doktor!
Doktor Kopleck:	Guten Morgen, Frau Himmer! Was fehlt Ihnen?
Frau Himmer:	Ich kann nicht schlafen.
Doktor Kopleck:	Seit wann können Sie nicht schlafen?
Frau Himmer:	Seit vier Tagen jetzt.
Doktor Kopleck:	Haben Sie andere Symptome?

Frau Himmer:	Ja, mir tut der Rücken weh.
Doktor Kopleck:	Und wie stark sind die Schmerzen?
Frau Himmer:	Ich habe ganz dolle Schmerzen. Besonders hier auf der linken Seite.
Doktor Kopleck:	Schauen wir mal. Tut das hier weh?
Frau Himmer:	Ja, ja, sehr.
Doktor Kopleck:	Und hier?
Frau Himmer:	Nein, nicht so viel.
Doktor Kopleck:	Am besten gebe ich Ihnen ein Rezept für eine Salbe, die Sie dreimal täglich einreiben müssen. Haben Sie jemanden zu Hause, der das für Sie machen kann?
Frau Himmer:	Ja, meine Tochter Nadia kann das machen.
Doktor Kopleck:	Gut. So, hier ist das Rezept, und hier ist eine Schlaftablette für heute Abend. Wenn Sie in zwei Tagen immer noch Schmerzen haben, kommen Sie dann ruhig wieder vorbei.
Frau Himmer:	In Ordnung. Vielen Dank, Herr Doktor.
Doktor Kopleck:	Nichts zu danken. Auf Wiedersehen!
Frau Himmer:	Auf Wiedersehen!

Übung 13

1. What are Dr Kopleck's surgery hours?

2. What age is Frau Himmer?

3. For how long has Frau Himmer been unable to sleep?

4. Has she any other symptoms?

5. How often does she have to rub in the cream?

6. What other medication does he give Frau Himmer?

Leseverständnis

Teacher's CD4 Track 28

Peter Schmid hat sich verletzt.

Der nächste Patient ist der siebzehnjährige Peter Schmid. Er hat sich beim Fußballtraining verletzt.

Peter:	Guten Morgen, Herr Doktor!
Doktor Kopleck:	Guten Morgen, Peter. Was fehlt Ihnen?
Peter:	Ich habe mich gestern Abend beim Fußballtraining verletzt. Mein Fuß ist geschwollen. Ich glaube, ich habe mir den Fuß verstaucht.
Doktor Kopleck:	Ziehen Sie also Ihren Schuh aus und legen Sie sich bitte hin. So, tut es hier weh?
Peter:	Aua! Ja, das tut sehr weh.

Doktor Kopleck:	Ich fürchte, Sie haben sich einen kleinen Knochen gebrochen. Ich empfehle, dass Sie zum Krankenhaus gehen, denn der Fuß muss geröntgt werden.
Peter:	Echt?
Doktor Kopleck:	Ja.
Peter:	Und was ist mit dem Endspiel am Samstag?
Doktor Kopleck:	Das Endspiel können Sie vergessen.
Peter:	Verdammt! So was Blödes!

Übung 14

1. What age is Peter Schmid?

2. When did he injure himself?

3. What injury does he have? (**One** detail)

4. Give **one** instruction that the doctor gives Peter so that he can examine the foot.

5. Where does Peter have to go next?

6. Why is he annoyed at the end of the conversation?

Landeskunde

What to do if you are sick while in Germany, Austria or Switzerland

GERMANY

Before travelling, you should obtain a **European Health Insurance Card** from your local health board. If you need to go to the doctor or dentist, you have two options. You can present your European Health Insurance Card at any **insurance company** (for example, the AOK or the *Ersatzkasse*). These companies are generally open from Monday to Friday. There, you will receive the appropriate form and a list of doctors contracted to the insurance company. If you then take the form to the doctor, you will be treated for free. Alternatively, you can go directly to one of the contracted-in doctors and present your insurance card to be treated. In this event, you may have to pay a fee, but this will be returned to you by the medical insurance company. If you require hospital treatment in an emergency, present your insurance card to the hospital administration and they will obtain the relevant details.

AUSTRIA

If you need to see the doctor, you must first contact the Regional Health Insurance Office (**Gebietskrankenkasse**). If the Office agrees to the need for treatment, you will be given a health insurance scheme voucher and the addresses of medical practitioners. Prescribed drugs may be obtained from any pharmacy for a fixed charge. If you consult a private doctor, you may receive a refund for part of the costs but not for the private fee. For emergency hospital treatment, show your European Health Insurance Card or Temporary Replacement Certificate to the hospital administration, which will then confirm with the Insurance Office that the costs of standard class treatment will be met. A small daily charge will be made for each of the first 28 days in hospital.

SWITZERLAND

To obtain treatment by a general practitioner, you can contact any approved GP (practising in cooperation with Swiss Health Insurance) and make an appointment in advance. Where you present your European Health Insurance Card, the doctor may charge his or her fee either directly to you or to the Assistance Institution (**Gemeinsame Einrichtung KVG**) depending on which canton he/she is practising in. If you are charged, you may be able to get reimbursement for part of the cost by sending the doctor's invoice and your bank details to *Gemeinsame Einrichtung KVG*. Alternatively, you can apply for a refund via your Local Health Office. Dental treatment is generally only covered in the case of dental repairs following an accident. In emergencies, you may go directly to the accident and emergency department of any public hospital. Present your European Health Insurance Card and/or inform the hospital personnel that the costs for a stay in a public ward will be paid for by the Assistance Institution.

weak
rutschen - slip/slide
Rutsche - play slide
abgelankt -

Du hattest einen Unfall?

Was ist passiert?

Übung 15

Was passt zusammen?

1.		**a.**	Ich bin die Treppe hinuntergefallen.
2.		**b.**	Ich habe mir den Daumen eingeklemmt.
3.		**c.**	Zwei Autos sind zusammengestoßen.
4.		**d.**	Ich bin gestolpert.
5.		**e.**	Ein Auto ist gegen einen Baum gefahren.
6.		**f.**	Ich bin vom Fahrrad gefallen.

1.	2.	3.	4.	5.	6.
~~f~~ c	f	a	e	b	d

Hast du dich verletzt?

- Ich habe mir den Fuß gebrochen. Ich habe jetzt einen Gips!
- Ich habe eine Gehirnerschütterung.
- Ich habe mir den Fuß verknackst.
- Ich habe einen blauen Fleck.
- Ich habe ein blaues Auge/ein Veilchen.
- Ich habe einen Bänderriss.
- Ich habe mir den Ellenbogen ausgekugelt.

Leseverständnis

Teacher's CD4 Track 29

Guido und Achim treffen sich in der Stadt.

Guido: Tag, Achim!

Achim: Tag, Guido! Ich habe dich lange nicht gesehen. Wo warst du?

Guido: Ich war im Krankenhaus.

Achim: Im Krankenhaus! Was ist passiert?

Guido: Ich hatte einen Autounfall. Erinnerst du dich noch, vor zwei Wochen, als wir die heftigen Schneefälle hatten?

Achim: Ja. Das war schlimm.

Guido: An dem Freitagmorgen, als ich zur Arbeit fuhr, habe ich die Kontrolle über das Fahrzeug verloren. Ich bin ins Schleudern geraten, und das Auto ist gegen einen Baum gefahren.

Achim: Was? Hast du dich schwer verletzt?

Guido: Glücklicherweise war ich angeschnallt und fuhr sowieso ganz langsam. Ich hatte eine Gehirnerschütterung und überall blaue Flecken.

Achim: Wie lange musstest du im Krankenhaus bleiben?

Guido: Drei Tage, aber jetzt geht's mir besser.

Achim: Mensch, Guido, du hast echt Glück gehabt.

Guido: Ja, ich weiß. Mein Auto steht noch in der Werkstatt – jetzt muss ich ohne leben.

Achim: Aber die Versicherung bezahlt die Reparatur, oder?

Guido: Ja, ja. Ich weiß, es hätte alles viel schlimmer kommen können.

Achim: Das sagst du!

Übung 16

Beantworte die folgenden Fragen auf Englisch! Answer the following questions in English.

1. When did the accident occur? (Give details)

2. Describe how the accident happened.

3. Name one injury that Guido suffered from.

4. How long did he have to stay in hospital?

5. Where is Guido's car now?

6. Who is paying for the repairs to the car?

Leseverständnis

Teacher's CD4 Track 30

Claudia ruft Marie an.

Marie: Deichmann. Marie am Apparat.

Claudia: Guten Abend, Marie! Ich bin's, die Claudia.

Marie: Claudia! Wie geht es dir?

Claudia: Mir geht's gut. Sag mal, bist du etwa krank? Heute warst du auch nicht in der Schule. Das sind jetzt zwei Tage, die ich dich nicht gesehen habe.

Marie: Ja, ich hätte dich anrufen sollen. Ich hatte einen kleinen Unfall.

Claudia: Du?! Einen Unfall! Wann?

Marie: Am Samstag. Du weißt schon, ich wollte am Reitturnier in Aachen teilnehmen. Ich bin also mit meiner Mutter hingefahren, und alles war perfekt. Ich habe es sogar geschafft, in die zweite Runde zu kommen. Ich schwebte im siebten Himmel. Nur dann ist alles leider schiefgegangen. Ich war auf dem Weg zur Arena, als ein kleiner Hund am Eingang richtig gebellt hat, und das hat mein Pferd erschreckt. Mein Pferd bäumte sich auf, und ich bin runtergefallen. Ich habe mir den Ellenbogen ausgekugelt.

Claudia: Autsch! Tut das weh?

Marie: Und wie! Ich hab so geheult! Ich musste ins Krankenhaus und wurde geröntgt. Aber ansonsten ist alles in Ordnung.

Claudia: Wie lange musst du zu Hause bleiben?

Marie: Bis Donnerstag. Dann bin ich wieder in der Schule.

Claudia: Das freut mich. Ich habe mir Sorgen um dich gemacht.

Marie: Danke, Claudia. Sag mal, hast du Lust, am Freitagabend in die Pizzeria zu gehen?

Claudia: Ja, das wäre toll. Wir können das am Donnerstag in der Schule organisieren. Vielleicht könnten ein paar andere aus der Clique mitkommen.

Marie: Gute Idee. Lass uns dann darüber reden!

Claudia: Also, bis dann. Schönen Abend noch, und ich freue mich so, dass es dir besser geht.

Marie: Ja, danke dir. Auf Wiederhören!

Claudia: Auf Wiederhören!

Übung 17

1. For how many days now has Marie not been in school?

2. Give any **four** details of her accident. (When, where, how…)

3. What injury did she sustain?

4. How long more does she have to stay at home?

5. What are they planning to do on Friday evening?

Hörverständnis 4 Teacher's CD4 Tracks 31–35

Hör gut zu und fülle die Tabelle aus! Listen carefully and fill in the grid in English.

	Ailment	Treatment	Long/short term effects of injury
1. Hannelore			
2. Benedikt	Broken		
3. Ursula			
4. Christoph	hand in door		
5. Frau Massing			

Übung 18

Lückentest. Fill in the blanks. In the first two exercises, the words are provided in the box above the exercise. In the third exercise, you have to fill in the blanks on your own!

1.

Honig	mir	Winter	gegen
Schnupfen	krank	mich	Arzt

Mein Name ist Charlotte Weber, und ich bin ziemlich oft (1)_____. Meistens sind das nur kleine Krankheiten. Im (2)_____ habe ich immer (3)_____. (4)_____ ist oft gleichzeitig warm und kalt. Das ist sehr unangenehm. (5) _____ eine Erkältung trinke ich oft heiße Getränke mit (6) _____ und Zitrone. Manchmal muss ich sogar zum (7)_____ gehen. Ich glaube, ich sollte nach Spanien oder Griechenland ziehen! Dort würde ich (8)_____ nie erkälten!

2.

Tage	gestolpert	verletzt	meinen
letztes	Unfälle	verrenkt	Krankenhaus
Bein			

Ich heiße Benno Eichelberger. Ich bin der unglücklichste Skifahrer in der Schweiz! Ich fahre sehr gern Ski, nur jedes Jahr habe ich mindestens zwei (1)_____. Nehmen wir (2) _____Jahr, zum Beispiel. Ich bin mit (3)_____ Eltern zum Skigebiet Davos gefahren. Am ersten Tag bin ich (4)_____ und habe mir einen Daumen (5)_____. Drei (6)_____ später beim Snowboarden ist ein anderer Skifahrer in mich hineingefahren. Ich habe mich bei diesem Unfall ziemlich schwer (7 _____. Ich musste sogar ins (8) _____. Ich hatte ein gebrochenes (9) _____ und überall blaue Flecken. Vielleicht soll ich Briefmarken sammeln statt Ski zu fahren!

Übung 20

Beanworte du folgenden Fragen auf Englisch! Answer the following questions in English.

1. What does Miriam eat/not eat in order to stay healthy?
2. How much water does she drink each day?

Wortschatz

immer	*always*
gesund	*healthy*
tust (tun)	*do*
ein gesunder Geist in einem gesunden Körper	*A healthy mind in a healthy body*
aufpassen	*to be careful/to take care*
genau	*exactly*
achten + auf	*to pay attention to*
eineinhalb	*one and a half*
Gassi gehen	*to go for a walk (with a dog)*
Aerobicübungen	*aerobics/gymnastics*

Und du? Was tust du, um gesund zu bleiben?

_____

der Keks
plural: die Kekse.

Bitterkekse-

♡

Viel Spaß! 2

Hörverständnis 5

Teacher's CD4 Tracks 37–40

Hör gut zu und beantworte die folgenden Fragen auf Englisch! Listen carefully to each of the following people talking about their healthy/unhealthy lifestyles and answer the subsequent questions in English.

	What he/she eats	What he/she drinks	What exercise he/she does
1. Juliet	chips, crisps. Bon Bons.	cola. orange juice.	no sports
2. Hans	bread, cheese veg, yougart *needle*	energy drinks.	swimming running. everyday
3. Dagmar	apples, fish	water and milk.	volleyball.
4. Werner	veg	coffee.	cycling.

Hörverständnis 6

Teacher's CD4 Track 41

Hör gut zu! Listen carefully and, for each doctor/dentist, fill in the missing information (spell the surname, give the address, give the telephone number and/or write what hours his/her surgery is open).

	Surname	Address	Telephone Number	Hours
1.	Baig	Kornstr. 203	31 546	Mon.–Fri. 8:00 – 16:00 Sat. 9:00 – 11:00
2.	Gotzmann	Rheinstr. 43	76038	monday–tuesday – thursday 7.30 uhr – 14:00 (2.00)
3.	Jahnke	Stader Str. 11	(030) 3641569	monday, tuesday, thursday. friday 10.00 – 14.00.
4.	Rembert		1881	monday
5.	Herwig	Langemarckstr. 4	21883	

Kapitel 15

Gehen wir aufs Land?

Auf dem Land

Leseverständnis

Teacher's CD4 Track 42

Tanja fährt aufs Land.

Nathalie:	Tag, Tanja!
Tanja:	Tag, Nathalie!
Nathalie:	Sag mal, Tanja, hast du am Wochenende etwas vor?
Tanja:	Nein, ich habe nichts vor. Wieso?
Nathalie:	Wir feiern am Wochenende das Erntedankfest im Dorf. Hast du Lust?
Tanja:	Das Erntedankfest kenne ich nicht. Was für ein Fest ist das?
Nathalie:	Das ist ein schönes Fest, das wir in der Kirche feiern. Wir danken Gott für die Ernte des Jahres. Danach gibt es ein Festessen, einen Jahrmarkt*, und später am Abend ist es Brauch, auf dem Feld Strohpuppen zu verbrennen. Das macht total Spaß.
Tanja:	Ja, das hört sich gut an.
Nathalie:	Wir könnten dich am Samstag abholen, und du könntest dann bei uns übernachten.
Tanja:	Ja, prima! Du wohnst doch auf einem Bauernhof, oder?
Nathalie:	Ja, warst du schon auf einem Bauernhof?
Tanja:	Nein, nicht so richtig. Habt ihr Kühe und Pferde?
Nathalie:	Ja. Das wirst du alles sehen.
Tanja:	Cool! Ich frage mal meine Eltern.
Nathalie:	Gut. Bis später!
Tanja:	Tschüss!

Wortschatz

* der Jahrmarkt (¨e)   *funfair*

Übung 1

Antworte auf Englisch! Answer the following questions in English.

1. Give three details of how the *Erntedankefest* (Thanksgiving) is celebrated in Nathalie's village.

2. What travel arrangements does Nathalie suggest for Tanja to get to the festival?

3. Where does Nathalie live?

Landeskunde

Erntedankfest

eine Erntekrone   in der Kirche   Strohpuppen

In der evangelischen Kirche feiert man Erntedank am ersten Sonntag nach Michaelis (29. September). In der katholischen Kirche gibt es keinen festgelegten Termin, meistens ist es aber der erste Sonntag im Oktober.

Körbe mit Früchten oder eine Erntekrone werden an der Altar gebracht. Die Krone ist aus Ähren geflochten und mit Feldfrüchten geschmückt. Im Gottesdienst wird Gott für die gute Ernte gedankt.

In manchen Gemeinden werden Erntefeste mit Festessen und Tanz gefeiert, in ländlichen Gegenden gibt es Jahrmärkte, und es ist Brauch, auf dem Feld Strohpuppen zu verbrennen.

Tiere auf dem Bauernhof

die Kuh (¨e)   das Pferd (-e)   das Schaf (-e)   das Schwein (-e)   das Huhn (¨er)

das Kalb (¨er)   das Fohlen (-)   das Lamm (¨er)   das Ferkel (-)   das Küken (-)

der Esel (-)   die Ziege (-n)   die Gans (¨e)   der Truthahn (¨e)   die Ente (-n)

Übung 2

Wie lautet die Mehrzahl? Complete the following plurals.

Beispiel:

zwei Enten

1.

fünf _____

2.

viele _____

3.

zwei _____

4.

drei _____

5.

vier _____

6.

drei _____

Hörverständnis 1

Teacher's CD4 Track 43

Hör gut zu! Antworte auf Deutsch! Tiere auf dem Bauernhof und Haustiere. Listen carefully and identify the following animals. Answer in German.

Welches Tier ist das?

1. Das ist ein _____.

2. Das ist ein _____.

3. Das ist eine _____.

4. Das ist ein _____.

5. Das ist eine _____.

Und du? Was ist dein Lieblingstier?

_____

Wortschatz
Die Arbeit auf einem Bauernhof

die Kühe melken

Obst pflücken

die Tiere füttern

Stall ausmisten

den Traktor fahren

die Kühe treiben

Heu einführen

Felder bearbeiten

den Zaun reparieren

im Hof saubermachen

Übung 3

Bildbeschreibung. Was siehst du auf dem Bild?

Übung 5

Antworte auf Englisch! Answer the following questions in English.

1. When did Nathalie and her mum arrive to collect Tanja?
2. What work did Tanja do on the farm?
3. What was her reward for working so hard all day on the farm?
4. On the Sunday morning, what time did the family go to church?
5. How were people dressed?
6. What did Tanja buy at the funfair?

Übung 6

Beantworte diese Fragen auf Deutsch! Bilde Sätze! Answer in German. Use complete sentences. Write the answers in your copybook.

1. Was hat Nathalie am Donnerstag gemacht?
2. War Tanja schon mal auf einem Bauernhof?
3. Wer hat sie abgeholt?
4. Welche Arbeit hat Tanja auf dem Bauernhof gemacht?
5. Was hat ihr Spaß gemacht?
6. Wie hat ihr das Abendessen geschmeckt?
7. Was hat sie am Sonntag um elf Uhr gemacht?
8. Was haben sie und Nathalie nach dem Essen gemacht?
9. Hat sie etwas gekauft?
10. Wen haben sie getroffen?

Übung 7

Was gehört zusammen? Match the German phrases on the left with their English equivalent on the right.

1.	ein winziges Dörfchen	a.	That looked brilliant.
2.	Das sah echt klasse aus.	b.	That was such a nice day.
3.	später gab es eine Disco	c.	I mucked out a stable.
4.	Das war so ein schöner Tag.	d.	later there was a disco
5.	Ich habe einen Stall ausgemistet.	e.	a tiny village

1.	2.	3.	4.	5.

Übung 8

Ergänze! Complete the following, using the verb **helfen**.

helfen	to help
ich helfe	*I help*
du hilfst	*you help*
er/sie/es/man hilft	*he/she/one helps*
wir helfen	*we help*
ihr helft	*you help*
Sie helfen	*you help*
sie helfen	*they help*

1. Er _____ gern.

2. _____ du gern?

3. Wir _____ nicht oft.

4. Ich _____, wenn ich Zeit habe.

5. Mein Vater _____ nie.

6. _____ ihr oft?

Schwerpunkt Grammatik

helfen + Dativ

In German, the person you are helping is in the **dative case**. In earlier chapters, you have been introduced to definite articles, indefinite articles, possessive adjectives and personal pronouns in the dative. A full list of these can be found in the grammar section at the back of the book.

Übung 9

Ergänze! Wie lautet das richtige Personalpronomen? Write in the correct dative personal pronoun in each of the following sentences.

Beispiel: (mein Onkel) Ich helfe **ihm**.

1. (der Bauer)   Wir helfen _____.

2. (die Verkäuferin)   Du hilfst _____.

3. (Hans und Bernd)   Ralph hilft _____.

4. (du)   Ich helfe _____.

5. (Mark und ich)   Der Lehrer hilft _____.

6. (ich)   Kannst du _____ bitte helfen?

Hörverständnis 2

Student's CD Tracks 47–50   Teacher's CD4 Tracks 47–50

Hör gut zu! Listen carefully and fill in the details of the farms where these young people live.

	Location of the farm (2 details)	Animals on the farm	Work he/she does	Likes/Dislikes it Why?
1. Carl				
2. Judith				
3. Gerd				
4. Anika				

Zum Lesen

Teacher's CD4 Track 51

Eine Bauernregel

Nebel im Januar macht nasses Frühjahr.

Ist der Januar feucht und lau, wird das Frühjahr trocken und rau.

Ist der Januar hell und weiß, wird der Sommer sicher heiß.

Wenn der Frost im Januar nicht kommen will, so kommt er im März oder April.

Januar muss vor Kälte knacken, wenn die Ernte soll gut sacken.

Im Zoo

Zum Lesen

Teacher's CD4 Track 52

Petra ruft Dagmar an.

Dagmar:	Hallo! Faustman. Dagmar am Apparat.
Petra:	Hallo! Dagmar. Hier ist Petra.
Dagmar:	Ach, Petra. Wie geht's?
Petra:	Gut, danke. Du, hast du Lust, mit mir in den Zoo zu gehen?
Dagmar:	Tja. Ich weiß nicht. Ich war letztes Jahr im Zoo. Wieso?
Petra:	Hast du nicht von dem neuen Eisbären, Knut, gehört?
Dagmar:	Nee. Es gibt im Berliner Zoo einen neuen Eisbären? Ach, wie süß! Also, doch. Dann habe ich große Lust, in den Zoo zu gehen. Treffen wir uns am Haupteingang, dem Bahnhof gegenüber, so gegen vierzehn Uhr?
Petra:	Ja. Prima. Bis dann!
Dagmar:	Tschüss!

Knut, der kleine Eisbär

Zum Lesen
Ein Gedicht

Teacher's CD4 Track 53

Irgendwo in der Welt

Ein Eisbär kauft ein Eis am Stiel,
ein Huhn hat hohes Fieber,
ganz leise weint ein Krokodil,
zufrieden grinst ein Biber.

Ein Pinguin taucht tief ins Meer,
ein Hase sitzt im Klee,
ein Orang-Utan kratzt sich sehr,
ein Wolf hat Magenweh.

Ein Wellensittich singt sein Lied,
ein Floh sucht eine Bleibe,
und während alles dies geschieht,
sitz ich zu Haus und schreibe!

Paul Maar

Die Tiere im Zoo

der Affe (-n)	der Bär (-en)	der Elefant (-en)	die Giraffe (-n)
der Gorilla (-s)	das Kamel (-e)	das Känguru (-s)	der Koalabär (-en)

das Krokodil (-e) der Löwe (-n) das Nashorn (¨er) das Nilpferd (-e)

der Pinguin (-e) die Robbe (-n) der Tiger (-) das Zebra (-s)

Übung 10

Welches Tier ist das? Read the following self-portraits by some of the animals above and write in the name of the animal who you think matches the description.

1. Ich wohne hauptsächlich in Australien, Neuguinea und Tasmanien. Ich habe einen kleinen Kopf und große Ohren. Ich esse gern Pflanzen. Ich kann sehr schnell springen. Ich kann bis zu 50 km/h erreichen, wenn ich es eilig habe. Die Weibchen in meiner Familie haben vorne einen Beutel, und sie transportieren ihre Jungtiere überall darin. Die Männchen können gut boxen!

   Ich bin ein _____.

2. Ich wohne in Afrika. Meistens findet man mich im Fluss oder im See. Ich bin sehr dick und sehr schwer. Ich habe keine Haare. Ich habe kurze dicke Beine, einen großen Mund und große Zähne. Leute denken, dass ich sehr faul bin, aber wenn ich laufe, bin ich schneller als ein Mensch. Ich kann bis zu 30 km/h erreichen! Ich bin sehr aggressiv und sehr gefährlich. Ich kämpfe sehr oft mit den Krokodilen im Wasser. Obwohl man mich „-pferd" nennt, bin ich mit den Pferden gar nicht verwandt.

   Ich bin ein _____.

3. Ich wohne in Afrika, südlich der Sahara. Ich bin sehr, sehr groß und dank meinem sehr langen Hals kann ich ohne Probleme die Blätter ganz oben auf den Bäumen fressen. Ich habe auch eine lange Zunge. Die Männchen in der Familie können bis 5,50 m hoch werden und können bis 1.900 kg wiegen! Mein Herz kann 60 Liter Blut pro Minute durch den Körper pumpen und wiegt 12 kg. Ich habe hell- und dunkelbraune Flecken auf meinem Körper.

    Ich bin eine _____.

4. Ich bin ein großes Tier, aber ich habe sehr dünne Beine. Meistens sieht man mich in der Wüste in Asien oder in Nordafrika. Ich kann für eine sehr lange Zeit ohne Wasser leben. Auf meinem Rücken habe ich entweder einen oder zwei Höcker, wo ich Fett speichern kann. Normalerweise laufe ich sehr langsam, aber ich kann auch bis zu 64 km/h erreichen; bei Rennen, die zum Beispiel in Saudi-Arabien stattfinden, wo das ein Nationalsport ist.

    Ich bin ein _____.

5. Ich bin ziemlich klein, nur 1,30 Meter oder so. Meistens bin ich schwarz-weiß, aber ich kann auch Gelb um den Hals haben. Ich tauche und schwimme gern. Ich bin ein Vogel, aber ich kann nicht fliegen. Ich fresse gern Fisch. Wo ich wohne, ist es immer sehr kalt. Vor ein paar Jahren waren wir die Stars im Film *Happy Feet*. Das war cool!

    Ich bin ein _____.

Hörverständnis 3

Teacher's CD4 Track 54

Hör gut zu! Listen carefully and fill in the missing details in English.

	Favourite animal	Why	Animal(s) he/she doesn't like
Anna			
Tarik			
Dorothea			
Benjamin			
Miriam			

Übung 11

Wiederholungsübung
Ein Brief

Schreibe einen Brief! Write a letter to your German pen pal, giving information he/she has asked for. Answer the ten questions in the course of your letter, writing at least ten sentences. Write the answers in your copybook. The address and the opening lines are given to you.

A. Wo wohnst du? (Where do you live?)

B. Wann hast du Geburtstag? (When is your birthday?)

C. Wann stehst du samstags auf? (At what time do you get up on Saturdays?)

D. Was machst du gern am Wochenende? (What do you like doing at the weekend?)

E. Wie lange Weihnachtsferien hast du? (How long are your Christmas holidays?)

F. Was isst du nicht gern? (What do you not like to eat?)

G. Was ist dein Lieblingstier? (What is your favourite animal?)

H. Was hast du gestern gemacht? (What did you do yesterday?)

I. Wie viele Fächer lernst du? (How many subjects do you do?)

J. Wie heißt deine Lieblingsgruppe? (What is the name of your favourite group?)

Ulm, den 3. März

Liebe Steffi!

Danke für deinen Brief. Ich hoffe, es geht dir gut.

_____

_____

_____

_____

_____

Guidelines for answering the letter are in the Letter Writing Section at the back of the book.

Suggested marking scheme

CONTENT (22 marks)

Sentences answering the questions: 10 x 2 (i.e. 2 marks for every question you answer)

Closing sentence 1 x 2 marks

When signing off the letter you must put *Dein/Deine* in front of your name.

EXPRESSION (18 marks)

Pay attention to the following when writing your reply:

- Avoid English words

- Spellings

- Word order: **Time+Manner+Place**
  (check that the verb is the second idea in the sentence)

- Verb endings (e.g. *Ich wohne*)

- Answering the questions in the correct **tense**.
  (e.g. *Was hast du am Wochenende gemacht? ...Ich **habe** viel **gemacht**.*)

Interessierst du dich für die Umwelt?

Zum Lesen

Teacher's CD4 Tracks 55–57

Jessica

Ja, ich interessiere mich sehr für den Klimawandel. Laut meiner Großmutter waren die Winter kälter und die Sommer nicht so warm, als sie ein Kind war. Meiner Meinung nach sind wir, die Menschen, an diesem Klimawandel schuld. Man sieht auch häufiger Naturkatastrophen, wie die Hitzewelle 2003, als 20.000 Menschen in Europa gestorben sind und Zyklon Nargis 2008 in Myanmar, wo über 120.000 gestorben sind.

Fabian

Ich interessiere mich sehr für den Tierschutz. Ich habe neulich gelesen, dass die Tierschützer befürchten, dass afrikanische Löwen aussterben werden. Vor zwanzig Jahren lebten noch über 200.000 Löwen in Afrika, heute sind es nur noch 30.000. Sie werden immer noch getötet und ihr Lebensraum wird immer knapper. Ich finde das schlimm.

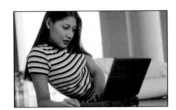

Sophia

Nein, ich interessiere mich kaum für die Umwelt und Umweltschutz. Ich meine, ich finde es schade, dass Leute Papier und Kaugummi und so auf den Boden schmeißen, aber sonst denke ich nie an die Umwelt. Auch wenn ich etwas für die Umwelt tun würde, würde das nichts ändern.

Wortschatz

die Umwelt	*the environment*
der Umweltschutz	*environmental protection*
das Klima	*climate*
die Klimaänderung	*climate change*
der Klimawandel	*climate change*
der Tierschutz	*animal welfare/rights*
an etwas schuld sein	*to be responsible for something*
umweltfreundlich	*environmentally friendly*
umweltfreundliche Produkte	*environmentally friendly products*
die Luft	*air*
die Luftverschmutzung	*air pollution*
das Wasser	*water*
die Wasserverschmutzung	*water pollution*
die Autoabgase	*exhaust fumes*
das Ozonloch	*hole in the ozone layer*
der Müll	*rubbish*
die Mülltrennung	*separation of rubbish into paper, glass, recyclables, etc.*
das Recycling	*recycling*
der Strom	*power/electricity*

Übung 12

Wie hilft man der Umwelt?

Match the ecofriendly tip and the image.

1. Man schaltet das Licht aus, wenn man das Zimmer nicht benutzt.

   a.

2. Man soll Altglas, Altpapier, Pappe, Battterien und Dosen recyclen.

   b.

3. Man soll alle Elektrogeräte ausschalten!

   c.

4. Man soll die Heizung im Klassenzimmer herunter drehen. Bei 20 Grad lernt man am besten.

   d.

5. Man soll mit dem Fahrrad zur Schule fahren oder zu Fuß dorthin gehen.

   e.

6. Man soll Obst und Gemüse aus biologischem Anbau essen.

   f.

7. Man soll sich duschen statt baden.

   g.

8. Man soll Trinkwasser sparen.

   h.

1.	2.	3.	4.	5.	6.	7.	8.
							f

Hörverständnis 4

Hör gut zu! Listen carefully and answer the following questions in English.

	Biggest environmental problem	Why is it happening?	How can we help?
Jens			
Heidi			
Kurt			
Jasemin			

EIN ZUNGENBRECHER

Fromme Frösche fressen frische Frühlingszwiebeln aber freche Frösche fressen frische Früchte!

Ein Quiz
Wie intelligent bist du?

1. Was sind die drei größten **Städte** Deutschlands?
    a) München, Hamburg, Frankfurt am Main
    b) Hamburg, Berlin, München
    c) Berlin, Frankfurt am Main, München
    d) Stuttgart, Frankfurt am Main, Berlin

2. Was ist schlimmer als eine 4 im Zeugnis?

3. Wo in Europa tragen Männer karierte Röcke?

4. Setze ,ich bin' ins Imperfekt!

5. Welches Tier gilt als König der Tiere?

6. Der Rhein hat seine Quelle in...
    a) Deutschland
    b) der Schweiz
    c) Österreich
    d) Frankreich

7. Wie nennt man ein Kuhbaby?

8. Wie heißt ,Zimt' auf Englisch?

9. Nach dem Ende des Dritten Reiches war Deutschland in vier Besatzungszonen aufgeteilt. Wer waren die vier Besatzungsmächte?
    a) USA, Sowjetunion, Österreich, Großbritannien
    b) USA, Großbritannien, Spanien, Sowjetunion
    c) USA, Großbritannien, Frankreich, Sowjetunion
    d) USA, Italien, Großbritannien, Sowjetunion

10. Was ist das Gegenteil von ,früh'?

Lösung				
1. b)	2. eine 5	3. in Schottland	4. ich war	5. der Löwe
6. b)	7. ein Kalb	8. cinnamon	9. c)	10. spät

Kapitel 16

Wie hilfst du zu Hause?

Im Haushalt

Frage	Antwort
Hilfst du zu Hause?	Ja, ich helfe zu Hause.
	Nein, ich helfe nicht zu Hause.

Leseverständnis

Frau Dorfmann macht eine Umfrage.

Teacher's CD4 Track 63

Frau Dorfmann:	Bernd, hilfst du zu Hause?
Bernd:	Ja, ich helfe ab und zu.
Frau Dorfmann:	Was machst du?
Bernd:	Ich mache mein Bett, und ich trockne ab.
Frau Dorfmann:	Hilfst du gern?
Bernd:	Nein, ich helfe nicht so gern.

Frau Dorfmann:	Tanja, hilfst du im Haushalt?
Tanja:	Ja, wir sind sieben zu Hause, und anders geht's nicht.
Frau Dorfmann:	Wie hilfst du?
Tanja:	Ich decke den Tisch, räume auf, und manchmal muss ich kochen.
Frau Dorfmann:	Hilfst du gern?
Tanja:	Ja, ich koche gern. Das macht mir Spaß.

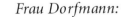

Frau Dorfmann:	Miriam, hilfst du zu Hause?
Miriam:	Nein, ich helfe eher selten.
Frau Dorfmann:	Warum?
Miriam:	Ich habe wenig Zeit, denn ich muss fünfmal die Woche zum Schwimmtraining gehen, und außerdem haben wir eine Putzfrau.

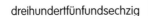

Übung 1

Antworte auf Englisch! Answer the following questions in English.

1. How often does Bernd help with the housework?
2. Name **one** job that he does.
3. He likes helping out. True or false?
4. How many are in Tanja's family?
5. Name **one** job that she does.
6. Give one reason why Miriam does not help out much at home.

Hausarbeiten

Ich sauge Staub.

Ich wasche ab.

Ich trockne ab.

Ich bügle.

Ich fege den Boden.

Ich räume ab.

Ich koche.

Ich wasche die Wäsche.

Ich wische den Boden.

Ich wasche das Auto.

Ich mache mein Bett.

Ich staube ab.

Ich decke den Tisch.

Ich räume mein Zimmer auf.

Ich hänge die Wäsche auf.

Ich putze das Badezimmer.

Ich räume die Spülmaschine ein.

Ich räume die Spülmaschine aus.

Ich bringe den Müll raus.

Und du? Wie hilfst du zu Hause?

_____

_____

Hörverständnis 1

Teacher's CD4 Track 64

Hör gut zu! Listen carefully and write the correct option in the box.

1. Beate's mother asks her to:
   a) sweep the floor.
   b) hoover.
   c) dust.
   d) wash the floor.

2. Lennart's sister tells him to:
   a) set the table.
   b) make his bed.
   c) clean the bathroom.
   d) tidy his room.

3. Sylvie's father asks her to:
   a) hang out the washing.
   b) iron the shirts.
   c) cook the dinner.
   d) dry the dishes.

Leseverständnis

Teacher's CD4 Track 65

Daniella trifft sich mit Patricia im Eiscafé.

Kellner:	Was darf es sein?
Daniella:	Ich möchte eine heiße Schokolade und ein Stück Himbeertorte, bitte.
Kellner:	Und Sie?
Patricia:	Ich möchte einen Apfelsaft und ein gemischtes Eis, bitte.
Kellner:	Ich bin gleich wieder da.
Daniella:	Heute ist so ein schöner Tag. Hast du heute Nachmittag etwas vor?
Patricia:	Nein, eigentlich nicht. Ich werde vielleicht auf der Terrasse sitzen und mein neues Buch lesen. Es ist wirklich spannend.
Daniella:	Was liest du?
Patricia:	Es ist das neueste Buch von Mary Higgins Clark.
Daniella:	Liest du es auf Deutsch oder auf Englisch?
Patricia:	Ich lese die deutsche Übersetzung. Das ist doch viel einfacher! Und du, was hast du denn für den Nachmittag vor?

Daniella: Wie jeden Samstagnachmittag muss ich zu Hause helfen.

Patricia: So ein Pech! Was musst du heute alles machen?

Daniella: Ich muss die Küche putzen, die Wäsche waschen und dann aufhängen und einen Kuchen backen.

Patricia: Du Arme! Jetzt kommen aber deine heiße Schokolade und dein Stück Himbeertorte. Vergiss also die Hausarbeit, und lass es dir schmecken!

Übung 2

Antworte auf Englisch! Answer the following questions in English.

1. What does Daniella order to drink and to eat?
2. What does Patricia order to drink and to eat?
3. Mention **one** thing that Patricia is going to do in the afternoon.
4. Name **two** jobs that Daniella must do that afternoon.

Übung 3

Wie sagt man das auf Deutsch? Find the German for each of the following in the above passage.

	English	German
1.	What would you like to order?	
2.	A slice	
3.	Today is such a nice day.	
4.	Have you anything planned?	
5.	It is really exciting.	
6.	in German	
7.	the German translation	
8.	That is much easier.	
9.	What bad luck!	
10.	You poor thing!	

Übung 4

Wie oft hilfst du im Haushalt? Beantworte die folgenden Fragen auf Deutsch! Answer the following questions in German. Give full sentences.

> **Wiederholung!**
>
> oft/nicht oft/ziemlich oft/sehr oft/nie/regelmäßig/jeden Tag/jeden Morgen/selten/ einmal die Woche/am Wochenende/zwei oder drei Mal im Monat/nur wenn ich muss

Beispiel:

Wie oft hilfst du im Haushalt?   *Ich helfe sehr oft im Haushalt.*

1. Wie oft räumst du dein Zimmer auf?

   _____

2. Wie oft bügelst du deine eigenen Klamotten?

   _____

3. Wie oft putzt du das Badezimmer?

   _____

4. Wie oft fegst du den Boden?

   _____

5. Wie oft trägst du den Müll aus?

   _____

6. Wie oft deckst du den Tisch?

   _____

7. Wie oft wäschst du ab?

   _____

8. Wie oft saugst du Staub?

   _____

9. Wann musst du kochen?

   _____

Übung 5

Ergänze! Fill in the blanks using the verb **aufräumen**.

aufräumen	to tidy up
ich räume auf	*I tidy up*
du räumst auf	*you tidy up*
er/sie/man räumt auf	*he/she/one tidies up*
wir räumen auf	*we tidy up*
ihr räumt auf	*you tidy up*
Sie räumen auf	*you tidy up*
sie räumen auf	*they tidy up*

1. Katja _____ ihr Zimmer jede Woche auf.

2. Du _____ das Wohnzimmer auf.

3. Meine Schwestern _____ sehr oft ihre Schlafzimmer auf.

4. Mein Bruder _____ nie sein eigenes Zimmer auf.

5. _____ ihr den Keller auf?

Übung 6

Antworte auf Deutsch! Johannes hat sein Zimmer aufgeräumt. Was hat er alles gemacht?

The first answer is given.

1. Er hat sein Bett gemacht.

2. _____

3. _____

4. _____

Im Garten

Frage	Antwort
Hilfst du im Garten?	Ja, ich helfe im Garten.
	Nein, ich helfe nicht im Garten.

Leseverständnis
Zu Hause bei Familie Ritter

Teacher's CD4 Track 66

Herr Ritter:	Jens und Milena, kommt ihr mir bitte helfen? Ich gehe in den Garten.
Milena:	Gartenarbeit! Ich hasse Gartenarbeit! Es ist so langweilig.
Herr Ritter:	Ach Quatsch! Gartenarbeit macht Spaß. Man ist draußen an der frischen Luft, und ein bisschen Bewegung schadet ja nichts!
Milena:	Aber es gibt Würmer und Nacktschnecken und tausend andere eklige Tiere.
Jens:	Waschlappen!
Milena:	Bin ich nicht!
Herr Ritter:	Hört damit auf! Jens, harke erst mal die Blätter, und dann hol den Rasenmäher und mäh den Rasen! Milena, hol die Gießkanne, und gieß bitte die Blumen im Blumenbeet und in den Blumentöpfen! Ich kümmere mich um die Tomaten und die Paprika im Gewächshaus. Also, an die Arbeit!

Im Garten arbeiten

Ich gieße die Blumen.   Ich mähe den Rasen.   Ich harke die Blätter.   Ich pflanze Blumen.

Ich stutze die Hecke.   Ich jäte Unkraut (im Blumenbeet).   Ich streiche den Zaun.

Und du? Musst du auch manchmal im Garten helfen? Was tust du?

_____

_____

Hörverständnis 2

Student's CD Tracks 51–52   Teacher's CD4 Tracks 67–68

Hör gut zu! Listen carefully and answer in English the questions that follow.

Conversation 1

1. What time is it? _____

2. What day is it? _____

3. Name **three** household chores that Klaus has to do.

   _____

4. Why is there so much housework to be done?

   _____

Conversation 2

1. Where does Julia want to go? _____

2. What **two** household chores must she complete before going?

   _____

3. What time has she to be home by and why?

   _____

Rund um den Garten!

der Rasenmäher   die Harke   die Kelle   der Spaten

der Blumentopf   die Gießkanne   das Gewächshaus   die Schubkarre

der Schlauch   das Vögelhäuschen   die Gartenzwerge

Die Vögel im Garten!

die Amsel   die Blaumeise   der Buchfink   die Drossel   die Elster

die Eule   die Krähe   der Kuckuck   das Rotkehlchen   die Schwalbe

Die Blumen im Garten!

das Gänseblümchen	der Krokus
der Löwenzahn	die Mohnblume

das Gänseblümchen   der Krokus   der Löwenzahn   die Mohnblume

die Nelke   die Osterglocke   die Primel   die Rose

das Veilchen   das Schneeglöckchen   die Tulpe

Übung 7

Beantworte die folgenden Fragen auf Deutsch! Answer the following questions in German.

1. Was ist deine Lieblingsblume?
2. Was ist dein Lieblingsvogel?
3. Beschreibe euren Garten zu Hause.

Übung 8

Das *Haus und Garten* Kreuzworträtsel

Follow the clues in German, including the anagrams, in order to complete the crossword on the next page.

Waagerecht

1. Diese Blumen sind in Holland sehr bekannt. (6)
4. Wie heißt 'knife' auf Deutsch? (6)
6. Eine wilde gelbe Blume. (9)
8. Ein Primel ist eine _____. (5)
11. Eine Ei, zwei _____. (4)
12. Ich _____ mein Bett. (5)
13. sore. Eine Blume. (4)
15. Im Sommer muss man jeden Tag die Blumen _____. (6)
16. Ich streiche den _____. (4)
18. 'Wheelbarrow' ist Schub___ auf Englisch. (5)
23. 'Fork' auf Deutsch heißt _____. (5)
24. 'A' auf Deutsch. (4)
26. 'Thrush' auf Deutsch heißt _____. (7)
27. Ich fege den _____. (5)
29. Im Januar blüht das _____glöckchen. (6)
30. 'Spoon' auf Deutsch heißt _____. (6)

Senkrecht

1. Was heißt 'plate' auf Deutsch? (6)
2. Kartoffeln schälen bedeutet auf Englisch 'to ___ potatoes'.(4)
3. 'A' auf Deutsch. (3)
5. Das Gegenteil von dreckig ist _____. (6)
7. Im Herbst muss man oft die Blätter _____.(6)
9. In Irland sagt man: Eine _____ bringt Sorge, zwei bringen Freude, drei ein Mädchen, vier einen Jungen, usw. (6)
10. Dieser Vogel ist schwarz, und hat einen orangegelben Schnabel. (5)
14. Ich sauge _____. (5)
17. Wo die Vögel ihr Zuhause haben, auf Englisch. (5)
19. Rotkehlchen auf Englisch. (5)
20. Kühlschrank auf Englisch. (6)
21. Buchfink auf Englisch heißt chaf_____. (5)
22. elnek. Eine Blume. (5)
25. Schüssel auf Englisch heißt _____. (4)
28. Eule auf Englisch heißt _____. (3)

Bei Familie Schmidt

Leseverständnis

Jede Woche erstellt Frau Schmidt einen Wochenarbeitsplan. Hier ist der Wochenarbeitsplan für die kommende Woche.

Wochentag	Frau Schmidt	Herr Schmidt	Natalie	Tobias
Montag	Mittagessen kochen Küche reinigen Tobias zum Sport bringen (15 Uhr)	Tobias vom Sport abholen (17 Uhr) Bei Toom einkaufen Garten gießen	Bett machen Wäsche aufhängen Tisch abräumen Klavier üben	Bett machen Tisch decken Papierkörbe und Mülleimer leeren
Dienstag	Mittagessen kochen Spülmaschine einräumen Wäsche bügeln und wegräumen	Spülmaschine ausräumen Mülltonne rausstellen Garten gießen	Bett machen Tisch abräumen Badezimmer reinigen Klavier üben	Bett machen Tisch decken Kartoffeln schälen
Mittwoch	Mittagessen kochen Wohnzimmer aufräumen Natalie zum Musikunterricht begleiten	Garten gießen Terrasse fegen Zum Getränkemarkt fahren	Bett machen Tisch decken Im Wohnzimmer Staub saugen Klavier üben	Bett machen Tisch abräumen Blumen im Wohnzimmer und in der Küche gießen
Donnerstag	Mittagessen kochen Zur Metzgerei fahren Wäsche waschen	Garten gießen Treppe reinigen Spülmaschine einräumen	Bett machen Tisch abräumen Klavier üben	Bett machen Tisch decken
Freitag	Mittagessen kochen Kuchen backen Zur Post gehen Gäste-Zimmer vorbereiten	Keller aufräumen Oma vom Zug abholen	Bett machen Tisch decken Zimmer aufräumen	Bett machen Tisch abräumen Zimmer aufräumen

Wochentag	Frau Schmidt	Herr Schmidt	Natalie	Tobias
Samstag	Zum Markt fahren (Bio-Brot und Blumen kaufen) Unkraut jäten	Mittagessen kochen Auto tanken und waschen Rasen mähen	Bett machen Tisch decken Leere Flaschen zum Sammelbehälter bringen.	Bett machen Tisch abräumen Schuhe putzen
Sonntag	**RUHETAG** Mittagessen im Gasthof Heine (13 Uhr) Oma zum Zug begleiten			

Übung 9

Richtig oder Falsch. From the information in the above weekly housework planner, tick whether the following are true or false.

		True	False
1.	On Monday, Herr Schmidt is dropping Tobias to sport.		
2.	Frau Schmidt is baking a cake on Friday.		
3.	Tobias is tidying his room on Tuesday.		
4.	Natalie has a music lesson every day.		
5.	Herr Schmidt is getting petrol on Saturday.		
6.	Natalie must set the table three days this week.		
7.	Herr Schmidt puts out the rubbish bin on a Saturday.		
8.	Their grandmother is staying until Saturday.		
9.	On Monday, Tobias is emptying all the waste paper baskets and bins.		
10.	On Tuesday, Natalie is hoovering the sitting room.		

Übung 10

Frau Schmidt is very particular about the housework being done. On Monday evening, she asks each member of the family if he/she has done the work assigned to him/her. She first asks Herr Schmidt.

Beispiel:

Frau Schmidt:　„Schatz, hast du Tobias vom Sport abgeholt?"

Herr Schmidt:　*„Ja, ich habe Tobias um 17 Uhr vom Sport abgeholt."*

Frau Schmidt:　„Und hast du eingekauft?"

Herr Schmidt:　*„Ja, ich habe bei Toom eingekauft."*

Frau Schmidt:　„Und hast du im Garten gegossen?"

Herr Schmidt:　*„Nein, ich habe im Garten noch nicht gegossen, aber das tue ich gleich."*

1.

Now, Frau Schmidt asks Natalie if she has her work done. Give Natalie's answers to Frau Schmidt's questions.

Frau Schmidt:　„Hast du dein Bett gemacht?"

Natalie:　„Ja, _____ "

Frau Schmidt:　„Hast du die Wäsche aufgehängt?"

Natalie:　„Ja, _____ "

Frau Schmidt:　„Hast du den Tisch abgeräumt?"

Natalie:　„Ja, _____ "

Frau Schmidt:　„Hast du Klavier geübt?"

Natalie:　„Nein. _____ "

2.

This time you are given Tobias's answers. Write out the questions that Frau Schmidt would have asked him.

Frau Schmidt:　„_____ "

Tobias:　„Ja, ich habe schon mein Bett gemacht."

Frau Schmidt:　„_____ "

Tobias:　„Ja, ich habe schon den Tisch gedeckt."

Frau Schmidt: „_____"

Tobias: „Nein. Ich habe die Papierkörbe und Mülleimer noch nicht geleert, aber das tue ich gleich."

Übung 11

Wer hat was erledigt? Answer each of the following questions below using the Perfekt tense and the information provided in the weekly work schedule above.

Beispiel:

Was hat Frau Schmidt am Dienstag gemacht?

Am Dienstag hat Frau Schmidt das Mittagessen gekocht. Sie hat die Spülmaschine eingeräumt und die Wäsche gebügelt und weggeräumt.

1. Was hat Herr Schmidt am Dienstag gemacht?

   _____

   _____

2. Was hat Natalie am Mittwoch gemacht?

   _____

   _____

3. Was hat Tobias am Mittwoch gemacht?

   _____

   _____

4. Was hat Frau Schmidt am Freitag gemacht?

   _____

   _____

Dies Haus ist ausreichend sauber,
um gesund zu sein,
und schmutzig genug,
um glücklich zu sein.

Hausordnung

Leseverständnis

Was für Regeln gibt es bei dir zu Hause, und wie findest du sie?

Gerd

Also, meine Eltern sind ziemlich streng. Ich darf nur fernsehen, wenn ich alle meine Hausaufgaben gemacht habe. Meine Mutter erstellt jede Woche einen Wochenarbeitsplan und hängt ihn in der Küche auf. Ich habe jeden Tag verschiedene Sachen im Haushalt zu erledigen, z.B. das Bad putzen oder Wäsche aufhängen. Das nervt mich. Ich finde, Hausarbeit ist Frauenarbeit!

Tanja

Ich habe ziemlich viel Glück mit meinen Eltern. Sie sind echt cool. Es gibt kaum Regeln, denn meine Eltern sind beide berufstätig und nachmittags oft bei der Arbeit oder irgendwo unterwegs, und ich habe also ziemlich viel Freiraum. Ich muss abends früh ins Bett, aber tagsüber kann ich machen, was ich will.

Florian

Meine Eltern sind in Ordnung. Es gibt schon einige Regeln zu Hause. Ich darf nicht rauchen, und wenn ich ausgehe, muss ich ihnen Bescheid sagen, wohin ich gehe und wann ich nach Hause komme. Ich finde solche Regeln sinnvoll. Was Hausarbeit betrifft, muss ich mich hauptsächlich um den Garten kümmern, den Rasen mähen und solche Sachen. Und außerdem die Sachen, die immer anfallen, die Spülmaschine ausräumen, die Waschmaschine ausräumen, und was halt immer gemacht werden muss.

Übung 12

Richtig oder falsch? Read the following statements and tick whether they are true or false.

		True	False
1.	Gerd is allowed to watch TV while he is doing his homework.		
2.	Both Tanja's parents are at home in the afternoon.		
3.	Florian is not allowed smoke.		
4.	Tanja can stay up late.		
5.	Florian helps to fill the dishwasher.		
6.	Gerd does not mind doing housework.		
7.	Florian must let his parents know where he is going and what time he will be back.		

Die Regeln zu Hause

Ich darf nicht rauchen.
I'm not allowed smoke.

Ich darf auf keinen Fall Alkohol trinken.
I'm not allowed to drink alcohol under any circumstances.

Ich muss mein Zimmer sauber halten.
I have to keep my room tidy.

Ich muss im Haushalt helfen.
I have to help with the housework.

Während der Woche muss ich vor halb elf ins Bett gehen.
During the week I must be in bed before ten thirty.

Wenn ich das Haus verlasse, muss ich meinen Eltern sagen, wohin ich gehe und mit wem.
When I leave the house, I must tell my parents where I am going and with whom.

In der Schule muss ich fleißig arbeiten.
I have to work hard in school.

Tätowierungen sind streng verboten.
Tattoos are strictly forbidden.

Ich darf nicht so viel telefonieren.
I'm not allowed to spend too long on the phone.

Hörverständnis 3

Teacher's CD4 Tracks 72–77

Hör gut zu! Listen carefully and fill in the details in English.

	Household chores he/she must do	Household chores he/she does not have to do	Feelings about housework	Other rules
Katja				
Bernd				
Gabriella				
Achim				
Vera				
Josef				

Wie kommst du mit deinen Eltern aus?

Zum Lesen

Teacher's CD4 Tracks 78–80

Heidi

Meistens komme ich mit meinen Eltern gut aus. Sie verstehen mich und verstehen, was es bedeutet, Teenager zu sein. Wann immer ich ein Problem habe, kann ich es mit ihnen besprechen, und ich weiß ihren Rat zu schätzen. Sie haben Vertrauen zu mir und geben mir viel Freiraum, und das nutze ich nicht aus.

Klaus

Bei mir ist die Situation gar nicht so einfach. Meine Eltern sind geschieden, und ich wohne bei meiner Mutter. Sie haben sich vor einem Jahr getrennt, aber vorher haben sie oft miteinander gestritten. Ich komme sehr gut mit beiden aus, obwohl ich meinen Vater nur jedes zweite Wochenende sehe.

Marie

Ich komme gar nicht gut mit meinen Eltern aus. Wir streiten uns über meine Noten in der Schule, meine Freunde, mein Aussehen und viele andere kleine Sachen. Was mich am meisten nervt, ist, dass ich immer babysitten muss.

Wortschatz
FAMILIENVERHÄLTNISSE

Ich komme gut/schlecht mit meinen Eltern aus.	*I get on well/don't get on well with my parents.*
mit meiner Mutter	*with my mother*
mit meinem Vater	*with my father*
mit meinen Geschwistern	*with my siblings*
Wir streiten uns oft/jeden Tag/selten/nie.	*We fight often/every day/rarely/never.*
Wir streiten uns über…	*We fight/argue about…*
die Hausarbeit	*the housework*
meine Noten in der Schule	*my grades in school*
mein Aussehen	*my appearance*
viele kleine Sachen	*lots of small things*

Und du? Wie kommst du mit deinen Eltern aus?

_____

_____

Zum Lesen

Teacher's CD4 Track 81

Mein Tagebuch

Montag, den 1. Mai

Meine Eltern nerven mich!! Ich darf nichts tun! Heute wollte ich mit Lise und Steffi in die Stadt fahren, aber meine Mutter hat nein gesagt. Ich wollte nur einkaufen gehen und die Clique im Eiscafé treffen, aber stattdessen habe ich den Nachmittag beim Putzen verbracht. Meine Oma kommt am Wochenende, und meine Mutter setzt Himmel und Hölle in Bewegung, damit das Haus glänzt. Es ist so ärgerlich!

Dienstag, den 2. Mai

Heute Morgen war es so peinlich! Ich wartete draußen an der Bushaltestelle. Es fing an zu regnen, und ich hatte weder eine Regenjacke noch einen Schirm mit. Plötzlich sah ich meine Mutter kommen. „Schatz, zieh dir deine Jacke an! Ich will nicht, dass du dich erkältest." Ich bin fast achtzehn Jahre alt, und meine Mutter packt mich immer noch in Watte.

Mittwoch, den 3. Mai

Warum muss ich alles machen?! Heute musste ich das Abendbrot vorbereiten und auf meinen kleinen nervenden Bruder aufpassen, denn Mutti und Vati mussten zum Elternabend in die Schule gehen. Als sie vom Elternabend zurückkamen, war David immer noch auf, und mein Vater hat mit mir geschimpft. Das finde ich total unfair.

Donnerstag, den 4. Mai

Ich habe die besten Eltern der Welt! Heute ist eine E-Mail von meiner Tante in Chicago gekommen. Sie hat mich für die Sommerferien eingeladen, und meine Eltern haben gesagt, ich darf für vier Wochen dorthin fahren!!!!! Geil!

Hörverständnis 4

Teacher's CD4 Tracks 82–88

Hör gut zu! Listen carefully and fill in the details in English.

	Age	Relationship with parents	Rules at home
Klaus			
Inge			
Friedrich			
Helga			
Matthias			
Isa			
Peter			

Übung 13

Und du?

1. Wie oft hilfst du zu Hause?

    _____

2. Was machst du im Haushalt?

    _____

3. Wie oft räumst du dein Schlafzimmer auf?

    _____

4. Hilfst du auch manchmal im Garten?

    _____

    _____

5. Gefällt dir Gartenarbeit? Warum/Warum nicht?

_____

6. Was ist deine Lieblingsblume?

_____

7. Was ist dein Lieblingsvogel?

_____

8. Bekommst du extra Taschengeld, wenn du im Haushalt/
im Garten hilfst?

_____

9. Wie kommst du mit deinen Eltern aus?

_____

_____

10. Was ist zu Hause verboten?

_____

_____

Kapitel 17

Hast du Pläne für die Zukunft?

Leseverständnis

Jonas denkt über seine Berufspläne nach.

Teacher's CD4 Track 89

In ein paar Monaten legt Jonas sein Abitur ab. Er ist ein fleißiger Schüler und lernt gern in der Schule. Das Problem ist nur, er hat keine Ahnung, was er eigentlich studieren will. Er geht zum Berufsberater in der Schule, um Rat zu bekommen. Er klopft an die Tür.

Herr Steimle:	Guten Morgen, Jonas! Was kann ich für dich tun?
Jonas:	Guten Morgen, Herr Steimle! Ich habe ein Problem. Ich kann mich nicht entscheiden, was ich nach dem Abitur studieren möchte.
Herr Steimle:	Ich habe hier dein letztes Schulzeugnis. Du hast gute Noten in allen deinen Fächern bekommen. Wo liegen deine Stärken?
Jonas:	Eigentlich finde ich alle meine Fächer interessant. Am interessantesten aber finde ich Biologie und Chemie.
Herr Steimle:	Möchtest du vielleicht in einem Labor arbeiten?
Jonas:	Nein, ich glaube, das würde mir nicht gefallen. Ich arbeite gern mit Menschen, und in einem Labor wäre ich oft allein.
Herr Steimle:	Hast du dir überlegt, ob du Medizin studieren möchtest?
Jonas:	Nein, noch nicht. Meinen Sie, ich könnte das machen?
Herr Steimle:	Natürlich könntest du das machen. Am besten schaust du dir im Internet ein paar Universitäten an und was sie für Kurse anbieten.

Jonas: Danke, Herr Steimle. Das mache ich, und wenn ich ein bisschen mehr darüber weiß, komme ich wieder.

Herr Steimle: Kein Problem, Jonas. Auf Wiedersehen!

Zu Hause geht Jonas ins Internet und findet viele Informationen über die Kurse an den verschiedenen Universitäten und über den Beruf als Arzt. Er beschließt, Medizin zu studieren, und ist froh, dass er mit dem Berufsberater gesprochen hat.

Übung 1

Antworte auf Englisch! Answer the following questions in English.

1. What type of student is Jonas?
2. Why is he going to the careers adviser (*Berufsberater*)?
3. What comment does the careers adviser make about Jonas's last school report?
4. What two subjects does Jonas find most interesting?
5. What is the first career that the adviser suggests?
6. Is Jonas interested in this career? Why/Why not?
7. How can Jonas find out more information about the second career that the adviser suggests?

Schwerpunkt Grammatik

werden

When you wish to state what career you would like, you use the verb **werden** (to become).

Ich möchte Pilot werden. *I'd like to become a pilot.*
Was möchtest du werden? *What would you like to be?*

Be careful, however, **not** to use the verb **bekommen**, as this means **to get**!

Und du? Weißt du schon, was du werden möchtest?

_____

Übung 2

Was gehört zusammen? Match the course and the career.

Maschinenbau	Jura	Betriebswirtschaftslehre
Veterinärmedizin	Informatik	Pharmazie
Germanistik	Zahnmedizin	Medizin

1. Um Deutschlehrer zu werden, muss man _____ studieren.

2. Um Zahnarzt zu werden, muss man _____ studieren.

3. Um Apotheker zu werden, muss man _____ studieren.

4. Um Rechtsanwalt zu werden, muss man _____ studieren.

5. Um Tierarzt zu werden, muss man _____ studieren.

6. Um Ingenieur zu werden, muss man _____ studieren.

7. Um Arzt zu werden, muss man _____ studieren.

8. Um Geschäftsmann zu werden, muss man _____ studieren.

9. Um Programmierer zu werden, muss man _____ studieren.

Hörverständnis 1

Hör gut zu! Listen carefully and tick whether the following statements are true or false.

		True	False
1.	Kirsten wants to be a hairdresser.		
2.	Gerd intends to study law.		
3.	Beatrice hopes to study engineering.		
4.	Michael wants to be a surgeon.		
5.	Stefanie is going to train as a dental technician.		
6.	Frank hopes to study art.		

Wortschatz

Ist dieser Beruf der richtige für dich?
Hast du die nötigen Eigenschaften für diesen Beruf?

Is this the right career for you?
Have you got the necessary qualities for this profession?

Ja, ich glaube, ich habe die nötigen Eigenschaften.

Yes, I believe I have the necessary qualities.

Ich bin ...

fleißig	*hardworking*	intelligent	*intelligent*
zuverlässig	*reliable*	kontaktfreudig	*sociable*
ehrlich	*honest*	mutig	*courageous*
einsichtig	*understanding*	nett	*nice*
freundlich	*friendly*	neugierig	*inquisitive*
fröhlich	*cheerful*	optimistisch	*optimistic*
geduldig	*patient*	ordentlich	*neat*
geschickt	*skillful*	pünktlich	*punctual*
gesprächig	*talkative*	sprachbegabt	*good at languages*
gutgelaunt	*cheerful*	unternehmungslustig	*adventurous*
höflich	*polite*	vernünftig	*sensible*

Nein, ich glaube diese Arbeit würde mir gar nicht passen, denn ich bin...	*No, I do not think this job would suit me, because I am...*
faul	*lazy*
impulsiv	*impulsive*
intolerant	*intolerant*
pessimistisch	*pessimistic*
schüchtern	*shy/timid*
tolpatschig	*clumsy*
unpünktlich	*unpunctual*
zerfahren	*scatter-brained*
Ich arbeite lieber draußen.	*I prefer working outdoors.*
Ich bin nicht gut in Sprachen.	*I'm not good at languages.*
Ich kenne mich mit Computern gar nicht aus.	*I don't know anything about computers.*

Übung 3

Wiederholung: Weil.

Hanna überlegt sich, welchen Beruf sie später haben möchte. Verbinde die Sätze! Join the sentences below as in the examples.

	Ja/ Nein	Warum?
Tierärztin	*Ja*	*Ich mag Tiere.*
Architektin	*Nein*	*Ich kann nicht gut zeichnen.*
Dolmetscherin	Ja	Ich bin sprachbegabt.
Sportlehrerin	Nein	Ich bin zu faul.
Polizistin	Nein	Diese Arbeit ist zu gefählich.
Journalistin	Ja	Ich schreibe gern.
Sängerin	Nein	Ich kann nicht gut singen.
Ärztin	Nein	Ich mag Krankenhäuser nicht.
Stewardess	Ja	Ich fliege sehr gern.

Beispiel: Ich könnte Tierärztin werden, weil ich Tiere mag.

Ich könnte nicht Architektin werden, weil ich nicht gut zeichnen kann.

Dolmetscherin: _____

Sportlehrerin: _____

Polizistin: _____

Journalistin: _____

Sängerin: _____

Ärztin: _____

Stewardess: _____

Schwerpunkt Grammatik   The Conditional (I would…)

In German, the conditional tense is formed using **würde + infinitive**, just like in English (I would go).

Take a look at the following example:

fahren	to travel
ich würde fahren	_I would travel_
du würdest fahren	_you would travel_
er/sie/es/man würde fahren	_he/she/it/one would travel_
wir würden fahren	_we would travel_
ihr würdet fahren	_you would travel_
Sie würden fahren	_you would travel_
sie würden fahren	_they would travel_

The verb in the infinitive goes to the end of the sentence.
Beispiel: Ich würde nach Wien fahren.   _I would travel to Vienna._

If you want to say you would _like/not like_ to do something, you place _gern/nicht gern_ **after** the _würde_ auxiliary.
Beispiel: Ich würde **gern** nach Wien fahren.   _I would like to travel to Vienna._

Übung 4

Ergänze! Complete the following with **würden**.

1. Ich _____ gern Japanisch lernen.
2. _____ du gern Schnitzel mit Pommes essen?
3. Wir _____ nicht gern Fisch essen.
4. Hans _____ gern fernsehen.
5. _____ du mir bitte helfen?
6. Die Kinder _____ gern Süßigkeiten kaufen.
7. Jessica _____ gern Krankenschwester werden.
8. Fiachra _____ gern Architekt werden.
9. Ich _____ gern nach Südafrika fahren.
10. Gisela _____ nicht gern in einem Büro arbeiten.

Schwerpunkt Grammatik
hätte und **wäre**

If you want to say 'would have' or 'would be', it is more usual to use **hätte** and **wäre** than 'ich würde haben' and 'ich würde sein'. (**Hätte** and **wäre** are examples of the German subjunctive.)

haben	
ich hätte	*I would have*
du hättest	*you would have*
er/sie/es/man hätte	*he/she/it/one would have*
wir hätten	*we would have*
ihr hättet	*you would have*
Sie hätten	*you would have*
sie hätten	*they would have*

sein	
ich wäre	*I would be*
du wärst	*you would be*
er/sie/es/man wäre	*he/she/it/one would be*
wir wären	*we would be*
ihr wärt	*you would be*
Sie wären	*you would be*
sie wären	*they would be*

Übung 5

Übersetze ins Deutsche! Translate the following into German.

1. We would have a great time.

2. I would be very grateful.

3. It would be too expensive.

4. You wouldn't have time.

5. It would be funny.

6. I would be afraid.

Stellenanzeigen

Leseverständnis

Petra sucht eine neue Stelle.

Teacher's CD5 Track 1

Ulrich:	Tag, Petra! Wie geht's dir?
Petra:	Tag, Ulrich! Mir geht's nicht so gut. Leider wurde ich letzte Woche entlassen!
Ulrich:	Was?! Du bist arbeitslos!
Petra:	Ja. Es ist so deprimierend! Die Arbeit im Café hat mir gut gefallen. Ich muss jetzt eine neue Stelle finden.
Ulrich:	Willst du wieder in einem Café arbeiten oder möchtest du etwas Anderes machen?
Petra:	Ich weiß nicht. Vielleicht ist es Zeit, Erfahrungen auf einem neuen Gebiet zu sammeln.
Ulrich:	Also, ich habe gehört, dass sie bei Toys'r'us, dem großen Spielzeugladen im Citti-Park, Mitarbeiter suchen. Wäre das etwas Interessantes für dich?
Petra:	Tja, warum nicht?
Ulrich:	Sie haben bestimmt die Details auf ihrer Homepage. Wenn dir die Jobbeschreibung gefällt, könntest du dich sofort um eine Stelle bewerben.
Petra:	Ja, das ist keine schlechte Idee! Danke für den Tipp.
Ulrich:	Nichts zu danken! Viel Glück damit!
Petra:	Ja, danke. Ich lade dich zum Essen ein, wenn ich die Stelle bekomme!
Ulrich:	Abgemacht! Tschüss!

Übung 6

Richtig oder falsch? Tick whether the following statements are true or false.

		True	False
1.	Ulrich has just lost his job.		
2.	Petra really liked working in the café.		
3.	There is a job available in a shoe store.		
4.	More details are available in the newspaper.		
5.	Petra will invite Ulrich to dinner if she's successful.		

Zum Lesen

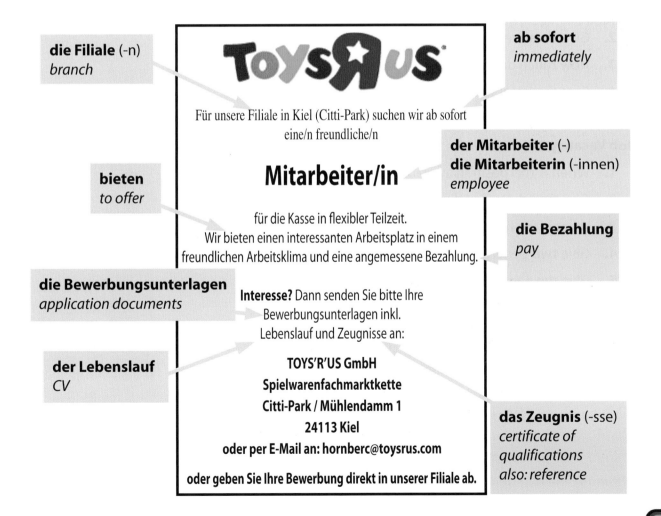

die Filiale (-n)
branch

ab sofort
immediately

TOYS'R'US

Für unsere Filiale in Kiel (Citti-Park) suchen wir ab sofort
eine/n freundliche/n

der Mitarbeiter (-)
die Mitarbeiterin (-innen)
employee

bieten
to offer

Mitarbeiter/in

für die Kasse in flexibler Teilzeit.
Wir bieten einen interessanten Arbeitsplatz in einem
freundlichen Arbeitsklima und eine angemessene Bezahlung.

die Bezahlung
pay

die Bewerbungsunterlagen
application documents

Interesse? Dann senden Sie bitte Ihre
Bewerbungsunterlagen inkl.
Lebenslauf und Zeugnisse an:

der Lebenslauf
CV

TOYS'R'US GmbH
Spielwarenfachmarktkette
Citti-Park / Mühlendamm 1
24113 Kiel
oder per E-Mail an: hornberc@toysrus.com

oder geben Sie Ihre Bewerbung direkt in unserer Filiale ab.

das Zeugnis (-sse)
*certificate of
qualifications
also: reference*

Hörverständnis 2

Student's CD Tracks 53–55   Teacher's CD5 Tracks 2–4

Hör gut zu! Listen carefully and answer the following questions in English.

Jobbörse im Radio

Job Vacancy 1

1. In which city is this position available?
2. How many hours a week would the person have to work?
3. Give **two** details of what the job entails.
4. Give **one** advantage of the job.
5. Give the telephone number called out at the end of the advert.

Job Vacancy 2

1. What position is currently available at Hotel am Rhein?
2. Give **three** requirements all applicants must meet.
3. How much does the position pay per hour?
4. Give the hotel's address.

Job Vacancy 3

1. When is this position available and until what date?
2. Give **two** duties involved.
3. What is the hourly wage for this position?
4. Give **two** perks of the job.
5. Give the name and telephone number of the manager.

Zum Lesen

Teacher's CD5 Track 5

Hotel am Mühlbach

Wir stellen ein! Küchenhilfe und Kellner/Kellnerinnen werden gesucht. Erfahrung nicht nötig. Dienstags bis samstags von 16 Uhr bis 23 Uhr. Unterkunft im Hotel. Gute Sprachkenntnisse erforderlich.

Bitte an: Herrn Runge, Hotel am Mühlbach, Ludwig-Uhland-Straße 25, 78141 Schönwald schreiben.

Übung 7

Bewerbe dich um diese Stelle! Ergänze! Apply for this job. Fill in the blanks in the letter on the next page with the words from the box below.

gearbeitet	Sommerferien	pünktlich
Grüßen	Jahre	Schuljahr
Erfahrung	Fremdsprachen	spreche
könnte	Kunden	mich
gelesen	Anzeige	Gymnasium

Amanda Keller
14 Hillview Park
Tullamore
Co. Offaly
Irland

13.08.09

Herrn Runge
Hotel am Mühlbach
Ludwig-Uhlandstr. 25
78141 Schönwald
Deutschland

Sehr geehrter Herr Runge!

Ich habe Ihre (1) _____ für eine Kellnerin in Ihrem Hotel in der
Frankfurter Allgemeine (2)_____ und ich interessiere (3)_____ sehr
für diese Stelle.

Ich bin sechzehn (4) _____ alt und besuche ein (5) _____ hier in
Irland. Für mein Abitur lerne ich zwei (6)_____ – Deutsch und
Spanisch. Ich schreibe und (7)_____ beide sehr gut.

Die Arbeit als Kellnerin würde mir sehr gut gefallen. Ich bin sehr freundlich, höflich und
(8) _____. Obwohl ich keine (9)_____ als Kellnerin habe, habe
ich schon in einem Supermarkt (10)_____, wo ich die
(11)_____ bedient habe. Der Job hat mir sehr gut gefallen.

Meine (12)_____ beginnen am 2. Juni. Ich (13)_____ also vom
4. Juni bis zum 24. August in Ihrem Hotel arbeiten, denn das neue
(14)_____ beginnt Ende August.

Ich würde mich freuen, bald von Ihnen zu hören.

Mit freundlichen (15)_____

Amanda Keller

Persönliche Daten

Name	Max Schwerbel
Geburtsdatum	25.09.1988
Geburtsort	Dortmund
Staatsangehörigkeit	Deutsch
Familienstand	ledig
	Einzelkind
Anschrift	Wollinstraße 65
	70439 Stuttgart
	Tel: 0711/820239
	E-mail: schwerbelmax@yahoo.de

Schulbildung

Schulbildung	1994–1998	Grundschule
	1998–2007	Sophie-Scholl-Gymnasium
		Abschluss: Abitur (Note: 1,5)

Interessen

Hobbys	Fußball, Segeln, Lesen, Kino, Gitarre spielen
Berufswunsch	Augenoptiker

Stuttgart, den 14. November 2008

Max Schwerbel

Übung 8

Richtig oder falsch? Tick whether the following statements are true or false.

		True	False
1.	Max is still attending secondary school.		
2.	He is married.		
3.	He has one child.		
4.	His hobbies include sailing and reading.		
5.	He wishes to become an optician.		

Wortschatz

der Lebenslauf	*CV/curriculum vitae*
persönliche Daten	*personal details*
das Geburtsdatum	*date of birth*
der Geburtsort	*place of birth*
Staatsangehörigkeit	*nationality*
Familienstand	*marital status*
ledig	*single*
verheiratet	*married*
geschieden	*divorced*
die Anschrift	*address*
die Schulbildung	*education*
der Berufswunsch	*preferred choice of career*
Voraussichtlicher Schulabschluss	*planned date for sitting final school exam*
die Berufserfahrung	*work experience*

Wassermann	*Aquarius*	Zwillinge	*Gemini*	Waage	*Libra*
Fische	*Pisces*	Krebs	*Cancer*	Skorpion	*Scorpio*
Widder	*Aries*	Löwe	*Leo*	Schütze	*Sagittarius*
Stier	*Taurus*	Jungfrau	*Virgo*	Steinbock	*Capricorn*

Übung 9

Und dein Lebenslauf? Ergänze! Complete the following CV with your own details.

Lebenslauf
Persönliche Daten

Name _____

Geburtsdatum _____

Geburtsort _____

Staatsangehörigkeit _____

Familienstand _____

_____

Anschrift _____

_____

_____

_____

_____

Schulbildung

_____ _____

_____ _____

_____

Interessen

Hobbys _____

_____

Berufswunsch _____

Leseverständnis

Teacher's CD5 Track 6

Daniel Brühl

Name	Daniel César Martín Brühl González Domingo
Spitzname	Golum
Beruf	Schauspieler
Geburtstag	16. Juni 1978
Geburtsort	Barcelona, Spanien
Sternzeichen	Zwillinge
Größe	1,76
Wohnort	Berlin
Familienstand	Ledig

Bekannteste Filme

Das Bourne Ultimatum (2007), *2 Tage Paris* (2007), *Ein Freund von mir* (2006), *In Transit* (2006), *Salvador* (2006), *Die Fetten Jahre sind vorbei* (2004), *Goodbye Lenin* (2003)

Sein Privatleben

Er hat zwei Brüder. Seine Mutter ist Spanierin, und sein Vater ist Deutscher. Zu Hause ist er zweisprachig aufgewachsen. Er wurde in Spanien geboren, aber hat seine Kindheit in Köln verbracht.

Was er mag

Autos. Allgemein steht er eher auf langsame alte Autos. Er hat zwei Oldtimer, einen Alfa Romeo Giulia und ein Peugeot 304 Cabrio.

Was er nicht mag

Er mag Castings nicht so gern. Er ist immer ziemlich unentspannt und froh, wenn es vorbei ist. Und er glaubt, dass er beim Vorsprechen viel schlechter ist als vor der Kamera.

Was ihm wichtig ist

Für Daniel sind Freundschaft, Familie und Beziehung wichtiger als Ruhm und das schnelle Geld.

Wie beschreibt er sich

Er sagt: „Ich bin ziemlich unzuverlässig, langsam beim Antworten und gehe auch mal gern nicht ans Telefon. Außerdem kommt es vor, dass ich Dinge komplett vergesse."

Wie war die Schule?

Er hat sehr positive Erinnerungen an die Schule. Er war auf dem Drei-Königs-Gymnasium in Köln und hatte wenig Probleme mit seinen Lehrern. „Irgendwie habe ich es geschafft, im Mathe-Grundkurs auf eine Punktezahl von fünf Punkten zu kommen, mehr war nicht drin (ich war so stolz bei der Klausur). Ansonsten hatte ich Englisch und Französisch Leistungskurs, Geschichte mündlich, das lief alles prima."

Er war auch in der Schulband, in der er die Texte selber geschrieben hat. Er war der Sänger in der Band.

Sein Lieblingsdrehort

Brühl sagt: „Es war bis jetzt überall schön, besonders, wenn man als deutscher Schauspieler die Chance hat, im Ausland drehen zu können. Zum Beispiel für *Salvador* in Barcelona oder in Weißrussland, in Südengland, das war schon sehr toll. Aber nach längerer Zeit im Ausland freue ich mich immer wieder in Berlin zu drehen."

Wenn er studiert hätte, was hätte er gerne studiert?

Daniel interessiert sich sehr für das Mittelalter, und er hätte sehr gern Geschichte studiert.

Eine peinliche Geschichte

Vor ein paar Jahren, als er in Cannes war, stieg er aus der Limo und alle schrien „Daniel"! Er dachte: „Wow, jetzt hast du's geschafft." Dann drehte er sich um – und wer stand direkt hinter ihm? Daniel Auteuil, der französische Schauspieler. Er war beinahe vor Scham im Boden versunken und hofft, dass das ja keiner mitgekriegt hat.

Übung 10

Antwort auf Englisch! Answer the following questions in English.

1. What is Daniel Brühl's profession?
2. Where was he born?
3. What is his star sign?
4. What is his marital status?
5. How many are in his family?

6. Why is he just as good at Spanish as he is at German?

7. What does he like?

8. List two things that are important for him.

9. What subjects did he study at school?

10. In which countries has he enjoyed filming?

11. What would he have liked to have studied at college?

12. Describe his embarrassing story.

Übung 11

Eine Umfrage. Was wollen deine Klassenkameraden werden? What do your classmates want to do? Ask them the following questions in German. Fill in the details in German and then write out a short paragraph for any two classmates. An example is given.

Name	Was möchte er/sie studieren?	Warum?	Was möchte er/sie nicht studieren?	Warum nicht?
Matthew	Betriebs-wirtschaftslehre und Germanistik in UCD.	Betriebs-wirtschaftslehre ist leicht. Deutsch ist nützlich.	Natur-wissenschaften.	Er hasst Biologie und Chemie.

*Matthew möchte Betriebswirtschaftslehre und Germanistik in UCD studieren, denn er findet
Betriebswirtschaftslehre leicht und Deutsch nützlich. Er möchte auf keinen Fall
Naturwissenschaften studieren, denn er hasst Biologie und Chemie*

Klassenkamerad Nr 1

_____

_____

_____

Klassenkamerad Nr 2

_____

_____

_____

Übung 12

Ein Brief

You have recently received a letter from your Swiss pen pal. Write a letter in reply, answering
all the questions (which have been numbered for you) in some detail.

Sankt Gallen, den 14. April

Lieber Emmet/Liebe Emma!

Mensch, wo sind die letzten zwei Monate hin?! Ich habe dir zuletzt Mitte Februar
geschrieben, und jetzt sind schon die Osterferien vorbei. Kaum zu fassen! Nun, wie geht's
dir? Bei mir ist ziemlich viel los. Ich habe gerade einen Sprachkurs in Englisch gemacht.
Ich fand ihn ganz toll. Ich habe eine Menge gelernt. Ich habe viele coole Redewendungen
gelernt, so wie „It's a piece of cake."(1) Welche Sprachen lernst du an der Schule? Lernst
du gern Sprachen? Was meinst du, wie lernt man am besten eine Fremdsprache?
Zu Ostern war meine Tante Gisela aus Dortmund zu Besuch. Sie hat uns viele deutsche
Leckereien mitgebracht. Mir hat sie viele Schokoeier und ganz tolle Marzipanfiguren
geschenkt. Im Wohnzimmer hingen viele schönbemalte Ostereier.

(2) Wie feiert man Ostern in Irland? Esst ihr auch Ostereier? Habt ihr auch Feste, die typisch irisch sind?

Am Wochenende habe ich einen sehr guten Film gesehen. Der Film heißt „Die Vögel", und der Regisseur ist Alfred Hitchcock. (3) Magst du auch alte Filme oder Krimis? Hast du einen Lieblingsschauspieler/eine Lieblingsschauspielerin? Wie lange darfst du am Abend fernsehen? Ich darf an einem Schultag nur eine Stunde fernsehen, denn meine Eltern finden das eine Zeitverschwendung.

Heute ist wirklich schönes Wetter hier in Sankt Gallen. Ich habe gerade mit Sven und Erika telefoniert, und wir haben uns für vierzehn Uhr verabredet. Wir werden eine kleine Radtour machen. (4) Wie ist das Wetter im Moment in Irland? Was machst du gern, wenn das Wetter schön ist? Und wenn das Wetter schlecht ist, was machst du dann?
Gestern Abend bin ich schwimmen gegangen, und dann war ich auf einer Party. Eine Freundin hatte Geburtstag. Das was ein schöner Abend. Ich bin erst gegen Mitternacht nach Hause gekommen. (5) Was hast du gestern gemacht? Hat es Spaß gemacht? Um wie viel Uhr bist du ins Bett gegangen?

Ich mache jetzt Schluss, denn ich werde gleich zur Post fahren und den Brief abschicken – sonst musst du noch zwei Monate warten, bis du wieder von mir hörst!

Alles Gute
Dein(e) Michael(a)

*As a guide for how much to write, try following the marking scheme below. The letter is marked as always under the two headings: **content** (the sentences you write that answer the questions) and **expression** (spelling, grammar, idiom, etc.).

Suggested marking scheme

CONTENT (27 marks)

Question	Marks Available (27)	Points to be covered	
Start	1	Any appropriate opening sentence	(1)

(1)	5	**Sprachen**	
		Welche Sprachen lernst du an der Schule?	(1)
		Lernst du gern Sprachen?	(1, 1)
		Wie lernt man am besten eine Fremdsprache?	(1)
		Ergänzung/Reaktion	(1)
(2)	5	**Ostern/Feste**	
		Wie feiert man Ostern in Irland?	(1)
		Esst ihr auch Ostereier?	(1)
		Habt ihr auch Feste, die typisch irisch sind?	(1, 1)
		Ergänzung/Reaktion	(1)
(3)	5	**Filme**	
		Magst du auch alte Filme oder Krimis?	(1)
		Hast du einen Lieblingsschauspieler/eine	(1)
		Lieblingsschauspielerin?	(1)
		Wie lange darfst du am Abend fernsehen?	(1)
		Ergänzung/Reaktion	(1)
(4)	5	**Wetter/Hobbys**	
		Wie ist das Wetter im Moment in Irland?	(1, 1)
		Was machst du gern, wenn das Wetter schön ist?	(1)
		Und wenn das Wetter schlecht ist, was machst du dann?	(1)
		Ergänzung/Reaktion	(1)
(5)	6	**Gestern**	
		Was hast du gestern gemacht?	(2, 2)
		Hat es Spaß gemacht?	(1)
		Um wie viel Uhr bist du ins Bett gegangen?	(1)
Closing	1	Any appropriate closing sentence	(1)
		(Not from pen pal's letter)	

EXPRESSION (23 marks)

Pay attention to the following when writing your reply:

- Avoid English words
- Spellings
- Word order: **Time+Manner+Place**
  (check that the verb is the second idea in the sentence)
- Verb tenses: (there are 4 marks for the past tense question, be sure to answer with *ich habe/ich bin* + past participle of the verb)

Hörverständnis 3

Teacher's CD5 Tracks 7–8

Hör gut zu! Listen carefully and fill in the missing information in English.

	Leona	Walter
From: State		
Age		
Date of birth		
Brothers and sisters		
Father's Profession		
Mother's Profession		
Two details of where their house is located		
Two hobbies		
Favourite subject		
Why?		
Future career		

Reference Section

Vocabulary

Table of Contents

Kapitel 1

- At the take-away
- At the restaurant
- At the ice cream parlour
- At the café

Kapitel 2

- Shops
- Consumer items
- Shopping

Kapitel 3

- Cooking
- Ingredients and quantities
- Electrical appliances
- Dishes, cutlery and kitchen accessories

Kapitel 4

- Directions
- The town
- Buildings

Kapitel 5

- Meeting up
- Invitations and parties

Kapitel 6

- Talking about last weekend
- Describing a birthday party

Kapitel 7

- Weather terms
- Weather forecasts

Kapitel 8

- Describing what you did in the holidays

Kapitel 9

- Train station
- Buying a ticket
- Public transport
- Lost and found office

Kapitel 10

- At the hotel and youth hostel
- At the campsite

Kapitel 11

- At the department store
- Clothes
- Returning items

Kapitel 12

- German class
- Language learning
- School exchange

Kapitel 13
- Christmas
- New Year
- Easter/Carnival
- Oktoberfest

Kapitel 14
- Parts of the Body
- Illness
- Medicines and remedies
- Accidents
- Healthy living

Kapitel 15
- The countryside
- Farm animals
- Work on the farm
- The zoo
- The environment

Kapitel 16
- Housework
- Gardening
- Birds
- Flowers
- Rules at home
- Family circumstances

Kapitel 17
- Future plans
- College and professions
- Qualifications

Kapitel 1

AT THE TAKE-AWAY

Im Schnellimbiss	*At the take-away*
der Schnellimbiss (-e)	*Take-away/fast food restaurant*
die Imbissbude (-n)	*snack bar*
die Imbisstube (-n)	*snack bar*
Was hätten Sie gern?	*What would you like?*
Was darf es sein?	*What'll it be?/What would you like?*
Ich hätte gern…	*I'd like…*
Ich möchte…	*I'd like…*
Ich nehme…	*I'll have…*
Einmal Hamburger mit Pommes.	*One hamburger and chips.*
Eine große Portion	*A large portion*
Eine kleine Portion	*A small portion*
Zusammen oder getrennt?	*Together or separately?*
Zusammen, bitte.	*Together, please.*
Getrennt, bitte.	*Separately, please.*
Bitte schön.	*Here you go!*
Danke schön.	*Thank you.*
Das macht…	*That comes to…*
Stimmt so.	*Keep the change.*
Und fünfzig Cent zurück.	*And fifty cent change.*
Guten Appetit!	*Enjoy your meal!*
Lass es Ihnen schmecken!	*Enjoy your meal!*
Zu essen gibt es…	*To eat there is…*
eine Bratwurst mit Brot	*grilled sausage and bread*
eine Bratwurst mit Pommes	*grilled sausage and chips*
eine Currywurst	*grilled sausage with currysauce*
eine Weißwurst	*veal sausage*
ein Paar Wiener mit Brot	*Frankfurter/Wiener sausages*
Frikadellen mit Brot	*meatballs with bread*
Schaschlik mit Brot	*kebabs with bread*
einen Hamburger	*a hamburger*
einen kleinen gemischten Salat	*a small mixed salad*
einen großen grünen Salat	*a large green salad*
Kartoffelsalat	*potato salad*
Sauerkraut	*pickled white cabbage*
einen Döner(kebab)	*a kebab*
ein Stück Pizza	*a slice of pizza*
mit Senf/Ketchup	*with mustard/ketchup*
ohne Senf/Ketchup	*without mustard/ketchup*

Zu trinken gibt es	*To drink there is…*
eine kleine Cola	*a small cola*
eine große Cola	*a large cola*
eine Sprite	*a Sprite®*
eine Fanta	*a Fanta®*
ein Mineralwasser	*a mineral water*
einen Apfelsaft	*an apple juice*
eine Apfelschorle	*combination of apple juice and sparkling mineral water*
einen Orangensaft	*an orange juice*
ein Spezi	*combination of cola and orange soda*
eine Dose Cola	*a can of cola*
eine Flasche Mineralwasser	*a bottle of mineral water*

AT THE RESTAURANT

Im Restaurant	*In the restaurant*
Die Bedienung fragt…	*The service asks…*
Ist das zum Hieressen oder zum Mitnehmen?	*Is that to eat here or for take-away?*
Die Herrschaften wünschen?	*What would the ladies and gentlemen like?*
Was wünschen Sie?	*What would you like?*
Soll ich Ihnen die Speisekarte bringen?	*Will I bring you the menu?*
Haben Sie sich entschieden?	*Have you decided?*
Hat es Ihnen geschmeckt?	*Did you enjoy your meal?*
Der Kunde sagt…	*The customer says…*
Darf ich bitte die Speisekarte sehen?	*May I see the menu, please?*
Was empfehlen Sie?	*What do you recommend?*
In der Raucherecke	*In the smoking section*
In der Nichtraucherecke	*In the non-smoking section*
Beim Fenster	*At the window*
Auf der Terrasse	*On the patio*
draußen	*outdoors*
drinnen	*indoors*
Ich komme sofort.	*I'm coming immediately.*
Ich bin gleich wieder da.	*I'll be back in a minute.*
Einen Augenblick, bitte.	*Just a moment, please.*

die Vorspeise (-n)	starter
der Hauptgericht (-e)	main course
der Nachtisch (-e)	dessert
die Nachspeise (-n)	dessert
die Getränke	drinks

AT THE ICE CREAM PARLOUR

In der Eisdiele	*At the ice cream parlour*
Welche Eissorten haben Sie?	*Which flavours do you have?*
eine Kugel/ zwei Kugeln	*one scoop/two scoops*
in einer Waffel	*in a wafer cone*
im Becher	*in a tub*
Ananas	*pineapple*
Aprikose	*apricot*
Banane	*banana*
Erdbeere	*strawberry*
Haselnuss	*hazelnut*
Himbeere	*raspberry*
Joghurt	*yoghurt*
Kaffee	*coffee*
Kokos	*coconut*
Mocca	*mocca*
Pfirsich	*peach*
Pistazie	*pistachio*
Schokolade	*chocolate*
Schoko-Mint	*mint chip*
Spaghettieis	*an ice cream dish that looks like spaghetti and tomato sauce*
Vanille	*vanilla*
Zitrone	*lemon*
ein gemischtes Eis	*a selection of ice cream*
mit Sahne	*with cream*
mit Schokosoße	*with chocolate sauce*

AT THE CAFÉ

Im Café	*In the café*
die Torte (-n)	*cake/gateau*
der Kuchen (-)	*cake*
ein Stück	*a slice of/a piece of*
eine Tasse (-n)	*a cup of*
ein Kännchen (-)	*a pot of*

Kapitel 2

SHOPS

das Geschäft(-e)	*shop*
der Laden (¨)	*shop*
die Handlung (-en)	*shop*
der Supermarkt (¨e)	*supermarket*
die Kaufhalle (-n)	*department store*
das Kaufhaus (¨er)	*department store*
das Warenhaus (¨er)	*department store*
der Tante-Emma-Laden (¨)	*corner shop*
der Laden an der Ecke	*corner shop*
die Apotheke (-n)	*pharmacy*
die Bäckerei (-en)	*bakery*
der Blumenladen (¨)	*florist's*
die Buchhandlung (-en)	*bookshop*
der Feinkostladen (¨)	*delicatessen*
die Fleischerei/Metzgerei (-en)	*butcher's*
das Geschenkartikelladen (¨)	*gift shop*
die Konditorei (-en)	*cake shop*
das Lebensmittelgeschäft (-e)	*grocer's*
das Möbelgeschäft (-e)	*furniture store*
der Musikladen (¨)	*music shop*
der Obst- und Gemüseladen (¨)	*fruit and veg shop*
der Schreibwarenladen (¨)	*stationery shop*
der Souvenirladen (¨)	*souvenir shop*
der Spielwarenladen (¨)	*toy shop*
das Sportgeschäft (-e)	*sports shop*
die Tierhandlung (-en)	*pet shop*
der Zeitungsladen (¨)	*newsagent's*
der Einkaufsbummel	*shopping spree*
der Einkaufskorb	*shopping basket*
die Einkaufsliste	*shopping list*
die Einkaufspassage	*shopping arcade*
die Einkaufstasche	*shopping bag*
der Einkaufswagen	*shopping trolley*
das Einkaufszentrum	*shopping centre*
der Einkaufszettel	*shopping list*

der Beutel (-)	bag (made of cotton)
die Tüte (-n)	bag (either plastic or paper)
die Tasche (-n)	bag (any type)
die Plastiktüte (-n)	plastic bag
die Papiertüte (-n)	paper bag
der Korb ("e)	basket
das Sackerl/Plastiksackerl	bag/plastic bag (Austria)
die Stofftasche (-n)	bag made with fabric
die Umwelttasche (-n)	recyclable cotton bag
der Eingang	entrance
der Ausgang	exit
der Gang	aisle
der Informationsschalter	information desk
die Kasse	till
der Kassenzettel	till receipt
der Kassenbon	till receipt
der Verkäufer (-)	sales assistant (m)
die Verkäuferin (-nen)	sales assistant (f)
der Kunde (-n)	customer (m)
die Kundin (-nen)	customer (f)
die Kunden	customers
eine Schlange	a queue
Bitte stellen Sie sich an.	Please get in line.
der Preis (-e)	cost/price
das Pfand	deposit
gültig	valid
ungültig	invalid
das Kleingeld	change (coins)
das Wechselgeld	change (coins)
das Rückgeld	change
das Bargeld	cash
die Kreditkarte (-n)	credit card
die Summe	total
eine große Auswahl haben	to have a large selection
geschlossen	closed
geöffnet	open
der Ruhetag	closed day
aufmachen	to open
zumachen	to close
ausverkauft/alle	sold out

CONSUMER ITEMS

der Becher (-)	*tub*
die Packung (-en)	*packet*
die Schale (-n)	*box (e.g. of fruit)*
die Schachtel (-n)	*box (e.g. of matches)*
die Flasche (-n)	*bottle*
die Dose (-n)	*can/tin*
die Tüte (-n)(Milch)	*carton (of milk)*
das Lebensmittel(-)	*groceries*
das Reinigungsmittel (-)	*cleaning product(s)*
das Waschmittel (-)	*detergent(s)*
die Toilettenartikel (pl)	*toiletries*
Obst und Gemüse	*fruit and vegetables*
das Backpulver (-)	*baking powder*
das Salz	*salt*
der Pfeffer	*pepper*
das Mehl (-e)	*flour*
der Essig (-e)	*vinegar*
das Öl (-e)	*oil*
der Senf (-e)	*mustard*
der Ketchup	*ketchup*
der Zimt	*cinnamon*
die Rosinen (pl)	*raisins*
die Nuss (¨e)	*nut*
die Chips (pl)	*crisps*
die Seife (-n)	*soap*
das Shampoo (-s)	*shampoo*
die Pflegespülung (-n)	*conditioner*
das Gel (-e)	*hair gel*
das Duschgel (-e)	*shower gel*
der Kamm (¨e)	*comb*
die Haarbürste (-n)	*hairbrush*
das Toilettenpapier	*toilet paper*
das Klopapier	*toilet paper*
das Spülmittel (-)	*washing-up liquid*
das Waschpulver (-)	*washing powder*
der Weichspüler (-)	*fabric softener*
die Streichhölzer (pl)	*matches*
die Birne (-n)	*light bulb*

SHOPPING

billig	*cheap*
spottbillig	*dirt cheap*
preiswert	*inexpensive*
bezahlbar	*affordable*
kostenlos	*free*
gratis	*free*
umsonst	*free*
geschenkt	*free*
im Sonderangebot	*on special offer*
reduziert	*reduced*
herabgesetzt	*reduced*
günstig	*good value*
für ein Butterbrot	*for a song (idiom)*
für einen Pappenstiel	*for next to nothing (idiom)*
teuer	*expensive*
sauteuer	*really expensive*
unbezahlbar	*unaffordable*
kostspielig	*costly*
überteuert	*excessive*
gesalzene Preise	*over the top prices*
ausverkauft	*sold out*
Das ist doch Wucher!	*That's daylight robbery!*
Das ist ja Nepp!	*That's daylight robbery/a rip-off!*

Kapitel 3

COOKING

kochen	*to cook*
backen	*to bake*
grillen	*to barbecue*
das Rezept (-e)	*recipe*

INGREDIENTS AND QUANTITIES

die Zutaten	***ingredients***
die Butter	*butter*
die Buttermilch	*buttermilk*
das Ei (-er)	*egg*
der Käse	*cheese*
das Mehl	*flour*
das Öl	*oil*

der Pfeffer	*pepper*
die Sahne	*cream*
das Salz	*salt*
das Weizenmehl	*white flour*
der Zucker	*sugar*
das Sonnenblumenöl	*sunflower oil*
der Vanillezucker	*vanilla sugar*
die Möhre	*carrot*
die Stange	*stick*
das Stück	*piece/stick*
die Gemüsebrühe	*vegetable stock*
das Natron	*bicarbonate of soda*
der Backpulver	*baking powder*
der Puderzucker	*icing sugar*
das Eigelb	*egg yolk*
das Eiweiß	*egg-white (also: protein)*

die Mengenangaben	***quantities***
kg (Kilogramm)	*kilogram*
g (Gram)	*gram*
l (Liter)	*litre*
0,5 l (null Komma fünf Liter/einen halben Liter)	*half a litre*
ml (Milliliter)	*millilitre*
EL (Esslöffel)	*tablespoon*
ein gestrichener EL	*level tablespoon*
TL (Teelöffel)	*teaspoon*
eine Prise	*pinch*
eine Packung	*packet*
eine Dose	*can/tin*
ein Becher	*carton*

abgießen	*to strain*
abkühlen lassen	*leave to cool*
backen	*to bake*
bestreuen mit	*to sprinkle with*
binden	*to bind*
braten	*to roast/to fry*
erhitzen	*to heat up*
erkalten lassen	*leave to go cold*
grillen	*to grill/to barbecue*
hacken (grob hacken)	*to chop/mince (to cut in chunks)*

in Scheiben schneiden	*to slice*
kochen	*to cook/to boil*
reiben	*to grate*
rösten	*to roast*
rühren	*to stir*
schälen	*to peel*
schlagen	*to beat*
schneiden	*to cut*
servieren	*to serve*
sieben	*to sieve*
toasten	*to toast*
verquirlen	*to whisk*
verrühren	*to mix/to stir*
vorbereiten	*to prepare*
vorheizen	*to pre-heat*
waschen	*to wash*
würzen	*to season*
zerkleinern	*to chop*
zugeben	*to add*
zum Kochen bringen	*to bring to the boil*

ELECTRICAL APPLIANCES

die Elektrogeräte	***Electrical appliances***
der Elektroherd (-e)	*cooker*
der Gefrierschrank (¨e)	*freezer*
die Kaffeemaschine (-n)	*coffee machine*
der Kühlschrank (¨e)	*fridge*
die Mikrowelle (-n)	*microwave*
der Ofen (¨)	*oven*
die Spülmaschine (-n)	*dishwasher*
der Toaster (-)	*toaster*
der Waschautomat (-en)	*washing machine*
der Wäschetrockner (-)	*tumble dryer*
die Waschmaschine (-n)	*washing machine*
der Wasserkocher (-)	*kettle*

DISHES, CUTLERY AND KITCHEN

das Geschirr	***dishes***
das Glas (¨er)	*glass*
die Kaffeekanne (-n)	*coffee pot*
das Milchkännchen (-)	*milk jug*
die Schale (-n)	*bowl*

die Schüssel (-)	*large bowl*
die Tasse (-n)	*cup*
die Teekanne(-n)	*teapot*
der Teller (-)	*plate*
die Untertasse (-n)	*saucer*
das Weinglas (¨er)	*wine glass*

das Besteck	***cutlery***
die Gabel (-n)	*fork*
der Löffel (-)	*spoon*
das Messer (-)	*knive*
der Teelöffel (-)	*teaspoon*

das Küchenzubehör	***kitchen accessories***
der Abfalleimer (-)	*rubbish bin*
der Besen (-)	*sweeping brush*
die (Brat)pfanne (-n)	*fryng pan*
der Dosenöffner (-)	*can opener*
der Geschirrtuch (¨er)	*tea towels*
der Hahn (¨e)	*tap*
der Kochtopf (¨e)	*saucepan*
der Mopp (-en)	*mop*
die Schublade (-n)	*drawer*
die Schürze (-n)	*apron*
das Spülbecken (-)	*sink*
die Spüle (-n)	*sink*
die Steckdose (-n)	*socket*
der Stecker (-)	*plug*

Kapitel 4

DIRECTIONS

Nach dem Weg fragen	***Asking for directions***
Wie komme ich am besten zum/zur/zu den…?	*How do I get to the…?*
Gehen Sie geradeaus!	*Go straight on!*
Nehmen Sie…	*Take…*
nach links	*to the left*
nach rechts	*to the right*
auf der linken Seite	*on the left*
auf der rechten Seite	*on the right*
über die Brücke	*over the bridge*
bis zur Ampel	*as far as the traffic lights*

um die Ecke	*around the corner*
bis zur Kreuzung	*as far as the crossroads*
bis zum Kreisverkehr	*as far as the roundabout*
an der/am	*at*
an…vorbei	*past*
nach	*after*
vor	*in front of*
neben	*beside*

TOWN

die Stadt	***the town/city***
das Stadtzentrum (-zentren)	*city centre*
die Stadtmitte	*city centre*
die Altstadt	*old town*
der Stadtplan (¨e)	*map of the town*
die Straße (-n)	*street*
die Straße entlang	*along the street*
die Einbahnstraße (-n)	*one way street*
die Gasse (-n)	*narrow street*
die Sackgasse (-)	*cul-de-sac*
der Fahrradweg (-e)	*cycle path*
die Fußgängerzone (-n)	*pedestrian zone*
der Fußgängerüberweg (-e)	*pedestrian crossing*
die U-Bahn-Station (-n)	*underground station*
der Bahnhof (¨e)	*train station*
der Hauptbahnhof (¨e)	*main train station*
die Haltestelle (-n)	*stop*
die Bushaltestelle (-n)	*bus stop*

BUILDINGS

die Gebäude	***buildings***
die Bank (-en)	*bank*
die Bibliothek (-en)	*library*
die Bücherei (-en)	*lending library*
die Burg (-en)	*castle*
die Disko/Disco	*disco*
der Dom (-e)	*cathedral*
die Fabrik (-en)	*factory*
das Freibad (¨er)	*outdoor pool*
das Fremdenverkehrsbüro (-s)	*tourist information office*
das Hallenbad (-bäder)	*indoor swimming pool*
das Hotel (-s)	*hotel*

die Jugendherberge (-n)	*youth hostel*
das Jugendzentrum (-zentren)	*youth centre*
das Kino (-s)	*cinema*
die Kirche (-n)	*church*
die Kneipe (-n)	*pub*
das Krankenhaus (¨er)	*hospital*
die Kunstgalerie (-n)	*art gallery*
das Museum (-een)	*museum*
die Oper (-n)	*opera*
der Park (-s)	*park*
das Parkhaus (¨er)	*multi-storey car park*
die Post (-en)	*post office*
das Rathaus (¨er)	*town hall*
das Schloss (¨er)	*castle*
das Sportzentrum (-zentren)	*sports centre*
das Stadion (-ien)	*stadium*
das Theater (-)	*theatre*
der Wolkenkratzer (-)	*skyscraper*

Kapitel 5

MEETING UP

die Verabredung (-en)	*date*
der Termin (-e)	*appointment*
Wir treffen uns…	*Let's meet up…*
bei mir/bei dir	*at my house/at your house*
im Eiscafé	*at the ice cream parlour*
in der Stadt	*in town*
vor dem Haupteingang	*in front of the main entrance*
vor dem Schuleingang	*at the entrance to school*
in zehn Minuten	*in ten minutes*
abgemacht	*agreed*
Möchtest du…?	*Would you like to…?*
heute Abend	*this evening*
morgen Abend	*tomorrow evening*
am Samstagabend	*on Saturday evening*
am Sonntagnachmittag	*on Sunday afternoon*
nächste Woche	*next week*
am Wochenende	*at the weekend*

INVITATIONS AND PARTIES

die Einladung (-en)	*invitation*
einladen	*to invite*
stattfinden	*to take place*
feiern	*to celebrate*
die Feier (-n)	*party/celebration*
die Party (-s)	*party*
die Überraschungsparty (-s)	*surprise party*
die Geburtstagsparty (-s)	*birthday party*
auf eine Party gehen	*to go to a party*
zur Party kommen	*to come to the party*
eine Party organisieren	*to organise a party*
der Partykeller (-)	*a basement used for parties*
die Getränke	*drinks*
das Essen	*food*
der Knabberkram (-s)	*nibbles*

Kapitel 6

LAST WEEKEND

Was hast du am Wochenende gemacht? — *What did you do at the weekend?*
Ich habe Fußball gespielt. — *I played football.*
Ich bin ins Kino gegangen. — *I went to the cinema.*

BIRTHDAY PARTY

Wie war die Party? — *How was the party?*

die Party (-s)	*party*
die Fete (-n)	*party*
die Feier (-)	*celebration*
die Geburtstagsparty	*birthday party*
das Abschiedsfest	*going away party*
der Polterabend	*party on the eve of a wedding*
die Hochzeit	*wedding*
der Hochzeitstag	*wedding anniversary*
die Kerze (-n)	*candle*
der Kuchen (-)	*cake*
der Geburtstagskuchen (-)	*birthday cake*
die Einladung (-en)	*invitation*
das Geschenk (-e)	*present/gift*
die Grußkarte (-n)	*greeting card*
das Geschenkpapier	*wrapping paper*

der Gast (¨e)	*guest*
die Musik	*music*
der Diskjockey	*disc jockey*
die Stimmung(-en)	*the atmosphere*
das Getränk (-e)	*the drinks*
das Essen	*the food*
der Luftballon (-s)	*balloons*
das Feuerwerk	*fireworks*
die Partyhüte	*party hats*
die Rollzungen/Tröten	*blowouts*
feiern	*to celebrate*
ausblasen	*to blow out (candles)*
schenken (+ dat)	*to give someone a present*
viel Spaß haben	*to have a lot of fun*
Herzlichen Glückwusch zum Geburtstag!	*Happy Birthday!*
Viel Glück zum Geburtstag!	*Happy Birthday!*
Alles Gute zum Geburtstag!	*Happy Birthday!*

Kapitel 7

WEATHER TERMS

das Wetter (-)	**weather**
der Wetterbericht (-e)	*weather report*
die Wettervorhersage (-n)	*weather forecast*
das Unwetter (-)	*storm*
es ist schön	*it is nice*
es ist kalt	*it is cold*
es ist windig	*it is windy*
es ist bewölkt/wolkig	*it is cloudy*
es ist sonnig	*it is sunny*
es ist warm	*it is warm*
es ist heiß	*it is hot*
es ist neblig	*it is foggy*
es ist bedeckt	*it is overcast*
es ist stürmisch	*it is stormy*
es ist wechselhaft	*it is changeable*
es ist trocken	*it is dry*
es ist schlecht	*it is bad*
es ist heiter	*it is clear/bright*
es ist nass	*it is wet*

es ist furchtbar	*it is awful*
es ist herrlich	*it is lovely*
es ist angenehm	*it is pleasant*
mal sonnig mal wolkig	*sunny at times, cloudy at times*
überwiegend sonnig	*mainly sunny*
stark bewölkt	*very cloudy*
leicht bewölkt	*scattered clouds*
es regnet	*it is raining*
es schneit	*it is snowing*
es hagelt	*it is hailing (raining hailstones)*
es blitzt	*there is lightning*
es donnert	*there is thunder*
es schüttet	*it is lashing rain*

WEATHER FORECASTS

die Aufheiterungen	*bright spells*
das Gewitter	*thunderstorm*
das Glatteis	*black ice*
die Hitzewelle	*heatwave*
der Regen	*rain*
die Schauer	*showers*
vereinzelte Schauer	*scattered showers*
die Sonne	*sun*
die Sonne scheint	*sun is shining*
der Wind	*wind*
mäßig	*moderate*
der Himmel (-)	*sky*
ein paar Wolken	*a few clouds*
die Temperatur (-en)	*temperature*
Höchsttemperaturen	*highest temperatures*
Tiefstwerte	*lowest temperatures*
der Gefrierpunkt	*freezing point*
null Grad	*zero degrees*
zwischen	*between*
steigen/klettern	*to climb*
sinken	*to sink*

wenn es sonnig ist	*when it is sunny*
bei gutem Wetter	*when the weather is good*
bei schlechtem Wetter	*when the weather is bad*
trotz des schlechten Wetters	*despite the bad weather*
Nord	*north*
Süd	*south*
West	*west*
Ost	*east*
Nordost	*northeast*
Südost	*southeast*
Nordwest	*northwest*
Südwest	*southwest*

Kapitel 8

HOLIDAYS

die Ferien	*holidays*
die Sommerferien	*summer holidays*
die Weihnachtsferien	*Christmas holidays*
die Osterferien	*Easter holidays*
die Herbstferien	*autumn holidays/midterm*
in Urlaub fahren	*to go on holiday*
ins Ausland fahren	*to go abroad*
in Irland bleiben	*to stay in Ireland*
nach Portugal fahren	*to go to Portugal*
eine Woche im Ausland/in Spanien verbringen	*to spend a week abroad/in Spain*
Ich bin ins Ausland gefahren.	*I went abroad.*
Ich habe einen Sprachkurs gemacht.	*I did a language course.*
Ich habe einen Campingurlaub gemacht.	*I went on a camping holiday.*
Wir haben ein Ferienhaus in Kerry gemietet.	*We rented a holiday home in Kerry.*
Ich habe einen Austausch gemacht.	*I went on an exchange.*
Ich war in der Gaeltacht.	*I was in the gaeltacht.*
Ich habe auf unserem Bauernhof gearbeitet.	*I worked on our farm.*
Ich habe im Supermarkt gearbeitet.	*I worked in a supermarket.*
Ich habe mich mit meinen Freunden getroffen.	*I met my friends.*
Ich habe viel Sport gemacht.	*I played a lot of sport.*
Ich bin Ski gefahren.	*I went skiing.*
Ich habe eine Radtour gemacht.	*I went on a cycling trip.*

Kapitel 9

TRAIN STATION

der Bahnhof	*train station*
abfahren	*to depart*
ankommen	*to arrive*
einsteigen	*to get on*
aussteigen	*to get off*
umsteigen	*to change trains*
warten (auf)	*to wait (for)*
schwarzfahren	*to travel without paying*
die Abfahrt (-e)	*departure*
die Ankunft (-e)	*arrival*
der Bahnsteig (-e)	*platform*
die Endstation (-en)	*last stop*
der Erwachsener/die Erwachsene	*adult*
der Fahrgast (¨e)	*passenger*
die Fahrkarte (-n)	*ticket*
der Fahrkartenautomat (-e)	*ticket machine*
der Fahrkartenschalter (-)	*ticket counter*
der Fahrschein (e)	*ticket*
die Fahrt (-en)	*journey*
das Gleis (-e)	*track/platform*
der Informationsschalter (-)	*information desk*
der Kartenvorverkauf	*advance ticket purchase*
das Kind (-er)	*child*
der letzte Zug	*last train*
die Monatskarte (n)	*monthy ticket*
der nächste Zug	*next train*
das Reisezentrum (-zentren)	*travel centre*
der Schaffner (-)	*the conductor*
das Schließfach (¨er)	*locker*
der Sitz (-e)	*seat*
die Stoßzeit (-en)	*rush hour*
die Tageskarte (-n)	*day ticket*
das Ticket (-s)	*ticket*
die Verbindung (-en)	*connection*
die Verspätung (-en)	*delay*
die Wochenkarte (-n)	*weekly ticket*
der Zuschlag (¨e)	*supplement*

BUYING A TICKET

Am Fahrkartenschalter	*At the ticket counter*
einmal nach…	*one ticket to…*
einfach	*single*
hin und zurück	*return*
die BahnCard (-s)	*rail card*
nach Hannover	*to Hanover*
der Platz (¨e)	*seat/place*
die Reservierung (-n)	*reservation*
reservieren	*to reserve*
den Fahrschein entwerten	*to stamp your ticket in the machine*
die Ermäßigung(-n)	*reduction*
erste Klasse	*first class*
zweite Klasse	*second class*
gültig	*valid*
günstig	*cheap*
verspätet	*delayed*

PUBLIC TRANSPORT

das öffentliche Verkehrsmittel	*public transport*
der Bus (-se)	*bus*
der ICE	*InterCityExpress*
der Nahverkehr (-e)	*local transport*
der Zug (¨e)	*train*
die Bahn (-en)	*train*
die S-Bahn (-en)	*local/suburban train*
die Straßenbahn (-en)	*tram*
die U-Bahn (-n)	*underground*

LOST AND FOUND OFFICE

das Fundbüro (-s)	*lost and found office*
etwas liegenlassen	*to leave something behind*
vergessen	*to forget*
verlieren	*to lose*
Ich habe…verloren	*I've lost…*
finden	*to find*
abgeben	*to hand in*
einen Verlust melden	*to report a loss*
die Aktentasche (-n)	*briefcase*
der Ausweis (-e)	*identity card*
die Brieftasche (-n)	*wallet*
die Brille (-n)	*glasses*

der Fünfzig-Euro-Schein (-e)	*fifty euro note*
die Geldbörse (-n)	*purse/wallet*
das Handy (-s)	*mobile phone*
die Kette (-n)	*necklace*
der Koffer (-)	*suitcase*
das Portemonnaie (-s)	*purse*
der Regenschirm (-e)	*umbrella*
der Rucksack (¨e)	*backpack*
der Schlüssel (-)	*key*
die Sporttasche (-n)	*sports bag*
die Tasche (-n)	*bag*
die Uhr(-en)	*watch*

Kapitel 10

HOTEL AND YOUTH HOSTEL

das Hotel (-s)	*hotel*
das Fünf-Sterne-Hotel (-s)	*five star hotel*
die Jugendherberge (-n)	*youth hostel*
die Pension (-en)	*guest houses*
der Campingplatz (¨e)	*campsite*
Fremdenzimmer	*rooms to let*
am Meer	*by the sea*
in den Bergen	*in the mountains*
im Stadtzentrum	*in the city centre*
mitten im Wald	*in the middle of a forest*
auf dem Land	*in the countryside*
in einem Schigebiet	*in a ski resort*
die Anzahlung (-en)	*deposit*
der Aufzug (¨e)	*lift*
die Auskunft (-e)	*information*
die Aussicht (-en)	*view*
der Balkon (-s/-e)	*balcony*
die Bedienung (-en)	*service*
das Bett (-en)	*bed*
der Blick (-e)	*view*
die Broschüre (-n)	*brochure*
die Buchung stönieren	*to cancel the booking*
umbuchen	*to change the booking*

das Doppelzimmer (-)	*double room*
die Dusche (-n)	*shower*
das Einzelzimmer (-)	*single room*
der Empfang (¨e)	*reception*
der Empfangschef (-s)	*male receptionist*
der Empfangsdame (-n)	*female receptionist*
im ersten/zweiten Stock	*on the first/second floor*
mit Frühstück	*with breakfast*
das Frühstücksbüfett (-s)	*breakfast buffet*
die Halbpension	*half board*
die Hausordnung	*house rules*
die Herbergsmutter (¨)	*youth hostel warden (female)*
der Herbergsvater (¨)	*youth hostel warden (male)*
der Internetzugang (¨e)	*Internet connection*
die Kilmaanlage (-n)	*air conditioning*
die Mitgliedskarte (-n)	*membership card*
die Nacht (¨e)	*night*
der Preis (-e)	*the price/rate*
die Preisliste (-n)	*price list*
die Reservierung (-en)	*reservation*
eine Reservierung machen	*to make a reservation*
das Restaurant (-s)	*restaurant*
die Rezeption (-en)	*reception*
der Schlüssel (-)	*key*
die Speisesaal (-säle)	*dining room*
die Treppe (-n)	*stairs*
die Übernachtung (-en)	*overnight stay*
die Vollpension	*full board*
das Zimmer (-)	*room*
das Zimmermädchen (-)	*chambermaid*
der Zimmerservice	*room service*
das Zweibettzimmer (-)	*twin room*
Haben Sie ein Zimmer frei?	*Have you any vacancies?*
belget	*no vacancies*
Zimmer frei	*vacancies*
inklusive	*included*
inbegriffen	*included*
bestätigen	*to confirm*
vom… bis zum…	*from the… to the…*
einchecken	*to check in*

auschecken	*to check out*
das Zimmer verlassen	*to leave the room*
Ich möchte mich beschweren.	*I'd like to complain.*
das schwarze Brett	*the notice board*
zu verkaufen	*for sale*
gesucht	*looking for*
bezahlen	*to pay*
Nachhilfe	*grinds*
zu vermieten	*for rent*
gebraucht	*used*

CAMPSITE

Haben Sie Plätze frei?	*Have you any vacancies?*
	(at a campsite)
zelten	*to camp*
zelten verboten	*no camping allowed*
der Abfalleimer (-)	*rubbish bin*
der Camper	*camper (male)*
die Camperin	*camper (female)*
das Campinggas (-e)	*Calorgas*
der Campingwart	*warden at the campsite*
der Kiosk (-)	*small shop*
der Kochtopf (¨e)	*saucepan*
das Lagerfeuer (-)	*campfire*
die Luftmatratze (-n)	*airbed*
der Schlafsack (¨e)	*sleeping bag*
der Strom	*electricity*
die Taschenlampe (-n)	*torch*
das Taschenmesser (-)	*pocket knife*
die Toiletten	*toilets*
das Trinkwasser	*drinking water*
das Wohnmobile (-n)	*camper van*
der Wohnwagen (-)	*caravan*
das Zelt (-e)	*tent*
das Zelt aufbauen	*to pitch the tent*
das Zelt abbauen	*to take down the tent*

the department store
the lift
ladies' fashions
ladies' fashions
ground floor
the floor plan

die Herre... dung	gents' fashions
die Herrenmode (-n)	gents' fashions
die Kinderbekleidung	children's fashions
das Obergeschoss	upper floor
das Parterre	ground floor
das Reisebüro	travel agent
die Rolltreppe (-n)	the escalator
der Schmuck	jewellery
der Sommerschlussverkauf (SSV)	summer sale
die Sportabteilung	sports department
der Stock (¨e)	floor/level
das Stockwerk	floor
die Technikabteilung	technology department
das Untergeschoss	basement
der Winterschlussverkauf	winter sales
eine Etage weiter	one floor up
im ersten Stock	on the first floor
im zweiten Obergeschoss	on the second floor
im zweiten Untergeschoss	two levels down
die Bademoden	swimwear
die Elektrogeräte	electrical appliances
die Geschenkartikel	gifts
die Haushaltswaren	household department
die Lebensmittel	groceries
die Lederwaren	leather goods
die Schreibwaren	stationery
die Schuhe	shoes
die Spielwaren	toy department
die Süßwaren	sweets and confectionary
die Uhren	watches

CLOTHES

der Stoff	*the material*
die Baumwolle	*cotton*
das Leder	*leather*
das Leinen	*linen*
der Pelz	*fur*
die Seide	*silk*
die Spitze	*lace*
das Wildleder	*suede*
die Wolle	*wool*

das Muster	*the design*
geblümt	*floral*
gemustert	*patterned*
gepunktet/getupft	*spotted*
gestreift	*striped*
kariert	*checked*
uni	*plain*

die Kleider	*clothes*
der Anzug (¨e)	*suit*
der Badeanzug (¨e)	*swimsuit*
die Badehose (-n)	*swimming trunks*
die Bademütze (-n)	*swim cap*
der Bikini (-s)	*bikini*
die Bluse (-n)	*blouse*
das Dirndl (-)	*dirndl (traditional German dress)*
die Flip-Flops (pl)	*flip-flops*
die Gummilatschen (pl)	*flip-flops*
die Gummistiefel (pl)	*Wellington boots*
der Gürtel (-)	*belt*
der Handschuh (-e)	*glove*
das Hemd (-n)	*shirt*
die Hose (-n)	*trousers*
der Hut (¨e)	*hat*
die Jacke (-n)	*jacket*
die Jeans (-)	*denim jeans*
das Kleid (-er)	*dress*
das Kostüm (-e)	*ladies' suit (also: costume)*
die Krawatte (-n)	*tie*

der Mantel (¨)	*coat*
die Mütze (-n)	*cap*
das Nachthemd (-en)	*nightdress*
die Pantoffeln (pl)	*slippers*
das Polohemd (-en)	*polo shirt*
der Pulli (-s)	*jumper*
der Pullover (-)	*jumper*
der Pyjama (-s)	*pyjamas*
der Regenmantel (¨)	*raincoat*
der Rock (¨e)	*skirt*
das Sakko (-s)	*sports jacket*
die Sandalen (pl)	*sandals*
der Schal (-s)	*scarf/shawl*
der Schlips (-e)	*tie*
die Schnürschuhe (pl)	*lace-up shoes*
die Schnürsenkel (pl)	*laces*
die Schuhe (pl)	*shoes*
die Schwimmbrille (-n)	*swimming goggles*
die Socken (pl)	*socks*
die Steppjacke (-n)	*quilted jacket (puffa jacket)*
die Stiefel (pl)	*boots*
die Strickjacke (-n)	*cardigan*
die Strumpfhose (-n)	*tights*
die Turnschuhe (pl)	*runners*
die Wanderschuhe (pl)	*walking shoes/boots*
der Ärmel (-)	*arm*
die Kapuze (-n)	*hood*
der Knopf (¨e)	*button*
der Kragen (-)	*collar*
der Reißverschluss (¨e)	*zip*
die Tasche (-n)	*pocket*

RETURNING ITEMS

Ein Knopf fehlt.	*A button is missing.*
Der Reißverschluss ist kaputt.	*The zip is broken.*
Es gibt einen Riss im Ärmel.	*There is a tear in the arm.*
Die Farben sind ineinander geflossen.	*The colours have run.*
Das Hemd hat die Wäsche gefärbt.	*The shirt dyed all the clothes in the wash.*
Der Pullover ist geschrumpft.	*The jumper has shrunk.*

Die Bluse ist mir zu klein/zu groß/zu eng/ zu breit.	*The blouse is too small/big/narrow/wide for me.*
Die Uhr geht/funktioniert nicht mehr.	*The watch is not working anymore.*
Ich habe mich umentschieden.	*I have changed my mind.*
bestellen	*to order*
nachbestellen	*to re-order*
umtauschen	*to exchange*
die Größe (-)	*size*
das Geld zurückgeben	*to refund the money*
der Gutschein (-e)	*voucher*
die Kasse (-n)	*till/checkout/cash desk*
der Kassenzettel (-)	*till receipt*
die Rückerstattung (-en)	*refund*
die Umkleidekabine (-n)	*changing room*
der Verkäufer (-)	*sales assistant (male)*
die Verkäuferin (-nen)	*sales assistant (female)*
tragen	*to wear*
passen (+ dativ)	*to suit*
anprobieren	*to try on*
die Markenkeider (pl.)	*brand name clothes*
die Designerklamotten	*designer clothes*

Kapitel 12

GERMAN CLASS

die Deutschstunde (-n)	*German class*
der Deutschunterricht	*German class*
der Deutschlehrer (-)	*German teacher (male)*
die Deutschlehrerin (-nen)	*German teacher (female)*
der Wortschatz (¨e)	*vocabulary*
die Vokabel (-n)	*vocabulary*
die Sprache (-n)	*language*
die Grammatik	*grammar*
die Wortstellung	*word order*
Im Unterricht hört man gut zu.	*You listen carefully in class.*
Man fragt, wenn man etwas nicht versteht.	*You ask when you do not understand something.*

Man schreibt neue Vokabeln in ein Vokabelheft.

Man spricht mit seinen Freunden Deutsch.

Man findet einen Brieffreund/eine Brieffreundin in einem deutschsprachigen Land.

Man macht einen Schüleraustausch.

Man macht einen Sprachkurs.

Man hört deutsche Lieder an.

Man liest Bücher auf Deutsch.

Man sieht deutsche Filme an.

You write out new words in a vocabulary copy.

You speak German with your friends.

You find a pen pal in a German-speaking country.

You go on a school exchange.

You do a language course.

You listen to German songs.

You read books in German.

You watch German films.

LANGUAGE LEARNING

In der Deutschstunde/Im Sprachkurs — *In German class/in the language course*

Deutsch sprechen	to speak German
Fragen beantworten	to answer questions
Texte lesen	to read passages
Kassetten anhören	to listen to tapes
Briefe schreiben	to write letters
wiederholen	to revise
ein Video/einen Film zeigen	to show a video/film
Gedichte lesen	to read poems
Aufsätze schreiben	to write essays
über die Kultur lernen	to learn about the culture
über die Sitten und Gebräuche lernen	to learn about the habits and customs
deutsche Lieder singen	to sing German songs
Fehler korrigieren	to correct mistakes
im Wörterbuch nachschauen	to look up words in a dictionary
Gruppen bilden	to form groups
die mündliche Prüfung	the oral exam
das Leseverständnis	the reading comprehension
das Hörverständnis	the listening comprehension
die schriftliche Produktion	the written production
auswendig lernen	to learn off by heart

SCHOOL EXCHANGE

Was macht man mit der Austauschgruppe? — *What do you do with the exchange group?*

Wir holen sie vom Flughafen ab.	We collect them at the airport.
Wir heißen sie Willkommen.	We welcome them.
Wir sprechen Englisch mit ihnen.	We speak to them in English.
Wir machen Ausflüge.	We go on excursions.

Wir zeigen ihnen die Sehenswürdigkeiten.

We show them the sights.

Wir erzählen ihnen von unserer Kultur und
unserer Geschichte.

*We tell them about our culture and our
history.*

Wir bringen ihnen ein paar Wörter auf Irisch bei.

We teach them a few words of Irish.

Wir organisieren ein Abschiedsfest.

We organise a going away party.

Wenn der Austausch gut läuft…

If the exchange goes well…

Ich bin gut angekommen.

I arrived safe and sound.

Die Gastfamilie hat mich am Flughafen/
Bahnholf abgeholt.

*The host family collected me at the
airport/station.*

Mein Austauschpartner/
Meine Austauschpartnerin heißt…

My exchange partner is called…

Er/ Sie ist sehr freundlich/ nett/ sympathisch.

He/She is very friendly/nice.

Wir kommen sehr gut miteinander aus.

We get on very well together.

Wir verstehen uns prächtig.

We're getting on really well.

Die Familie ist sehr gastfreundlich.

The family is very welcoming.

mein Gastvater

my hostfather

meine Gastmutter

my hostmother

mein Gastbruder (¨)

my hostbrother

meine Gastschwester(-n)

my hostsister

Ich habe mein eigenes Zimmer mit Bad.

I have my own room and bathroom.

Sie helfen mir sehr, mein Deutsch zu verbessern.

*They are really helping to improve
my German.*

Wir machen schöne Ausflüge.

We go on nice trips.

Das Essen schmeckt wunderbar.

The food tastes great.

Alle Katjas/Tims Freunde sind
total nett.

*All Katja's/Tim's friends are
really nice.*

Ich fühle mich sehr wohl hier.

I feel really at home here.

Ich fühle mich pudelwohl hier.

I feel totally at home here.

Sie haben sich sehr über meine Geschenke gefreut.

They were delighted with my presents.

Ich habe ihnen Bilder von meiner Heimat gezeigt.

I showed them pictures of my home place.

Alle waren überrascht, als ich die Geschenke
überreicht habe.

*They were all surprised when I gave
them the presents.*

Ich habe viele neue Kontakte geknüpft.

I've met lots of new people.

Mein Gastbruder ist jetzt ein super Kumpel.

My host brother is now a best mate.

Die Zeit vergeht schnell.

Time is flying by.

Die zwei Wochen vergehen wie im Flug.

*The two weeks are going as fast as
lightning.*

ein 0-8-15 Geschenk

a present that's nothing special

Wenn der Austausch aber nicht so gut läuft…	*But if the exchange isn't going so well…*
Niemand hat mich am Flughafen/ Bahnhof abgeholt.	*Nobody collected me at the airport/train station.*
Ich verstehe mich überhaupt nicht mit meinem Austauschpartner/ mit meiner Austauschpartnerin.	*I don't get on at all with my exchange partner.*
Die Gastfamilie ist sehr streng/ konservativ/altmodisch.	*The host family is very strict/conservative/ old-fashioned.*
Die Familie spricht nur Englisch mit mir.	*The family only speaks to me in English.*
Die Eltern wollen nur ihr Englisch üben.	*The parents only want to practise their English.*
Ich sterbe vor Hunger.	*I'm starving.*
Das Essen schmeckt mir überhaupt nicht.	*I really don't like the food.*
Ich langweile mich sehr.	*I'm really bored.*
Meine Geschenke kamen überhaupt nicht an.	*My presents went down like a lead balloon.*
Ich habe Heimweh.	*I'm home sick.*
Ich sitze die ganze Zeit vor der Glotze.	*I just watch TV all the time.*
Wir machen nie Ausflüge.	*We never go on excursions.*
Ich kenne hier niemanden in meinem Alter.	*I don't know anyone my own age here.*

Kapitel 13

CHRISTMAS

der Weihnachten	*Christmas*
feiern	*to celebrate*
Ich feiere Weihnachten bei meiner Familie.	*I celebrate Christmas at home with my family.*
Ich kaufe viele Weihnachtsgeschenke.	*I buy Christmas presents.*
Wir schmücken den Weihnachtsbaum.	*We decorate the Christmas tree.*
Wir essen viele Leckereien.	*We eat lots of delicacies.*
Wir gehen in die Kirche.	*We go to church.*
Wir singen Weihnachtslieder.	*We sing Christmas songs.*
am ersten Weihnachtstag	*on Christmas Day*
an Heiligabend	*on Christmas Eve*
an Weihnachten	*at Christmas*
das Christkind	*Baby Jesus*
das Festessen (-)	*Christmas dinner*

das Weihnachtslied (-er)	*Christmas carol*
der Engel (-)	*angel*
der Glühwein	*mulled wine*
der Schinken	*ham*
der Stern (-e)	*star*
der Stollen (-)	*a fruit cake, often with marzipan, eaten at Christmas*
der Tannenbaum(¨e)	*fir tree/Christmas tree*
der Truthahn	*turkey*
der Weihnachtsbaum (¨e)	*Christmas tree*
der Weihnachtskranz	*Advent wreath*
der Weihnachtsmann (¨er)	*Father Christmas/Santa Claus*
der Weihnachtsmarkt (¨e)	*Christmas market*
die Bescherung	*giving out of Christmas presents*
die Gans (¨e)	*goose*
die Geschenke auspacken	*to unwrap the presents*
die Grußkarte (-n)	*greeting card*
die Kerzen	*candles*
die Weihnachtsferien	*Christmas holidays*
die Weihnachtskarte (-n)	*Christmas cards*
die Weihnachtsplätzchen	*Christmas cookies*
die Weihnachtszeit	*Christmas time*
zu Weihnachten	*for Christmas*
die Weihnachtsgrüße	*Christmas greetings*
Frohe Weihnachten!	*Happy Christmas!*
Fröhliche Weihnachten!	*Happy Christmas!*

der Martinstag — *Saint Martin's Day*

der Festtag (-e)	*feast day*
der Bischof (¨e)	*bishop*
der Mönch (-e)	*monks*
der Bettler (-)	*beggar*
der Umzug (¨e)	*parade*
die Laterne (-n)	*lantern*

der Adventskalendar — *Advent Calendar*

die Tür (-e)	*door*
stecken	*to hide*
die Mandeln (pl)	*almonds*
das Spielzeug (-e)	*toy*
basteln	*to make (to do handicrafts)*

der Nikolaustag *Saint Nicholas' Day*
ein kirchlicher Feiertag *church holiday*
der Stiefel (-n) *boot*
der Lebkuchen (-) *gingerbread*

NEW YEAR

Neujahrs Grüße ***New Year's Greetings***
Alles Gute im neuen Jahr! *All the best for the New Year!*
Viel Glück im neuen Jahr! *Lots of luck in the New Year!*
Frohes neues Jahr! *Happy New Year!*
Guten Rutsch ins neue Jahr! *Have a good New Year!*
Prosit Neujahr! *Happy New Year!*

Silvester *New Year's Eve*
Neujahr *New Year's Day*
Silvesterbräuche *New Year's Eve customs*
der Glücksbote (-n) *bringer of good luck*
Marzipanferkelchen *marzipan piglets*
Saurüssel *pig's head*
Schweinskopfsülze *brawn/meat jelly*
das Geflügel *poultry*
das Federvieh *poultry*
trotzen *to confront/to brave*
das Schicksal (-e) *fate/destiny*
die Feuerzangenbowle (-n) *red wine punch*
die Gewürznelke (-n) *clove*
der Zuckerhut (¨e) *sugar lump*
übergießen *to pour over*
anzünden *to set alight*
schmelzen (hat geschmolzen) *to melt (melted)*
Prost! *Cheers!*
Bleigießen *pouring molten lead into cold water*

EASTER/CARNIVAL

Ostern ***Easter***
zu Ostern *at Easter*
der Fasching *Carnival*
sich verkleiden *to dress up*
auf etwas verzichten *to give something up*
die Fastenzeit *Lent*

der Osterhase	*Easter bunny*
das Osterei (-er)	*Easter egg*
das Oktoberfest	*Oktoberfest*
die Achterbahn (-en)	*roller coaster*
das Bier	*beer*
das Bierzelt	*beer tent*
die Blasmusik	*brass music*
das Brathuhn	*roast chicken*
die Brezel (-n)	*pretzel*
das Dirndl	*traditional German dress*
die Festwiese	*festival meadow or grounds*
das Hendl	*chicken*
der Krug	*mug*
die Lederhose	*traditional German shorts*
die Maß	*litre (of beer)*
der Maßkrug	*beer mug*
das Riesenrad (¨er)	*ferris wheel*
die Wurst	*sausage*
das Würstchen	*small sausage*
das Zelt	*tent*

Kapitel 14

PARTS OF THE BODY

der Körper	***body***
der Arm (-e)	*arm*
die Augenbraue (-n)	*eyebrow, eyebrows*
das Auge (-n)	*eye*
der Bauch (¨e)	*stomach, belly*
das Bein (-e)	*leg*
das Blut (-e)	*blood*
die Brust (¨e)	*chest*
der Daumen (-)	*thumb*
der Ell(en)bogen (-)	*elbow*
der Finger (-)	*finger*
der Fuß (¨e)	*foot*
das Fußgelenk (-e)/der Fußknöchel (-)	*ankle*
das Gesicht (-e)	*face*

das Haar (-e)	*hair*
der Hals (¨e)	*neck*
die Hand (¨e)	*hand*
das Handgelenk (-e)	*wrist*
die Haut (¨e)	*skin*
das Herz (-en)	*heart*
das Kinn (-e)	*chin*
das Knie (-)	*knee*
der Knochen (-)	*bone*
der Kopf (¨e)	*head*
die Lippe (-n)	*lip*
die Lunge (-n)	*lung*
der Magen (¨)	*stomach*
der Mund (¨er)	*mouth*
der Muskel (-n)	*muscle*
die Nase (-n)	*nose*
das Ohr (-en)	*ear*
der Rücken (-)	*back*
die Schulter (-n)	*shoulder*
die Stirn (-en)	*forehead*
die Wimper (-n)	*eyelash*
der Zahn (¨e)	*tooth*
der Zeh/die Zehe (pl: Zehen)	*toe*
die Zunge (-n)	*tongue*

ILLNESS

die Krankheiten	***Illnesses***
(eine) Grippe	*flu*
(einen) Husten	*cough*
Asthma	*asthma*
Bauchschmerzen/Bauchweh	*stomach ache*
Blasen	*blisters*
Durchfall	*diarrhoea*
eine Allergie	*allergy*
eine Erkältung	*a cold*
eine Nussallergie	*nut allergy*
Fieber	*fever/high temperature*
Halsschmerzen/Halsweh	*sore throat*
Heuschnupfen	*hay fever*
Kopfschmerzen/Kopfweh	*headache*

Magenbeschwerden	upset stomach
Magenschmerzen	stomach ache
Meine Nase ist verstopft.	My nose is blocked.
Meine Nase läuft.	I've a runny nose.
Mir ist kalt.	I'm cold.
Mir ist schlecht.	I feel unwell.
Mir ist schwindelig.	I feel dizzy.
Mir ist übel.	I feel sick.
Mir wird schwarz vor Augen.	I feel faint.
Ohrenschmerzen	earache
Rückenschmerzen	backache
Schnupfen	a cold
Zahnschmerzen/Zahnweh	toothache

wehtun (+ dativ)	to hurt

Ich bin am Ende meiner Kräfte.	I'm worn out.
Ich bin krank.	I'm sick.
Ich fühle mich krank.	I feel sick.
Ich fühle mich nicht wohl.	I don't feel well.
Ich fühle mich schwach.	I feel weak.
Ich habe den Appetit verloren.	I've lost my appetite.
Ich habe einen Insektenstich.	I've an insect bite.
Ich habe einen Mückenstich.	I've a mosquito bite.
Ich habe einen Sonnenbrand bekommen.	I got sunburnt.
Ich habe mich erkältet.	I've got a cold.
Ich habe mich übergegeben.	I vomited.
Ich habe mir die Schulter verrenkt.	I've dislocated my shoulder.
Ich leide an…(+Dativ)	I suffer from…
Ich niese.	I'm sneezing.
Ich schwitze.	I'm sweating.
Ich wurde (von einer Wespe/einer Biene) gestochen.	I've been stung (by a wasp/bee).

MEDICINES AND REMEDIES

Die Medikamente	**Medicines**
das Antibiotikum (Antibiotika)	antibiotic
das Antihistaminikum	antihistamine
das Antihistaminspray	antihistamine spray
die Antihistamintabletten	antihistamine tablets

das Aspirin	*aspirin*
die Augentropfen	*eye drops*
der Gipsverband (¨e)	*plaster cast*
die Hustenbonbons	*cough drops*
der Hustensaft(¨e)	*cough syrup*
die Kopfschmerztablette (-n)	*aspirin*
die Nasentropfen	*nose drops*
die Ohrentropfen	*ear drops*
das Paracetamol	*paracetamol*
das Pflaster(-)	*plaster*
die Salbe (-n)	*ointment*
die Schlaftablette (-n)	*sleeping pill*
das Schmerzmittel (-)	*painkiller*
die Spritze (-n)	*injection*
die Tablette (-n)	*tablet*
der Verband (¨e)	*bandage*
die Vitamine	*vitamins*

Ich muss…   *I must…*

zum Arzt gehen	*go to the doctor*
zum Zahnarzt gehen	*go to the dentist*
ins Krankenhaus gehen	*go to hospital*
im Bett bleiben	*stay in bed*
den Notarzt anrufen	*call the emergency doctor*
zur Apotheke gehen	*go to the chemist's*
viel schlafen	*sleep a lot*
viel trinken	*drink a lot*
mich ausruhen	*take it easy*
Stress vermeiden	*avoid stress*
Kontakt mit anderen vermeiden	*avoid contact with others*
Medikamente kaufen	*buy medicines*
Schmerztabletten nehmen/schlucken	*take/swallow painkillers*
eine Salbe einreiben	*rub in an ointment*
Zitronen und Honig kaufen	*buy lemons and honey*
Zitronen/Zwiebeln einreiben	*rub lemon/onion (over a sting)*

ACCIDENTS

der Unfall (¨e)	***accident***
der Autounfall (¨e)	*car accident*
verletzt	*injured*

schwer verletzt	*seriously injured*
leicht verletzt	*slightly injured*
Kopfverletzungen (pl)	*head injuries*

Ich habe mich verletzt.	*I injured myself.*
Ich bin die Treppe hinunter gefallen.	*I fell down the stairs.*
Ich bin vom Rad gefallen.	*I fell off the bike.*
Ich habe mir den Daumen eingeklemmt.	*I caught my thumb (in a door etc.).*
Zwei Autos sind zusammen gestoßen.	*Two cars collided.*
Ich bin gestolpert.	*I tripped.*
Ein Auto ist gegen einen Baum gefahren.	*A car crashed into a tree.*
Ich bin vom Pferd gefallen.	*I fell off the horse.*
Ich habe mir das Bein/die Arm gebrochen.	*I broke my leg/my arm.*
Ich habe eine Gehirnerschütterung.	*I have concussion.*
Ich habe mir den Fuß geknackst.	*I twisted my foot.*
Ich habe einen blauen Fleck.	*I'm bruised.*
Ich habe ein blaues Auge/ein Veilchen.	*I have a black eye.*
Ich habe einen Bänderriss.	*I've torn ligaments.*
Ich habe mir den Ellenbogen ausgekugelt.	*I dislocated my elbow.*

HEALTHY LIVING

Gesund leben	***Live healthily***
Man soll…essen.	*One should eat…*
viel Obst	*lots of fruit*
viel Gemüse	*lots of vegetables*
Fisch	*fish*
Eier	*eggs*
wenig Zucker	*little sugar*
selten Süßigkeiten	*sweets rarely*
Man soll unbedingt/auf jeden Fall viel Wasser trinken.	*One should definitely drink lots of water.*
Man soll fettiges Essen vermeiden.	*One should avoid fatty foods.*
Man soll sehr selten Fast Food/ Fertiggerichte essen.	*One should rarely eat fast food/ ready-made meals.*

Kapitel 15

THE COUNTRYSIDE

das Land (¨er)	*country/countryside*
aufs Land fahren	*to travel out to the countryside*
auf dem Land leben	*to live in the countryside*

die Landschaft (-en)	*scenery*
der Landwirt (-e)/ der Bauer (-)	*farmer (male)*
die Landwirtin (-nen)/ die Bäuerin (nen)	*farmer (female)*
der Bauernhof (¨e)	*farm*
auf dem Bauernhof arbeiten	*to work on the farm*

FARM ANIMALS

Tiere auf dem Bauernhof	***Animals on the farm***
der Bulle (-n)	*bull*
das Eichhörnchen (-)	*squirrel*
die Ente (-n)	*duck*
der Esel (-)	*donkey*
das Ferkel (-)	*piglet*
das Fohlen (-)	*foal*
der Fuchs (¨e)	*fox*
die Gans (¨e)	*goose*
das Huhn (¨er)	*hen/chicken*
der Igel (-)	*hedgehog*
das Kalb (¨er)	*calf*
das Kaninchen (-)	*rabbit*
die Kuh (¨e)	*cow*
das Küken (-)	*chick*
das Lamm (¨er)	*lamb*
die Maus (¨er)	*mouse*
das Pferd (-e)	*horse*
die Ratte (-n)	*rat*
das Schaf (-e)	*sheep*
das Schwein (-e)	*pig*
der Truthahn (¨e)	*turkey*
der Wolf (¨e)	*wolf*
die Ziege (-n)	*goat*

WORK ON THE FARM

Die Arbeit auf einem Bauernhof	***Work on the farm***
die Kühe melken	*milk the cows*
Obst pflücken	*pick fruit*
die Tiere füttern	*feed the animals*
den Stall ausmisten	*muck out the stables*
den Traktor fahren	*drive the tractor*
die Kühe treiben	*herd the cows*

den Zaun reparieren	*fix the fence*
im Hof saubermachen	*clean up the yard*
Heu einführen	*bring in the hay*
die Felder bearbeiten	*work on the fields*
die Ernte (-n)	*harvest*

THE ZOO
Im Zoo — *At the zoo*

| der Zoo (-s) | *zoo* |
| der Tierpark (-s)/der Tiergarten (¨) | *zoo* |

der Affe (-n)	*monkey*
der Bär (-en)	*bear*
der Delphin (-e)	*dolphin*
der Elefant (-en)	*elephant*
die Giraffe (-n)	*giraffe*
der Gorilla (-s)	*gorilla*
das Kamel (-e)	*camel*
das Känguru (-s)	*kangaroo*
der Koalabär (-en)	*koala bear*
der Löwe (-n)	*lion*
das Nashorn (¨er)	*rhinoceros*
das Nilpferd (-e)	*hippopotamus*
der Pinguin (-e)	*penguin*
die Robbe (-n)	*seal*
der Tiger (-)	*tiger*
das Zebra (-s)	*zebra*

THE ENVIRONMENT
die Umwelt — *the environment*

der Umweltschutz	*environmental protection*
das Klima	*climate*
die Klimaänderung	*climate change*
der Klimawandel	*climate change*
der Tierschutz	*animal welfare/rights*
für etwas schuldig sein	*to be responsible for something*
umweltfreundlich	*environmentally friendly*
umweltfreundliche Produkte	*environmentally friendly products*
die Luft	*air*
die Luftverschmutzung	*air pollution*

das Wasser	water
die Wasserverschmutzung	water pollution
die Autoabgase	exhaust fumes
das Ozonloch	hole in the ozone layer
der Müll	rubbish
die Mülltrennung	separation of rubbish into paper, glass, recyclabes, etc.
das Recycling	recycling
der Strom	power/electricity

Kapitel 16

HOUSEWORK

die Hausarbeit	*housework*
Ich helfe zu Hause.	I help out at home.
Ich bringe den Müll raus.	I put out the rubbish.
Ich bügle.	I iron.
Ich decke den Tisch.	I set the table.
Ich fege den Boden.	I sweep the floor.
Ich hänge die Wäsche auf.	I hang out the washing.
Ich koche.	I cook.
Ich mache mein Bett.	I make my bed.
Ich putze das Badezimmer.	I clean the bathroom.
Ich räume ab.	I clear up/clean up.
Ich räume die Spülmaschine aus.	I empty the dishwasher.
Ich räume die Spülmaschine ein.	I fill the dishwasher.
Ich räume mein Zimmer auf.	I tidy my room.
Ich sauge Staub.	I hoover.
Ich staube ab.	I dust.
Ich trockne ab.	I dry up.
Ich wasche ab.	I wash up.
Ich wasche das Auto.	I wash the car.
Ich wasche die Wäsche.	I wash the clothes.
Ich wische den Boden.	I wash the floor.

GARDENING

die Gartenarbeit	*gardening*
Ich gieße die Blumen.	I water the flowers.
Ich mähe den Rasen.	I cut the grass.
Ich harke die Blätter.	I sweep the leaves.
Ich pflanze Blumen.	I plant flowers.

Ich stutze die Hecke.	*I trim the hedge.*
Ich jäte Unkraut (im Blumenbeet).	*I weed the flowerbed.*
Ich streiche den Zaun.	*I paint the fence.*

Gartengeräte	*garden implements*
der Blumentopf (¨e)	*flower pot*
die Gartenzwerge (-n)	*garden gnome*
das Gewächshaus (¨er)	*greenhouse*
die Gießkanne (-n)	*watering can*
die Harke (-n)	*rake*
die Kelle (-n)	*trowel*
der Rasenmäher (-)	*lawn mower*
der Schlauch (¨e)	*hose*
die Schubkarre (-n)	*wheelbarrow*
der Spaten (-)	*spade*
das Vögelhäuschen (-)	*bird house*

BIRDS

die Vögel im Garten	*birds in the garden*
die Amsel (-n)	*blackbird*
die Blaumeise (-n)	*blue tit*
der Buchfink (-en)	*chaffinch*
die Drossel (-n)	*thrush*
die Elster (-n)	*magpie*
die Eule (-n)	*owl*
die Krähe (-n)	*crow*
der Kuckuck (-e)	*cuckoo*
das Rotkehlchen (-)	*robin*
die Schwalbe (-n)	*swallow*

FLOWERS

die Blumen im Garten	*flowers in the garden*
das Gänseblümchen (-)	*daisy*
der Krokus (-se)	*crocus*
der Löwenzahn (¨e)	*dandelion*
die Mohnblume (-n)	*poppy*
die Nelke (-n)	*carnation*
die Osterglocke (-n)	*daffodil*
die Primel (-n)	*primrose*
die Rose (-n)	*rose*

das Schneeglöckchen (-)	*snowdrop*
die Tulpe (-n)	*tulip*
das Veilchen (-)	*violet*

RULES AT HOME

die Regeln zu Hause	*rules at home*
Ich darf nicht rauchen.	*I'm not allowed to smoke.*
Ich darf auf keinen Fall Alkohol trinken.	*I'm not allowed to drink alcohol under any circumstances.*
Ich muss mein Zimmer sauber halten.	*I have to keep my room tidy.*
Ich muss im Haushalt helfen.	*I have to help with the housework.*
Während der Woche muss ich vor halb elf ins Bett gehen.	*During the week, I must be in bed before ten thirty.*
Wenn ich das Haus verlasse, muss ich meinen Eltern sagen, wohin ich gehe und mit wem.	*When I leave the house, I must tell my parents where I am going and with whom.*
In der Schule muss ich fleißig arbeiten.	*I have to work hard in school.*
Tätowierungen sind streng verboten.	*Tattoos are strictly forbidden.*
Ich darf nicht so viel telefonieren.	*I'm not allowed to spend too long on the phone.*

FAMILY CIRCUMSTANCES

die Familienverhältnisse	*family circumstances*
Ich komme gut/schlecht mit meinen Eltern aus.	*I get on well/don't get on well with my parents.*
mit meiner Mutter	*with my mother*
mit meinem Vater	*with my father*
mit meinen Geschwistern	*with my siblings*
Wir streiten uns oft/jeden Tag/selten/nie.	*We fight often/every day/rarely/never.*
Wir streiten uns über…	*We fight/argue about…*
die Hausarbeit	*housework*
meine Noten in der Schule	*my grades in school*
mein Aussehen	*my appearance*
viele kleine Sachen	*lots of small things*

Kapitel 17

FUTURE PLANS

der Beruf (-e)	*career*
der Berfusberater (-)	*career guidance teacher (male)*
die Berufsberaterin (-nen)	*career guidance teacher (female)*
das Abitur (-e)	*German equivalent of the Leaving Certificate*
das Abitur ablegen	*to sit the Abitur/Leaving Certificate*
der Schulabschluss (¨e)	*Secondary school qualifications/exam at the end of secondary school*
das Schulzeugnis (-se)	*school report*
im Abitur gut abschneiden	*to perform well in the Abitur*
die Universität (-en)	*university*
auf die Uni gehen	*to go to college*
die Fachhochschule (-n)	*technical college*
der Kurs (-e)	*the course*
der Job (-s)	*job*
die Stelle (-n)	*job/position*
das Stellenangebot (-e)	*job offer*
die Stellenanzeige (-n)	*job advertisement*
sich um eine Stelle bewerben	*to apply for a job*
eine Ausbildung als…machen	*to train as a…*
eine Lehre machen	*to do an apprenticeship*
ein Berufspraktikum machen	*to do work experience*
der Lebenslauf	*CV/curriculum vitae*
persönliche Daten	*personal details*
das Geburtsdatum	*date of birth*
der Geburtsort	*place of birth*
Staatsangehörigkeit	*nationality*
Familienstand	*marital status*
ledig	*single*
verheiratet	*married*
geschieden	*divorced*
die Anschrift	*address*
die Schulbildung	*education*
der Berufswunsch	*preferred choice of career*
Voraussichtlicher Schulabschluss	*planned date for sitting final school exam*
die Berufserfahrung (-en)	*work experience*
verdienen	*to earn*
der Lohn (¨e)	*wage/pay*
das Gehalt (-e)	*salary*

COLLEGE AND PROFESSIONS

Ich möchte…studieren.	***I'd like to study…***
Ich habe vor, …zu studieren.	*I intend to study…*
Anglistik	*English*
Betriebswirtschaftlehre	*business*
Design	*design*
Geisteswissenchaften	*arts*
Germanistik	*German*
Informatik	*information technology*
Jura	*law*
Krankenpflege	*nursing*
Kunst	*art*
Maschinenbau	*engineering*
Medizin	*medicine*
Musik	*music*
Naturwissenschaften	*science*
Pharmazie	*pharmacy*
Physchologie	*psychology*
Physiotherapie	*physiotherapy*
Sportwissenschaft	*sports science*
Tourismus	*tourism*
Veterinärmedizin	*veterinary studies*
Zahnmedizin	*dentistry*
Ich möchte…werden	***I'd like to become a…***
Apotheker/Apothekerin	*pharmacist*
Architekt/Architektin	*architect*
Arzt/Ärstin	*doctor*
Buchhalter/Buchhalterin	*accountant*
Dolmetscher/Dolmetscherin	*interpreter*
Grundschullehrer/Grundschullehrerin	*primary school teacher*
Ingenieur/Ingenieurin	*engineer*
Kindergartner/Kindergärtnerin	*nursery school teacher*
Koch/Kochin	*cook*
Krankenpfleger/Krankenschwester	*nurse*
Lehrer/Lehrerin	*teacher*
Musiker/Musikerin	*musician*
Physiotherapeut/Physiotherapeutin	*physiotherapist*
Rechtsanwalt/Rechtsanwältin	*solicitor*
Sekondarschullehrer/Sekondarschullehrerin	*secondary school teacher*

Sozialarbeiter/Sozialarbeiterin	social worker
Sportlehrer/Sportlehrerin	P.E. teacher
Steuerberater/Steuerberaterin	tax consultant
Tierarzt/Tierärztin	veterinary surgeon
Übersetzer/ Übersetzerin	translator
Zahnarzt/Zahnärztin	dentist

Die Arbeit wäre...   ***The work would be...***

anregend	stimulating
aufregend	exciting
gut bezahlt	well paid
interessant	interesting
reizvoll	challenging

eintönig	monotonous
gefährlich	dangerous
langweilig	boring
schlecht bezahlt	badly paid
stressig	stressful
uninteressant	uninteresting

QUALIFICATIONS

die Voraussetzungen   ***qualifications***

Ist dieser Beruf der richtige für dich?	Is this the right career for you?
Hast du die nötigen Eigenschaften für diesen Beruf?	Have you the necessary qualities for this profession?

Ja, ich glaube, ich habe die nötigen Eigenschaften.	Yes, I believe I have the necessary qualities.
Ich bin...	
fleißig	hardworking
intelligent	intelligent
zuverlässig	reliable
kontaktfreudig	sociable
ehrlich	honest
mutig	courageous
einsichtig	understanding
nett	nice
freundlich	friendly
neugierig	inquisitive
fröhlich	cheerful

optimistisch	*optimistic*
geduldig	*patient*
ordentlich	*neat*
geschickt	*skillful*
pünktlich	*punctual*
gesprächig	*talkative*
sprachbegabt	*good at languages*
gutgelaunt	*cheerful*
unternehmungslustig	*adventurous*
höflich	*polite*
vernünftig	*sensible*

Nein, ich glaube diese Arbeit würde mir gar nicht passen, denn ich bin…

No, I don't think this job would suit me, because I am…

faul	*lazy*
impulsiv	*impulsive*
intolerant	*intolerant*
pessimistisch	*pessimistic*
schüchtern	*shy/timid*
tolpatschig	*clumsy*
unpünktlich	*unpunctual*
zerfahren	*scatter-brained*
Ich arbeite lieber draußen.	*I prefer working outdoors.*
Ich bin nicht gut in Sprachen.	*I'm not good at languages.*
Ich kenne mich mit Computern gar nicht aus.	*I don't know anything about computers.*

Letter Writing   Der Brief

In *Viel Spaß! 1*, you were introduced to two different letter styles.

STYLE 1
This is where you are presented with ten questions in German (along with their English translation) from your pen friend and you are required to write a complete sentence in German, answering each question. The letter opening is given to you, but you are required to provide a suitable closing sentence.

STYLE 2

This time you are expected to read a letter in German from your pen friend and in German answer in detail each of the questions he/she has asked throughout the letter. You must write an address at the top of the letter, provide a suitable opening, answer the questions on five or six topic areas and provide a suitable closing for the letter. You should aim to write 27–30 sentences.

Both of the above letter styles are *informal*. That means that either you know the person to whom you are writing the letter, or it is someone the same age as you. The questions that they ask, and any questions you would like to ask back are in the second person singular (the 'du' part of the verb).

In *Viel Spaß! 2*, a third style of letter was introduced: the *formal* letter. (See Kapital 10)

STYLE 3

Die Adresse [Address]

■ If you are asked to write a letter and you are given the address, the layout will be as follows:

Mark Molloy
13 Cottage Drive
Tralee
Co. Kerry
Irland

Tralee, den 3. Mai 2010

Hotel am Schloss
Gartengasse 3
Heidelberg 69115
Deutschland

■ If you are asked to write a *note* or *postcard* and no address is given, then you do not need to write an address.

duzen oder siezen?

(**duzen** is a verb that means 'to address someone as **du**'.)

(**siezen** is a verb that means 'to address someone as **Sie**'.)

In this type of letter, you are requested to write to a business or organisation. As the person to whom you are writing is not in the category of friend or family, you should not address him or her using the 'du' form, but rather the 'Sie' form.

For example, let us look at the question "Can you please send me a brochure?"

In an *informal letter* to your pen friend, you would write:

Kannst du mir bitte eine Broschüre schicken?

In a *formal letter* to a tourist office, for example, you would write:
Könnten Sie mir bitte eine Broschüre schicken?

Another difference between the *formal letter* and *informal letter* is in the opening and closing formulae.

Die Anrede [Opening Formulae]

In the *informal letter* generally, '**Hallo**' or '**Liebe**'/'**Lieber**' is used as the form of address when opening the letter. In a *formal letter*, you have a few options.

- Sehr geehrte Damen und Herren   *Dear Sir or Madam*
  (This form of address is used when you are not given the name of the person to whom you are writing.)
- Sehr geehrte Frau Sommer   *Dear Mrs Sommer*
- Sehr geehrter Herr Braun   *Dear Mr Braun*
- Liebe Herbergsmutter   *Dear Warden (of a youth hostel) (female)*
- Lieber Herbergsvater   *Dear Warden (of a youth hostel) (male)*

Die Schlussformel [Closing Formulae]

The standard closing for a formal letter is:
- Mit freundlichen Grüßen   *Yours sincerely*

Die Unterschrift [Signing off]

When signing off a formal letter, you do not write *Dein/Deine* as previously learned for the informal letter. You simply write your name in full.

For example:

Mit freundlichen Grüßen

Sarah Walsh

Expressions

Redewendungen und Sprüche [Idiomatic Expressions]

Alles auf eine Karte setzen.	*To put all your eggs in one basket.*
Alles läuft/lief wie am Schnürchen.	*Everything is running/ran like clockwork.*
Andere Länder, andere Sitten.	*When in Rome, do as the Romans do.*
Auf der Party war eine Bombenstimmung.	*There was a fantastic atmosphere at the party.*
Das geht mir auf den Wecker.	*That really bugs me.*
Das ist nicht mein Bier.	*That's not my cup of tea.*
Der Urlaub war ein Schlag ins Wasser.	*The holiday was a total flop/fiasco.*

Er/Sie findet immer ein Haar in der Suppe.	*He/She is always finding fault.*
Er/Sie frisst uns die Haare vom Kopf.	*He/She is eating us out of house and home.*
Er/Sie redet wie ein Wasserfall.	*He/She talks non-stop.*
Es geht mir blendend.	*I'm doing terrific.*
Hals- und Beinbruch!	*Good luck!/Break a leg!*
Ich bekomme den Flattermann.	*I get/I'm getting really nervous.*
Ich bin gesund wie ein Fisch im Wasser.	*I'm as fit as a fiddle.*
Ich bin mit dem linken Fuß aufgestanden.	*I got out the wrong side of the bed.*
Ich bin platt!	*I'm wrecked!*
Ich bin völlig aus dem Häuschen.	*I'm beside myself with joy.*
Ich drücke dir die Daumen.	*I'll keep my fingers crossed for you.*
Ich fühle mich pudelwohl hier.	*I'm happy out here.*
Ich fühle mich wie ausgewechselt.	*I feel like a new person.*
Ich habe blaugemacht.	*I dossed class.*
Ich habe den Deutschunterricht geschwänzt.	*I dossed the German class.*
Ich habe den Test mit Ach und Krach bestanden.	*I just scraped by in the test.*
Ich habe die Nase voll von…	*I'm fed up of…*
Ich habe einen Frosch im Hals.	*I have a frog in my throat.*
Ich habe im Test geschummelt.	*I cheated in the test.*
Ich habe Kohldampf.	*I'm starving.*
Ich habe mich in Schale geworfen.	*I got dressed up.*
Ich habe mich schick angezogen.	*I got dressed up.*
Ich habe Schmetterlinge im Bauch.	*I've butterflies in my tummy.*
Ich möchte in der Prüfung gut abschneiden.	*I'd like to do well in the exam.*
Im Deutschunterricht reden wir über Gott und die Welt.	*In German class, we discuss a variety of topics.*
je mehr, desto besser	*the more the merrier*
Lass nicht die Katze aus dem Sack!	*Don't let the cat out of the bag!*
Meine Eltern und ich lagen uns ständig in den Haaren.	*My parents and I are always at loggerheads.*
Mir läuft das Wasser im Mund zusammen.	*That's making my mouth water.*
mit allem Drum und Dran	*with all the trimmings*
Wir gleichen uns wie ein Ei dem anderen.	*We're like two peas in a pod/identical.*

Useful Verbs   Present Tense

es gibt	*there is/there are*
Ich antworte	*I answer/I'm answering*
Ich arbeite	*I work/I'm working*
Ich beginne	*I begin/I'm beginning*
Ich bekomme	*I get/I'm getting*
Ich benutze	*I use/I'm using*
Ich bin	*I am*
Ich bleibe	*I stay/I'm staying*
Ich brauche	*I need*
Ich chatte	*I chat/I'm chatting (on the Internet)*
Ich danke	*I thank*
Ich darf	*I'm allowed*
Ich decke (den Tisch)	*I set/I'm setting (the table)*
Ich denke	*I think*
Ich erlaube	*I allow/I'm allowing*
Ich esse	*I eat/I'm eating*
Ich fahre	*I go/travel/I'm going/travelling (also I drive/I'm driving)*
Ich fahre Rad	*I cycle/I'm cycling*
Ich fange…an	*I begin/I'm beginning*
Ich finde	*I find/I'm finding*
Ich frage	*I ask/I'm asking*
Ich freue mich	*I'm happy*
Ich freue mich auf	*I look/I'm looking forward to*
Ich fliege	*I fly/I'm flying*
Ich gebe	*I give/I'm giving*
Ich gebe…aus	*I spend/I'm spending*
Ich gehe	*I go/I'm going*
Ich gehe spazieren	*I go/I'm going for a walk*
Ich gehöre	*I belong*
Ich genieße	*I enjoy/I'm enjoying*
Ich gratuliere	*I congratulate/I'm congratulating*
Ich habe	*I have*
Ich habe vor	*I intend*
Ich hasse	*I hate*
Ich helfe	*I help/I'm helping*
Ich höre	*I hear*
Ich höre auf	*I stop/I'm stopping*

Ich höre zu	I listen/I'm listening
Ich interessiere mich	I'm interested
Ich kann	I can/I am able
Ich kaufe	I buy/I'm buying
Ich komme	I come/I'm coming
Ich komme aus	I come from
Ich kriege	I get/I'm getting
Ich laufe	I walk/run/I'm walking/running
Ich laufe Rollschuh	I go/I'm going rollerskating
Ich laufe Ski	I ski/I'm skiing
Ich lasse	I leave/I'm leaving (an object)
Ich lerne	I study/learn/I'm studying/learning
Ich lese	I read/I'm reading
Ich liebe	I love
Ich mache	I make/do/I'm making/doing
Ich mache…auf	I open/I'm opening
Ich mache…zu	I close/I'm closing
Ich mag	I like
Ich muss	I must/I have to
Ich nehme	I take/I'm taking
Ich nehme an…teil	I take/I'm taking part in
Ich passe auf…auf	I look/I'm looking after
Ich plaudere	I chat/I'm chatting
Ich putze	I clean/I'm cleaning
Ich rauche	I smoke/I'm smoking
Ich räume…auf	I tidy/I'm tidying
Ich rede	I talk/I'm talking
Ich reise	I travel/I'm travelling
Ich sage	I say/I'm saying
Ich sammle	I collect/I'm collecting
Ich sauge Staub	I hoover/I'm hoovering
Ich schicke	I send/I'm sending
Ich schreibe	I write/I'm writing
Ich schwimme	I swim/I'm swimming
Ich sehe	I see/I'm seeing
Ich sehe fern	I watch/I'm watching TV
Ich singe	I sing/I'm singing
Ich soll	I am supposed to/should
Ich spare	I save/I'm saving
Ich spiele	I play/I'm playing

Ich spreche	*I speak/I'm speaking*
Ich stelle	*I put/I'm putting*
Ich streite	*I fight/I'm fighting*
Ich studiere	*I study/I'm studying (at college)*
Ich suche	*I look/I'm looking for*
Ich surfe	*I surf/I'm surfing*
Ich tanze	*I dance/I'm dancing*
Ich teile	*I share/I'm sharing*
Ich treibe	*I play/I'm playing sport*
Ich tue	*I do/I'm doing*
Ich verbringe	*I spend/I'm spending (time)*
Ich verdiene	*I earn/I'm earning*
Ich verkaufe	*I sell/I'm selling*
Ich verlasse	*I leave/I'm leaving*
Ich vermisse	*I miss/I'm missing (someone/something)*
Ich verstehe	*I understand*
Ich versuche	*I try/I'm trying*
Ich wasche	*I wash/I'm washing*
Ich wasche mich	*I wash/I'm washing myself*
Ich weiß	*I know*
Ich wiederhole	*I repeat/I'm repeating*
Ich will	*I want (to)*
Ich wohne	*I live/I'm living in*
Ich ziehe aus	*I move/I'm moving out*
Ich ziehe ein	*I move/I'm moving in*
Ich ziehe um	*I move/I'm moving house*
Ich ziehe mich an	*I get/I'm getting dressed*
Ich ziehe mich aus	*I get/I'm getting undressed*
Ich ziehe mich um	*I get/I'm getting changed*
es findet statt	*it takes/it is taking place*
es gefällt mir	*I like it*
es regnet	*it rains/it's raining*
es schmeckt	*it tastes*

Verb Tables   Present Tense

heißen (to be called)
ich heiße
du heißt
er/sie/es/man heißt
wir heißen
ihr heißt
Sie heißen
sie heißen

wohnen (to live)
ich wohne
du wohnst
er/sie/es/man wohnt
wir wohnen
ihr wohnt
Sie wohnen
sie wohnen

arbeiten
(to work)
ich arbeite
du arbeitest
er/sie/es/man arbeitet
wir arbeiten
ihr arbeitet
Sie arbeiten
sie arbeiten

fressen (to eat [for animals])
ich fresse
du frisst
er/sie/es/man frisst
wir fressen
ihr fresst
Sie fressen
sie fressen

sein (to be)
ich bin
du bist
er/sie/es/man ist
wir sind
ihr seid
Sie sind
sie sind

sprechen (to speak)
ich spreche
du sprichst
er/sie/man spricht
wir sprechen
ihr sprecht
Sie sprechen
sie sprechen

haben
(to have)
ich habe
du hast
er/sie/es/man hat
wir haben
ihr habt
Sie haben
sie haben

trinken (to drink)
ich trinke
du trinkst
er/sie/es/man trinkt
wir trinken
ihr trinkt
Sie trinkt
sie trinkt

kommen (to come)
ich komme
du kommst
er/sie/es/man kommt
wir kommen
ihr kommt
Sie kommen
sie kommen

können (to be able to)
ich kann
du kannst
er/sie/es/man kann
wir können
ihr könnt
Sie können
sie können

studieren
(to study/to go to college)
ich studiere
du studierst
er/sie/es/man studiert
wir studieren
ihr studiert
Sie studieren
sie studieren

treiben (to play sport)
ich treibe
du treibst
er/sie/es/man treibt
wir treiben
ihr treibt
Sie treiben
sie treiben

machen (to do/to make)

ich mache

du machst

er/sie/es/man macht

wir machen

ihr macht

Sie machen

sie machen

spielen (to play)

ich spiele

du spielst

er/sie/es/man spielt

wir spielen

ihr spielt

Sie spielen

sie spielen

hören (to listen to)

ich höre

du hörst

er/sie/es/man hört

wir hören

ihr hört

Sie hören

sie hören

fernsehen (to watch TV)

ich sehe fern

du siehst fern

er/sie/es/man sieht fern

wir sehen fern

ihr seht fern

Sie sehen fern

sie sehen fern

lesen (to read)

ich lese

du liest

er/sie/es/man liest

wir lesen

ihr lest

Sie lesen

sie lesen

gehen (to go)

ich gehe

du gehst

er/sie/es/man geht

wir gehen

ihr geht

Sie gehen

sie gehen

surfen (to surf)

ich surfe

du surfst

er/sie/es/man surft

wir surfen

ihr surft

Sie surfen

sie surfen

schicken (to send)

ich schicke

du schickst

er/sie/es/man schickt

wir schicken

ihr schickt

Sie schicken

sie schicken

sich interessieren (to be interested)

ich interessiere mich

du interessierst dich

er/sie/es/man interessiert sich

wir interessieren uns

ihr interessiert euch

Sie interessieren sich

sie interessieren sich

sammeln (to collect)

ich sammle

du sammelst

er/sie/es/man sammelt

wir sammeln

ihr sammelt

Sie sammeln

sie sammlen

bekommen (to get)

ich bekomme

du bekommst

er/sie/es/man bekommt

wir bekommen

ihr bekommt

Sie bekommen

sie bekommen

kriegen (to get)

ich kriege

du kriegst

er/sie/es/man kriegt

wir kriegen

ihr kriegt

Sie kriegen

sie kriegen

brauchen (to need)

ich brauche

du brauchst

er/sie/es/man braucht

wir brauchen

ihr braucht

Sie brauchen

sie brauchen

ausgeben (to spend)

ich gebe aus

du gibst aus

er/sie/es/man gibt aus

wir geben aus

ihr gebt aus

Sie geben

sie geben

spazierengehen
(to go for a walk)

ich gehe spazieren

du gehst spazieren

er/sie/es/man geht spazieren

wir gehen spazieren

ihr geht spazieren

Sie gehen spazieren

sie gehen spazieren

sich anziehen (to get dressed)

ich ziehe mich an

du ziehst dich an

er/sie/es/man zieht sich an

wir ziehen uns an

ihr zieht euch an

Sie ziehen sich an

sie ziehen sich an

sparen (to save)

ich spare

du sparst

er/sie/es/man spart

wir sparen

ihr spart

Sie sparen

sie sparen

beginnen (to begin)

ich beginne

du beginnst

er/sie/es/man beginnt

wir beginnen

ihr beginnt

Sie beginnen

sie beginnen

verlassen
(to leave)

ich verlasse

du verlässt

er/sie/es/man verlässt

wir verlassen

ihr verlasst

Sie verlassen

sie verlassen

anfangen (to begin)

ich fange an

du fängst an

er/sie/es/man fängt an

wir fangen an

ihr fangt an

Sie fangen an

sie fangen an

kaufen (to buy)

ich kaufe

du kaufst

er/sie/es/man kauft

wir kaufen

ihr kauft

Sie kaufen

sie kaufen

fahren (to go/to travel)

ich fahre

du fährst

er/sie/es/man fährt

wir fahren

ihr fahrt

Sie fahren

sie fahren

sich waschen
(to wash oneself)

ich wasche mich

du wäschst dich

er/sie/es/man wäscht sich

wir waschen uns

ihr wascht euch

Sie waschen sich

sie waschen sich

aufstehen (to get up)

ich stehe auf

du stehst auf

er/sie/es/man steht auf

wir stehen auf

ihr steht auf

Sie stehen auf

sie stehen auf

lernen (to learn/to study)

ich lerne
du lernst
er/sie/es/man lernt
wir lernen
ihr lernt
Sie lernen
sie lernen

mögen (to like)

ich mag
du magst
er/sie/es/man mag
wir mögen
ihr mögt
Sie mögen
sie mögen

hassen (to hate)

ich hasse
du hasst
er/sie/es/man hasst
wir hassen
ihr hasst
Sie hassen
sie hassen

finden (to find)

ich finde
du findest
er/sie/es/man findet
wir finden
ihr findet
Sie finden
sie finden

holen (to fetch)

ich hole
du holst
er/sie/es/man holt
wir finden
ihr findet
Sie finden
sie finden

öffnen (to open)

ich öffne
du öffnest
er/sie/es/man öffnet
wir öffnen
ihr öffnet
Sie öffnen
sie öffnen

zumachen (to close)

ich mache zu
du machst zu
er/sie/es/man macht zu
wir machen zu
ihr macht zu
Sie machen zu
sie machen zu

aufmachen (to open)

ich mache auf
du machst auf
er/sie/es/man macht auf
wir machen auf
ihr macht auf
Sie machen auf
sie machen auf

schließen (to close)

ich schließe
du schließt
er/sie/es/man schließt
wir schließen
ihr schließt
Sie schließen
sie schließen

schreiben (to write)

ich schreibe
du schreibst
er/sie/es/man schreibt
wir schreiben
ihr schreibt
Sie schreiben
sie schreiben

aufschreiben (to write down)

ich schreibe auf
du schreibst auf
er/sie/es/man schreibt auf
wir schreiben auf
ihr schreibt auf
Sie schreiben auf
sie schreiben auf

plaudern (to chat)

ich plaudere
du plauderst
er/sie/es/man plaudert
wir plaudern
ihr plaudert
Sie plaudern
sie plaudern

teilen (to share)
ich teile
du teilst
er/sie/es/man teilt
wir teilen
ihr teilt
Sie teilen
sie teilen

müssen (to have to/must)
ich muss
du muss
er/sie/es/man muss
wir müssen
ihr müsst
Sie müssen
sie müssen

essen (to eat)
ich esse
du isst
er/sie/es/man isst
wir essen
ihr esst
Sie essen
sie essen

List of Common Irregular Verbs in the Imperfekt and Perfekt

Infinitiv		Imperfekt (Preterite)		Perfekt (Past Participle)	
anfangen	begin	fing an	began	angefangen	begun
ankommen	arrive	kam an	arrived	ist angekommen	arrived
anrufen	call up	rief an	called up	angerufen	called up
backen	bake	backte	baked	gebacken	baked
beginnen	begin	begann	began	begonnen	begun
beißen	bite	biss	bit	gebissen	bitten
bekommen	get, receive	bekam	got	bekommen	received
bieten	offer	bot	offered	geboten	offered
bitten	request	bat	requested	gebeten	requested
bleiben	stay	blieb	stayed	ist geblieben	stayed
brechen	break	brach	broke	gebrochen	broken
brennen	burn	brannte	burned	gebrannt	burned
bringen	bring	brachte	brought	gebracht	brought
denken	think	dachte	thought	gedacht	thought
dürfen	be allowed	durfte	was allowed	gedurft	been allowed
einladen	invite	lud ein	invited	eingeladen	invited
empfehlen	recommend	empfahl	recommended	empfohlen	recommended
erschrecken	scare	erschrak	scared	erschrocken	scared
essen	eat	aß	ate	gegessen	eaten
fahren	travel	fuhr	travelled	ist gefahren	travelled
fallen	fall	fiel	fell	ist gefallen	fallen
fangen	catch	fing	caught	gefangen	caught
finden	find	fand	found	gefunden	found

fliegen	*fly*	flog	*flew*	ist geflogen	*flown*
fressen	*eat (for animals)*	fraß	*ate*	gefressen	*eaten*
frieren	*freeze*	fror	*froze*	gefroren	*frozen*
geben	*give*	gab	*gave*	gegeben	*given*
gefallen	*be pleasing*	gefiel	*liked*	gefallen	*liked*
gehen	*go*	ging	*went*	ist gegangen	*gone*
gelingen	*succeed*	gelang	*succeeded*	ist gelungen	*succeeded*
genießen	*enjoy*	genoß	*enjoyed*	genossen	*enjoyed*
geschehen	*happen*	geschah	*happened*	ist geschehen	*happened*
gewinnen	*win*	gewann	*won*	gewonnen	*won*
haben	*have*	hatte	*had*	gehabt	*had*
halten	*hold*	hielt	*held*	gehalten	*held*
hängen	*hang*	hing	*hung*	gehangen	*hung*
heißen	*be called*	hieß	*was called*	geheißen	*called*
helfen	*help*	half	*helped*	geholfen	*helped*
kennen	*know*	kannte	*knew*	gekannt	*known*
komme	*come*	kam	*came*	ist gekommen	*come*
können	*can*	konnte	*could*	gekonnt	*could*
lassen	*let, allow*	ließ	*let*	gelassen	*let*
laufen	*run*	lief	*ran*	ist gelaufen	*run*
leiden	*suffer*	litt	*suffered*	gelitten	*suffered*
leihen	*lend*	lieh	*loaned*	geliehen	*loaned*
lesen	*read*	las	*read*	gelesen	*read*
liegen	*lie*	lag	*lay*	gelegen	*lain*
lügen	*lie*	log	*lied*	gelogen	*lied*
mögen	*like*	mochte	*liked*	gemocht	*liked*
müssen	*must*	musste	*had to*	gemusst	*had to*
nehmen	*take*	nahm	*took*	genommen	*taken*
nennen	*name*	nannte	*named*	genannt	*named*
reiten	*ride*	ritt	*rode*	ist geritten	*ridden*
rennen	*run*	rannte	*ran*	ist gerannt	*run*
rufen	*call*	rief	*called*	gerufen	*called*
scheinen	*shine*	schien	*shone*	geschienen	*shone*
schlafen	*sleep*	schlief	*slept*	geschlafen	*slept*

schlagen	hit/beat	schlug	hit	geschlagen	hit
schließen	close, lock	schloss	closed	geschlossen	closed
schneiden	cut	schnitt	cut	geschnitten	cut
schrecken	scare	schrak/schreckte	scared	geschreckt/geschrocken	scared
schreiben	write	schrieb	wrote	geschrieben	written
schreien	scream	schrie	screamed	geschrien	screamed
schwimmen	swim	schwamm	swam	ist geschwommen	swum
sehen	see	sah	saw	gesehen	seen
sein	be	war	was	ist gewesen	been
singen	sing	sang	sang	gesungen	sung
sinken	sink	sank	sank	ist gesunken	sunk
sitzen	sit	saß	sat	gesessen	sat
sollen	should, ought to	sollte	should	gesollt	should
sprechen	speak	sprach	spoke	gesprochen	spoken
springen	jump	sprang	jumped	ist gesprungen	jumped
stehen	stand	stand	stood	gestanden	stood
stehlen	steal	stahl	stole	gestohlen	stolen
steigen	climb	stieg	climbed	ist gestiegen	climbed
sterben	die	starb	died	ist gestorben	died
streiten	argue	stritt	argued	gestritten	argued
tragen	carry, wear	trug	wore	getragen	worn
treffen	meet	traf	met	getroffen	met
trinken	drink	trank	drank	getrunken	drunk
tun	do	tat	did	getan	done
vergessen	forget	vergaß	forgot	vergessen	forgotten
verlieren	lose	verlor	lost	verloren	lost
waschsen	wash	wusch	washed	gewaschsen	washed
werden	become	wurde	became	ist geworden	become
werfen	throw	warf	threw	geworfen	thrown
wissen	know	wusste	knew	gewusst	known
wollen	want to	wollte	wanted to	gewollt	wanted to
ziehen	pull	zog	pulled	gezogen	pulled

Grammar

1. A **definite article** [*ein bestimmter Artikel*] is equivalent to the word 'the' in English. Examples in German are **der**, **die** and **das**. The definite article changes in German, depending on:
   a) the **gender** [*das Geschlecht*] of the noun.
   b) the **case** [*der Fall*] the noun is in.
   c) the **number** [*die Nummer*] (whether it is singular or plural).

	m	*f*	*nt*	*pl*
Nominativ	der	die	das	die
Akkustativ	den	die	das	die
Dativ	dem	der	dem	den +n
Genitiv	des	der	des	der

2. An **indefinite article** [*ein unbestimmter Artikel*] is equivalent to the word 'a' or 'one' in English. Examples in German are **ein**, **eine** and **einen**. As with the definite article, the indefinite article changes, depending on gender, case and number. In this book, we met indefinite articles in the nominative, accusative and dative cases.

	m	*f*	*nt*	*pl*
Nominativ	ein	eine	ein	-
Akkustativ	einen	eine	ein	-
Dativ	einem	einer	einem	-
Genitiv	eines	einer	eines	-

3. A **noun** [*ein Nomen/ein Substantiv*]
   In *Viel Spaß! 1,* you learned that a noun can be a **person** (*meine Schwester*), an **animal** (*der Hund*), a **place** (*die Schule*), a **thing** (*der Tisch*), a **sport** (*das Tennis*), an **action** (*das Lesen*), an **event** (*das Spiel*) or an **idea** or **feeling** (*die Angst*). A noun always gets a capital letter and when learning a noun it is important to also learn the gender.

   There are three genders: **masculine** [*Maskulinum*], **feminine** [*Femininum*] and **neuter** [*Neutrum*].
   For example:
   > Examples of **masculine** nouns: der Mann, der Bruder, der Tisch.
   > Examples of **feminine** nouns: die Frau, die Schwester, die Tür.
   > Examples of **neuter** nouns: das Kind, das Auto, das Buch.

   In *Viel Spaß! 2,* the idea of compound nouns [**Komposita**] was introduced. A compound noun is a noun made up of two or more words. We have compound nouns in English too (housework, ice cream, fast food). In German, the words are joined and the gender of the resulting compound noun is the gender of the final noun.

Examples:

das Haus	+ die Arbeit	= die Hausarbeit	*house work*
der Mittag	+ das Essen	= das Mittagessen	*lunch*

Often, **-e**, **-en**, **-es** or **-n** is added to the first noun to form the compund noun.

Examples:

der Kranke	+ das Haus	= das Kranke**n**haus	*hospital*
der Einkauf	+ die Tasche	= die Einkauf**s**tasche	*shopping bag*

At other times, a letter is taken from the first noun.

For example:

die Schule	+ der Tag	= der Schultag	*school day*

If two compound nouns with the same end word are used, a hyphen is used instead of repeating the common word.

For example:

die Vor- und Nachteile (Vorteile und Nachteile)   *the advantages and disadvantages*

4. **Plurals** [*der Plural/die Mehrzahl*] of nouns are formed in many different ways in German. When you look for a noun in a dictionary or in a reference section, the relevant plural form of the noun is given in brackets after the noun. Below are the common changes, which are made to form plural nouns that you should become familiar with. The **definite article** changes from **der**, **die** or **das** in the singular to **die** in the plural.

    In *Viel Spaß! 1,* we looked in detail at how to form plurals. In German, the plural is formed by adding -e, -en, -n, -s, ¨, ¨e, ¨er, -er, -nen, -se, as well as there being no change to the noun and a few irregular nouns that make other changes and that must be learned separately.

    For example:
    das Buch (¨er)   Plural: die Büch**er**

5. **Word order** [*die Wortstellung*] refers to the order that the words come in a sentence. In German, there is a sequence that the parts of a sentence must follow.

Time	Manner	Place
= when	= how/with who	= where

Ich fahre am Samstag mit dem Bus in die Stadt.   *I'm travelling on Saturday by bus to town.*
    TIME   MANNER   PLACE

If any of the parts is left out, the other two still follow in the right order. For example:
Ich fahre am Samstag mit dem Bus.
    TIME   MANNER

Ich fahre am Samstag in die Stadt.
    TIME   PLACE

Ich fahre mit dem Bus in die Stadt.
    MANNER   PLACE

It is also possible to put the TIME at the beginning of the sentence. However, in this case, you must ensure that the VERB directly follows the time expression.

Am Samstag **fahre** ich mit dem Bus in die Stadt.
  TIME   MANNER   PLACE

6. **Conjunctions** [*Verbindungswörter*] are words that connect words, phrases or clauses. Examples in English include **and**, **because** and **but**.

In German, there are two main types of conjunctions:
1. Coordinating
2. Subordinating

Coordinating Conjunctions
There are five coordinating conjunctions: **und** (*and*), **oder** (*or*), **aber** (*but*), **denn** (*since/because*) and **sondern** (*but*).

These conjunctions do not alter the word order in a sentence.

For example:
Ich fahre in die Stadt, und ich gehe ins Kino.   *I'm going to town and I'm going to the cinema.*

Ich mag Erdkunde, aber ich hasse Geschichte.   *I like geography but I hate history.*

The conjunction 'und' **does not require** a comma, but it **may be used** when joining two clauses where the subject and verb is given in both clauses.

For example:

Ich gehe in die Stadt und kaufe Brot.   *I go to town and buy bread.*
(No subject [ich] is given in the second clause; therefore, there is no comma.)

Ich gehe in die Stadt, und ich kaufe Brot.   *I go to town and I buy bread.*
(Both clauses have a subject [ich] and a verb; therefore, a comma may be used.)

A comma may be used if the subject in the first clause differs from the subject in the second clause.

For example:

Ich treffe mich mit Michael in der Stadt,   *I'm meeting Michael in town and we're*
    und wir gehen ins Theater.   *going to the theatre.*

Denn, **aber** and **sondern** are normally preceded by a comma.
Ich fahre nicht nach München, sondern   *I'm not travelling to Munich, but to*
nach Ingolstadt.   *Ingolstadt.*

Subordinating Conjunctions

dass	*that*
wenn	*when*
weil	*because*
sobald	*as soon as*
bis	*until*
bevor	*before*
nachdem	*after*
als	*when*
da	*because, since*
seit/seitdem	*since*
damit	*so that*
ob	*whether, if*
obwohl	*although*
so dass	*so that, as a result*
solange	*as long as*
während	*while, during*

These conjunctions send the verb to the end of the clause.

For example:

Ich fahre in die Stadt. Ich gehe ins Kino.

Ich fahre in die Stadt, **weil** ich ins Kino **gehe**.   *I'm going to town because I'm going to the cinema.*

Obwohl es regnet, gehe ich zu Fuß in die Schule.   *Although it's raining I'm going to walk to school.*

If there is a **modal verb** followed by an infinitive, the subordinating conjunction sends the modal to the end of the clause.

Ich fahre in die Stadt. Ich will ins Kino gehen.

Ich fahre in die Stadt, **weil** ich ins Kino gehen **will**.   *I'm going to town because I want to go to the cinema.*

If the verb is in the **Perfekt**, the subordinating conjunction sends the auxiliary verb **haben** to the end of the clause.

Ich kaufe ein neues Handy. Ich habe das alte verloren.

Ich kaufe ein neues Handy, **weil** ich das alte verloren **habe**.   *I'm buying a new mobile phone because I've lost the old one.*

If the verb is in the **Futur**, the subordinating conjunction sends the auxiliary verb **werden** to the end of the clause.

Ich fahre nach Spanien, weil ich dort arbeiten werde.   *I'm travelling to Spain, because I'm going to work there.*

7.   **Personal Pronouns [*Personalpronomen*]** are words that replace a noun in a sentence.
   For example:

   Thomas sees the **house**.   →   **He** sees **it**.

In the previous example, there are two pronouns. Thomas is replaced by the pronoun '**he**' and the house is replaced by the pronoun '**it**'.

In *Viel Spaß! 1*, you mainly met **Subject Pronouns**.

Subject Pronouns [also called Nominative Pronouns] are used to indicate who or what is doing the action in the sentence.

For example:

Ich lese.   *I read.*

Sie sieht fern.   *She watches TV.*

In addition to subject pronouns, there are also **Direct Object Pronouns [Accusative Pronouns]** and **Indirect Object Pronouns [Dative Pronouns]**.

Direct Object Pronouns [Accusative Pronouns]
The man in the following sentence is in the accusative case. When an accusative noun is replaced in a sentence, it is replaced by an accusative pronoun.

For example:
Ich sehe den Mann.   *I see the man.*
Ich sehe **ihn**.   *I see him.*

Indirect Object Pronouns [Dative Pronouns]
A noun in the dative case is replaced by a dative pronoun.

For example:
Ich helfe der Frau.   *I help the woman.*
Ich helfe **ihr**.   *I help her.*

		Nominativpronomen	Akkusativpronomen	Dativpronomen
	ich	mich	mir
	du	dich	dir
Singular	er	ihn	ihm
	sie	sie	ihr
	es	es	ihm
Plural	wir	uns	uns
	ihr	euch	euch
	Sie	Sie	Ihnen
	sie	sie	ihnen

8. The **cases** [*die Fälle*]. In German, there are four cases: the **nominative** [*Nominativ*], the **accusative** [*Akkusativ*], the **dative** [*Dativ*] and the **genitive** [*Genitiv*].

The **nominative case** refers to the **doer** of the action/the **subject** of the sentence.

For example:
Der Junge sieht ein Auto.   ***The boy** sees a car.*

Eine Frau kauft das Buch.   ***A woman** buys the book.*

The **accusative case** refers to the person or thing that is having the action done to them – the **direct object** of the sentence.

For example:

Der Junge sieht **ein Auto**.	*The boy sees **a car**.*
Eine Frau kauft **das Buch**.	*A woman buys **the book**.*

It is also used after certain prepositions.

For example:

Ich spare **für die Ferien**.	*I'm saving **for the holidays**.*

The **dative case** is used in the following places:
    To denote the indirect object.
    After certain verbs.
    After certain prepositions.

For example:

Der Mann schenkt **der Frau** die Blumen.	*The man gives **the woman** the flowers.*
Das Geld reicht* **dem Mann**.	*The money is enough for **the man**.*
Er kommt aus **dem Haus**.	*He comes out of **the house**.*

*reichen is a verb that takes the dative. Common verbs that take the dative include: antworten (*to answer*), danken (*to thank*), erlauben (*to allow*), fehlen (*to be missing*), folgen (*to follow*), gefallen (*to please*), gehören (*to belong to*), genügen (*to be sufficient*), gratulieren (*to congratulate*), helfen (*to help*), leid tun (*to be sorry*) passen (*to fit/to suit*), schmecken (*to taste good*), stehen (*to suit*), verbieten (*to forbid*), verzeihen (*to forgive*), wehtun (*to hurt*).

The genitive case is used to denote possession and after certain prepositions.

For example:

Ich fahre das Rad meines Bruders.	*I cycle my brother's bike.*
Trotz des schlechten Wetters gehe ich zu Fuß.	*I'm walking despite the bad weather.*

9. **Reflexive Pronouns** [*Reflexivpronomen*]
These are pronouns that are used with Reflexive Verbs [*Reflexivverben*].

For example:

Ich wasche **mich**.	*I wash **myself**.*

The accusative reflexive pronouns are:

Singular	
mich	*myself*
dich	*yourself*
sich	*himself/herself/itself*

Plural	
uns	*ourselves*
euch	*yourselves*
sich	*yourself/yourselves*
sich	*themselves*

The dative reflexive pronouns are:

Singular	
mir	*myself*
dir	*yourself*
sich	*himself/herself/itself*

Plural	
uns	*ourselves*
euch	*yourselves*
sich	*yourself/yourselves*
sich	*themselves*

When there is a reflexive verb and no other object in the sentence, an accusative reflexive pronoun is used.

For example:

Ich wasche mich.   *I wash myself.*

Ich ziehe mich an.   *I'm getting dressed.*

When there is another object in addition to the reflexive verb in the sentence, then the dative reflexive pronoun is used.

For example:

Ich wasche mir die Haare.   *I wash my hair.*

Ich ziehe mir eine Jacke an.   *I'm putting on a jacket.*

10. **Reflexive Verbs** [*Reflexivverben*] are verbs where the action occurs to the subject.

   For example:

   Ich wasche mich.   *I wash myself.* (The 'I' and the 'myself' are the same person.)

   These verbs are listed as 'sich waschen' or 'sich anziehen', for example. These verbs can also be followed by a direct object.

   For example:

   Ich wasche das Auto.   *I wash the car.*

11. **Modal Auxiliaries** [*Modalverben*] give extra meaning to the main verb in a sentence.

   There are **six** Modalverben in German: *müssen, sollen, dürfen, können, wollen* and *mögen*. They each have a specific function.

müssen and sollen

These two verbs express **obligation**. The verb 'müssen' implies that you have no choice in the matter; however, 'sollen' is more of a recommendation, the choice is still up to you.

For example:

Ich muss eine Uniform tragen.	*I must wear a uniform.* (It is a rule.)
Ich soll nicht so viele Süßigkeiten essen.	*I shouldn't eat so many sweets.* (You have free will.)

dürfen and können

These two verbs express **permission**. The verb 'dürfen' implies that you are allowed to do something, whereas 'können' implies that you can do something, but it is up to you to decide if you want to or not. The verb 'können', therefore, also expresses the possibility that something can be done.

For example:

Ich darf ins Kino gehen.	*I'm allowed go to the cinema.*
Ich kann ins Kino gehen.	*I can go to the cinema.*

The verb 'können' also expresses the **ability** to do something.

For example:

Ich kann gut Klavier spielen.	*I can play the piano well.*

wollen and mögen

Both of these verbs express **choice** or **desire** to do something. If you definitely know what you want, then 'wollen' is the verb to use. However, if you are merely stating a desire, then 'mögen' is the required verb.

Ich will ein Eis essen.	*I want to eat an ice cream.*
Ich möchte(*) ein Eis essen.	*I'd like to eat an ice cream.*

(*)

It is not usual to use the present tense of 'mögen' (*ich mag*) and to follow it with an infinitive. When learning about modal auxiliaries, it is the *subjunctive* tense of the verb that is used. (*Ich möchte* = I would like)

Generally, **you should follow 'ich mag' with a noun and not another verb.**

For example:

Ich mag Popmusik.	*I like pop music.*
Ich möchte Popmusik hören.	*I would like to listen to pop music.*

BUT

Ich **höre gern** Popmusik. *I like listening to pop music.*

Modalverben agree with the subject of the sentence. The main verb goes to the end of the sentence and stays in the infinitive.

For example:

Ich **muss** zur Schule **gehen**. *I must go to school./I have to go to school.*
(In English, the main verb directly follows the modal verb)

Ich **will** eine CD **kaufen**. *I want to buy a CD.*

To write a negative sentence using a modal auxiliary, the 'nicht' is placed after the modal.

For example:

Ich will **nicht** in die Schule gehen. *I don't want to go to school.*
Ich darf **nicht** in die Disko gehen. *I'm not allowed to go to the disco.*

However, if the *nicht* comes before an 'ein' word, then they join together to form *kein*. This *kein* word keeps the ending of the 'ein' word of the positive statement/question.

For example.

Musst du einen Brief schreiben? Nein, ich muss **keinen** Brief schreiben.
Ich soll eine Tüte kaufen. Ich soll **keine** Tüte kaufen.
Ich will ein Buch kaufen. Ich will **kein** Buch kaufen.

Very often, when the meaning is implied, the infinitive of the verb is left out of the sentence.

For example:

Ich kann gut Deutsch. *I can speak good German.*
(The *sprechen* is omitted, as it is understood.)
Ich muss nach Hause. *I have to go home.*
(The *gehen* is omitted, as the meaning is clear.)

12. **Separable Verbs** [*trennbare Verben*] are verbs where the prefix separates from the main stem of the verb.

In the **present tense** [*Präsens*], the prefix goes to the end of the sentence.

For example:

fern|sehen	Ich **sehe** gern **fern**.
auf|stehen	Ich **stehe** um acht Uhr **auf**.

In the **present perfect** [*das Perfekt*], the 'ge' is placed after the separable prefix.

For example:

Ich habe das Fenster auf**ge**macht.	*I opened the window.*
Ich habe fern**ge**sehen.	*I watched TV.*
Ich bin auf**ge**standen.	*I got up.*

In the **simple past** [*das Imperfekt*], the separable prefix goes to the end of the sentence, just as in the present tense.

For example:

Ich **machte** das Fenster **auf**.	*I opened the window.*
Ich **stand auf**.	*I got up.*

In the **future tense** [*das Futur*] and with the 'würde' construction, the separable verb in its infinitive form is sent to the end of the sentence.

For example:

Ich **werde** das Fenster **aufmachen**.	*I will open the window.*
Ich **würde** um neun Uhr **aufstehen**.	*I would get up at nine o'clock.*

13. **Present Tense** [*das Präsens*]

    Regular verbs. You will have noticed that most verbs in the Present Tense [*das Präsens*] follow a definite pattern. An example of a regular verb is *spielen*.

    There are two verbs (**haben** and **sein**) that follow no particular pattern. Make sure you know these by heart!

sein	haben
ich bin	ich habe
du bist	du hast
er/sie/es/man ist	er/sie/es/man hat
wir sind	wir haben
ihr seid	ihr habt
Sie sind	Sie haben
sie sind	sie haben

14. Present Perfect [*das Perfekt*]
Verbs that use the auxiliary verb 'haben'

'Haben' verbs can be divided into two categories: **weak** and **strong**.

● **Weak Verbs + haben**

Weak means that they all follow a definite pattern. So, once you can do one weak verb, you can do them all. 'Machen' is an example of a weak verb.

machen

ich	habe	**ge**mach**t**	*I did/have done*
du	hast	**ge**mach**t**	*you did/have done*
er/sie/es/man	hat	**ge**mach**t**	*he/she/it/one did/has done*
wir	haben	**ge**mach**t**	*we did/have done*
ihr	habt	**ge**mach**t**	*you did/have done*
Sie	haben	**ge**mach**t**	*you did/have done*
sie	haben	**ge**mach**t**	*they did/have done*

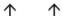

With a weak verb, you make two changes to the infinitive to get the past participle of the verb.
1. You put '**ge**' in front of the verb.
2. You cross off the '**en**' at the end and put '**t**' instead.
As you can see, the past participle does not change as you decline the verb.

For verbs that end in '-den' and '-ten', you add 'et'
Beispiel: arbeiten   Ich habe **ge**arbeit**et**.   *I worked/ have worked.*

Note: The **past participle** comes at the **end of the sentence**.

● **Strong Verbs + haben**

With these verbs, a '**ge**' is still the prefix (apart from inseparable verbs), but this time '**en**' is placed at the end. In addition, the **stem vowel** will often change:

For example:
finden   Ich habe mein Handy **gefunden**.   *I found/have found my mobile.*

However, this is not always the case. Sometimes, the only change is adding the 'ge' prefix.

For example:

lesen	Ich habe das Buch **gelesen**.	*I read/have read the book.*

A comprehensive list of strong verbs can be found in the section titled List of Common Irregular Verbs in the Imperfekt and Perfekt just before this Grammar Reference Section.

● Inseparable Verbs

Verbs that begin with **be-**, **emp-**, **ent-**, **er-**, **ge-**, **miss-**, **ver-** and **zer-**. In chapter 6, we mainly looked at the weak verbs in this category. However, this group contains both weak and strong verbs. These verbs do not have '**ge**' as a prefix in the present perfect.

be-

Some useful **be-** verbs are: beantworten (*to answer*), sich bedanken (*to thank*), bedeuten (*to mean*), sich beeilen (*to hurry*), beeindrucken (*to impress*), befehlen (*to order*), sich befinden (*to be located*), beginnen (*to begin*), bekommen (*to get*), bemerken (*to notice*), benutzen (*to use*), beschreiben (*to describe*), besichtigen (*to visit*), bestellen (*to order*), besuchen (*to visit*), sich bewerben (*to apply*), bezahlen (*to pay*).

For example:

besuchen	Ich habe meine Tante **besucht**.	*I visited/have visited my aunt.*
beschreiben	Ich habe mein Dorf **beschrieben**.	*I described/have described my village.*

emp-

There are only a handful of verbs beginning with **emp-**. The most useful one to know is 'empfehlen' (*to recommend*).

For example:

empfehlen	Er hat mir das Restaurant **empfohlen**.	*He recommended the restaurant to me.*

ent-

Useful **ent-** verbs include: entdecken (*to discover*), entscheiden (*to decide*), sich entschuldigen (*to apologise*), sich entspannen (*to chill out/to relax*), enttäuschen (*to disappoint*).

For example:

sich entschuldigen	Ich habe mich bei ihr entschuldigt.	*I apologised to her.*

er-

Useful **er-** verbs include: erfahren (*to learn/to come to know*), erhalten (*to receive*), sich erholen (*to get better*), sich erinnern (*to remember*), sich erkälten (*to get a cold*), erkennen (*to recognise*), erklären (*to explain*), sich erkundigen (*to enquire*), erlauben (*to allow*), erleben (*to experience*), erreichen (*to reach/to attain*), erschrecken (*to frighten*), erstaunen (*to amaze*), erwähnen (*to mention*), erzählen (*to tell*).

For example:

erklären   Die Lehrerin hat die Geschichte erklärt.   *The teacher explained the story.*

ge-

Useful **ge-** verbs include: gefallen (*to please*), gelingen (*to succeed*), genießen (*to enjoy*), geschehen (*to happen*), gewinnen (*to win*), sich gewöhnen (*to get used to*). Note vowel changes in verbs such as gewinnen (gewonnen), gelingen (gelungen), etc.

For example:

gefallen   Der Film hat mir gut gefallen.   *I liked the film.*

miss-

There are only a few verbs with the inseparable prefix **miss-**. A useful verb from this category is 'missverstehen' (*to misunderstand*).

For example:

missverstehen   Ich habe Sie missverstanden.   *I misunderstood you.*

ver-

Nearly half of all inseparable verbs have **ver-** as their prefix. Some of the most useful ones to know are: sich verabreden (*to arrange to meet*), sich verabschieden (*to say goodbye*), verbessern (*to improve*), verbieten (*to forbid*), verbringen (*to spend*), verdienen (*to earn*), vergessen (*to forget*), verkaufen (*to sell*), verlassen (*to leave*), sich verletzen (*to get injured*), sich verlieben (*to fall in love*), verlieren (*to lose*), vermieten (*to rent out*), verschlafen (*to oversleep*), verstehen (*to understand*), versuchen (*to try*), verzichten (*to give up/to go without*).

For example:

verkaufen   Ich habe das Auto verkauft.   *I sold the car.*

zer-

zer- is not a common inseparable prefix. Useful verbs to know in this category are: zerkleinern (*to chop up*) and zerstören (*to destroy*).

For example:

zerstören	Der Hund hat die Blumen im Garten zerstört.	*The dog destroyed the flowers in the garden.*

● **-ieren verbs**

Another group of verbs that do not have a 'ge' prefix in the present perfect are verbs that end in **-ieren.**

For example:

studieren	Sie hat in Bonn studiert.	*She studied/has studied in Bonn.*

Verbs that take the auxiliary verb 'sein'

Verbs that take **sein** as an auxiliary verb are:
1. verbs which show a change in position or condition.
2. some impersonal verbs (e.g. *passieren, geschehen*).

Gehen is an example of a verb that takes **sein.**

ich	**bin**	gegangen	*I went/have gone*
du	**bist**	gegangen	*you went/have gone*
er/sie/es/man	**ist**	gegangen	*he/she/it/one went/has gone*
wir	**sind**	gegangen	*we went/have gone*
ihr	**seid**	gegangen	*you went/have gone*
Sie	**sind**	gegangen	*you went/have gone*
sie	**sind**	gegangen	*they went/have gone*

● **Weak Verbs**

A weak verb is a verb that follows a definite pattern. The prefix 'ge' is placed before the stem and '-t'/'-et' is added to the stem.

For example:

landen	Der Flugzeug **ist gelandet**.	*The plane landed/has landed.*
auswandern	Die Iren **sind ausgewandert**.	*The Irish emigrated/have emigrated.*

● **Strong Verbs**

The past participles of strong verbs vary and each verb must be learnt.

For example:

gehen	Die Frau **ist** in die Stadt **gegangen**.	*The woman went/has gone to town.*
fahren	Er **ist** nach Euro Disney **gefahren**.	*He went/has gone to Euro Disney.*

A comprehensive list of strong verbs can be found in the section titled List of Common Irregular Verbs in the Imperfekt and Perfekt just before this Grammar Reference Section.

15. **Simple Past [*das Imperfekt*]**
   ● **Imperfekt of 'haben'and 'sein'**

In German, these two verbs are more usually used in the Imperfekt than the Perfekt, especially in spoken German.

haben	*to have*
ich hatte	*I had/used to have*
du hattest	*you had/used to have*
er/sie/es/man hatte	*he/she/it/one had/used to have*
wir hatten	*we had/used to have*
ihr hattet	*you had/used to have*
Sie hatten	*you had/used to have*
sie hatten	*they had/used to have*

sein	*to be*
ich war	*I was/used to be*
du warst	*you were/used to be*
er/sie/es/man war	*he/she/it/one was/used to be*
wir waren	*we were/used to be*
ihr wart	*you were/used to be*
Sie waren	*you were/used to be*
sie waren	*they were/used to be*

   ● **Weak Verbs**

The endings for all regular verbs in the imperfect are as follows:

   -te, -test, -te, -ten, -tet, -ten, -ten

For example:
Ich spiel**te** Tennis.   *I played tennis.*

There are a few variations to the above rule for verbs whose stem end in **-d**, **-t**, and **-m**, **-n** (that do not have an *l* or an *r* before the final letter). For these verbs, an 'e' is added to the stem before the past tense ending. So, the endings are:

   -ete, -etest, -ete, -eten, -etet, -eten, -eten

For example:
Ich arbeit**ete** im Büro.   *I worked in the office.*

- **Irregular Weak Verbs**

These verbs have a vowel change in the stem, but the endings are the same as for the weak verbs. Examples of weak irregular verbs are: nennen (*to name*), rennen (*to run*), kennen (*to know*), bringen (*to bring*), denken (*to think*) and the irregular modals (können, dürfen and müssen).

For example:

rennen	Ich rannte nach Hause.	*I ran home.*

- **Irregular Strong Verbs**

These also have a vowel change to the stem. The endings are the same as those in the present tense, apart from the first and third person singular, which have no endings.

For example:

gehen	Ich ging in die Stadt.	*I went into town.*
	Wir gingen ins Kino.	*We went to the cinema.*

16. **Future [*das Futur*]**

The future tense in German is formed by using the present tense of **werden** along with the infinitive. The infinitive is placed at the end of the sentence.

For example:

Ich **werde** ins Ausland **fahren**.	*I will travel abroad.*
Morgen **werde** ich in die Stadt **gehen**.	*I will go to town tomorrow.*

(ich werde, du wirst, er/sie/es/man wird, wir werden, ihr werdet, Sie werden, sie werden)

17. **Conditional**

There are two ways to express the conditional in German. The **würde construction** and the **subjunctive**.

- **Würde Construction**

The imperfect subjunctive of the the verb **werden** is used as the auxiliary verb along with the infinitive to give a conditional. The verb in the infinitive goes to the end of the sentence.

For example:

Ich **würde** viel Geld **verdienen**.	*I would earn a lot of money.*

(The imperfect subjunctive of **werden** is as follows: ich würde, du würdest, er/sie/es/man würde, wir würden, ihr würdet, Sie würden, sie würden)

If you want to say you would *like/not like* to do something, you place *gern/nicht gern* **after** the würde auxiliary.

For example:

Ich würde **gern** nach Wien fahren.   *I would like to travel to Vienna.*

● **Subjunctive [Konjunktiv II]**

Every German verb has its own **subjunctive** form. In *Viel Spaß! 2*, you have been introduced to the two main verbs used in this tense: **haben** and **sein**.

haben

ich hätte	*I would have*
du hättest	*you would have*
er/sie/es/man hätte	*he/she/it/one would have*
wir hätten	*we would have*
ihr hättet	*you would have*
Sie hätten	*you would have*
sie hätten	*they would have*

sein

ich wäre	*I would be*
du wärst	*you would be*
er/sie/es/man wäre	*he/she/it/one would be*
wir wären	*we would be*
ihr wärt	*you would be*
Sie wären	*you would be*
sie wären	*they would be*

18. An **adjective** [*ein Adjektiv*] is a word that is used to describe a noun.
    An adjective can come *after* a verb.

    For example:
    Das Auto ist **blau**.   *The car is **blue**.*

    It can also go *before* a noun.

    For example:
    Der Junge sieht ein **blaues** Auto.   *The boy sees a **blue** car.*

When an adjective is placed **before the noun**, an adjectival ending is added.

For example:

Ich habe einen blau**en** Mantel.   *I have a blue coat.*

Ich habe eine blau**e** Krawatte.   *I have a blue tie.*

[Note the following **exceptions**:

*   There are some colours that do not require adjectival endings, such as *lila* and *rosa*.
      For example: Ich habe eine lila Bluse./Er hat ein lila Hemd.

**   dunkel drops its 'e' before the ending is added.
      For example: Ich trage einen dunklen Rock./Er trägt ein dunkles Hemd.]

Adjective endings for the indefinite article table (ein, etc.)

	m	*f*	*n*	*pl*
Nom.	-er	-e	-es	-
Akk.	-en	-e	-es	-
Dat.	-en	-en	-en	-
Gen.	-en	-en	-en	-

For example:

Er trägt eine grau**e** Hose.   *He is wearing a grey trousers.*

Adjective endings for the definite article table (der, etc.)

	m	*f*	*n*	*pl*
Nom.	-e	-e	-e	-en
Akk.	-en	-e	-e	-en
Dat.	-en	-en	-en	-en
Gen.	-en	-en	-en	-en

For example:

Ich kaufe den schwarz**en** Pullover.   *I'm buying the black jumper.*

Adjective endings where there is neither an *indefinite article* nor a *definite article* in front of the adjective.

	m	*f*	*n*	*pl*
Nom.	-er	-e	-es	-e
Akk.	-en	-e	-es	-e
Dat.	-em	-er	-em	-en
Gen.	-en	-er	-en	-er

For example:

Ich mag rot**e** Rosen.   *I like red roses.*

19. **Prepositions** [*Präpositionen*]

There are prepositions that are followed by:

    a)   the accusative case only.

    b)   the dative case only.

    c)   the accusative or the dative case.

    d)   the genitive case.

a)   Prepositions that are always followed by the **accusative case**.

für	*for*
um	*around/for/at (time)*
durch	*through/by*
gegen	*against/for*
entlang	*along/down*
bis*	*until/to/by*
ohne	*without*

*While *bis* can be used as a preposition on its own, it is most often used with a second preposition (*bis zu, bis auf*) or without any article (*bis Montag, bis Mittwoch*).

If you take the first letter of each preposition in this list, you get *fudgebo*. This may help you remember.

Das Buch ist **für** meinen Lehrer.   *The book is **for** my teacher.*

b)   Prepositions that are always followed by the **dative case**.

aus	*from/out of*
bei	*at/near*
mit	*with/by*
nach	*after/to*
seit	*since/for*
von	*by/from*
zu	*at/to*
gegenüber	*opposite*

Er spielt mit **dem Hund**.

For example:
*He's playing with **the dog**.*

c) Prepositions that are followed by either the **accusative** or **dative case**.

■ When describing movement towards an object or place, you use a preposition followed by the accusative case.

For example:

Ich gehe **in die** Stadt.   *I'm going to town.*

■ When describing the location of a place or object, you use a preposition followed by the dative case.

For example:

Ich wohne **in der** Stadt.   *I live in the town.*

in	*in/into*
auf	*at/on/to/upon*
hinter	*behind*
an	*at/on/to*
neben	*beside/near/next to*
über	*about/above/across/over*
unter	*under/among*
vor	*in front of/before/ago (time)*
zwischen	*between*

d) Prepositions that are followed by the **genitive case** are:

(an)statt	*instead of*
diesseits	*this side of*
jenseits	*on the other side of*
während	*during*
wegen	*on account of*
trotz	*in spite of*
außerhalb	*outside (of)*
innerhalb	*inside (of)*

For example:

Während des Sommers spiele ich Tennis.   *I play tennis during the summer.*

20. **Questions** [*Fragen*] are formed by either:
   a) using a **question word**.

   For example:
   Was isst du gern?   ***What** do you like eating?*

was?	what?
wann?	when?
wer?	who?
wo?	where?
wie?	how?
wie viel?	how much?
wie viele?	how many?
warum?	why?
wohin?	where to?
woher?	where from?
welche	which?

   b) beginning the question with a **verb**. This is called inversion.

   For example:
   Hast du ein Haustier?   ***Do you have** a pet?*
   (***When answering a question that begins with a verb, begin by saying** Ja or Nein.*)

21. **Negation.**
   Use of '**nicht**'.
   If you want to a negate a **verb**, you use **nicht.**

   For example:
   Ich singe nicht.   *I don't sing.*

   Use of '**kein**'.
   If you want to negate a **noun**, you use **kein.**
   For example:
   Ich habe keine Zeit.   *I have no time.*

Notizen

Notizen

Ich sehe mich um
I'm just looking around.

Notizen

Notizen

Notizen

Notizen

Notizen

Notizen

Notizen